Die Herrlichkeit des Himmels

John MacArthur

Mein Dank gilt Phil Johnson, der meine Texte
seit mehr als dreissig Jahren bearbeitet und
Veröffentlichungstermine immer eingehalten hat.
Aber dieses Buch ist Phils wunderbarer Frau Darlene
und seinen Söhnen Jeremiah, Jedidiah und Jonathan
gewidmet, die treu erduldet haben, dass Phil mit
näher rückendem Abgabetermin lange und bis spät
in die Nacht arbeitete und nur wenig Zeit mit ihnen
verbringen konnte.

Die Herrlichkeit des Himmels

John MacArthur

Die Herrlichkeit des Himmels
John MacArthur

THE GLORY OF HEAVEN
The Glory of Heaven: The Truth about Heaven, Angels, and Eternal Life
(Second Edition)

Published by Crossway
a publishing ministry of Good News Publishers
Wheaton, Illinois 60187, U.S.A.
This edition published by arrangement with Crossway.

Verwendete Bibelübersetzung:
Schlachter 2000-Übersetzung, Genfer Bibelgesellschaft.

5. Auflage 2023 (Koproduktion)
Verlag Mitternachtsruf, CH-8600 Dübendorf
www.mitternachtsruf.ch
Christliche Verlagsgesellschaft mbH, Dillenburg
www.cv-dillenburg.de

Bestell-Nr. Mitternachtsruf: 180051
ISBN Mitternachtsruf: 978-3-85810-326-0
Bestell-Nr. CV: 271 348
ISBN CV: 978-3-86353-348-9

Übersetzung aus dem Amerikanischen: Martin Plohmann
Lektorat, Satz und Layout: Fritz Konrad, Lahr
Umschlag: Verlag Mitternachtsruf
Herstellung: ARKA Druck, PL-43-400 Cieszyn
Bildnachweis Titelseite: Shutterstock.com/AlexussK

«Wenn wir nur in diesem Leben auf Christus hoffen,
so sind wir die elendesten unter allen Menschen.»

1. Korinther 15,19

Inhaltsverzeichnis

Einleitung

Einer Gallup-Umfrage von 2007 zufolge sagen 81 Prozent der erwachsenen Amerikaner, dass sie an den Himmel glauben.[1] Das ist ein erheblicher Anstieg in den letzten zehn Jahren, als eine ähnliche Umfrage ergab, dass nur 72 Prozent an den Himmel glaubten.[2] Fast 80 Prozent der Befragten im Jahr 2007 sagten auch, sie glaubten, dass sie in den Himmel kommen würden, wenn sie sterben. Mit anderen Worten, eine sehr grosse Mehrheit der Menschen glaubt an den Himmel, und nahezu jeder von ihnen erwartet, nach seinem Tod dort hinzukommen.

Doch die unglaubliche Ironie ist: Obschon das Interesse am Himmel rapide steigt, nimmt der Glaube an Gott stetig ab. In denselben zehn Jahren zwischen diesen beiden Umfragen erlangte der Atheismus eine noch nie da gewesene Popularität[3], und eine stattliche Zahl an Menschen sagt heute, dass sie die Bibel für nichts anderes als ein Buch voller Fabeln und Legenden hält.[4]

Es ist kein Geheimnis, dass in der westlichen Gesellschaft zurzeit mehrere sehr mächtige säkularisierende Einflüsse am Werk sind. Medien, Regierungen, die Wissenschaft und die Unterhaltungsindustrie – sie alle haben einen grossen Anteil an der Wertebildung einer Gesellschaft – haben sich mehr oder weniger gegen den Gott der Bibel zusammengeschlossen. Sie fördern eine materialistische Weltanschauung und greifen gleichzeitig historische christliche Glaubensüberzeugungen und moralische Grundsätze der Bibel an. Die daraus entstandene kulturelle Abtrift ist enorm. Der Glaube an Gott nahm in den nur sechs Jahren zwischen dem Beginn des neuen Jahrtausends und der Umfrage von 2007 um vier Prozent ab – auch wenn die Zahl der Leute, die sagen, sie glauben an den Himmel und erwarten, dort hinzukommen, stark anstieg. Während ich dies hier schreibe, weist keine dieser Tendenzen Anzeichen auf, sich abzuschwächen.[5]

Übrigens, nahezu ein Drittel der Befragten von 2007 sagte, sie würden nicht an die Hölle glauben oder seien sich dessen nicht sicher. Ungefähr dieselbe Zahl meint, sie würde die Existenz des Teufels bezweifeln.

Angesichts der steigenden Flut eines aggressiven Atheismus, postmodernen Skeptizismus, biblischen Analphabetentums, Selbstliebe und grober Unmoral müssen wir uns fragen, was sollen wir vom gegenwärtig in der Öffentlichkeit vorhandenen Interesse am Himmel halten? Eines ist klar: Es zeigt nicht gerade einen Überschwang an Interesse für das, was die *biblische* Offenbarung über den Himmel lehrt. Im Gegenteil, die Fakten scheinen anzudeuten, dass sich viele Menschen einfach Vorstellungen über den Himmel ausdenken, die ihnen genehm sind. Die am weitesten verbreiteten Vorstellungen über den Himmel sind grösstenteils Produkte der menschlichen Fantasie, die wenig (oder gar keine) Ähnlichkeit mit dem herrlichen Reich Christi haben, wie es im Wort Gottes beschrieben wird.

Wir nehmen natürlich an, dass New-Age-Jünger, Spinner und Sektenanhänger die Bibel zu Gunsten ihrer eigenen Träume und Fantasien aussen vor lassen. Aber diese Neigung, seine eigenen Vorstellungen vom Himmel zu erfinden, scheint bei den Evangelikalen ein noch grösseres Problem zu sein als in der Welt im Allgemeinen. Anzeichen dafür lassen sich in mehreren evangelikalen Megabestsellern aus jüngster Zeit erkennen.

Eines der meist diskutierten Bücher 2011 war *Den Himmel gibt's echt* (Originaltitel: *Heaven Is for Real*) von Todd Burpo und Lynn Vincent.[6] Das Buch beschreibt die Sicht des 4-jährigen Colton Burpo vom Himmel (wie sein Vater sie Lynn Vincent erzählte). Colton behauptet, während einer Operation im Himmel gewesen zu sein, nachdem ein Blinddarmdurchbruch ihn fast das Leben gekostet hätte. Seine Geschichten vom Himmel sind voller überspannter Momente und eigenartiger Details, die allesamt die Kennzeichen der blühenden Fantasie eines Kindes tragen. An Coltons Beschreibung vom Himmel ist nichts Transzendentes oder gar besonders Aufschlussreiches. Ihr fehlt vollkommen die atemberaubende Herrlichkeit, die sich in jeder biblischen Beschreibung des himmlischen Bereiches findet. Das hielt Todd Burpo aber nicht davon ab, gezielte Ausdrücke und Beweistexte aus der Schrift herauszugreifen und sie so zu zitieren, als würden sie den Bericht seines Sohnes beglaubigen.

Ein Artikel im *New York Times Magazine* zeichnete den Erfolg des Buches chronologisch nach:

> «Den Himmel gibt's echt» erschien Ende 2010 in Amerika, wurde durch Mundpropaganda zu einem Bestseller und stand 59 (nicht aufeinanderfolgende) Wochen auf Platz 1 der Sachbuch-Bestsellerliste der *New York Times*. Vor kurzem brachte der Verleger Thomas Nelson ein Kinderbilderbuch heraus, mittlerweile ebenfalls ein Bestseller, das Illustrationen enthielt, die von Colton autorisiert waren. Und irgendwann im Jahr 2014 soll ein auf dem Buch basierender Film in die Kinos kommen, liess DeVon Franklin verlautbaren, der für die Produktion zuständige Vizepräsident von *Columbia Pictures*, der seinen Glauben als «einen professionellen Wert» betrachtet.[7]

Der Fernsehevangelist T. D. Jakes wird den Film koproduzieren.

Ein weiteres Bestsellerbuch aus demselben Genre ist *Einmal Himmel und zurück* (Originaltitel: *To Heaven and Back*) von Dr. med. Mary C. Neal.[8] Dr. Neals Bericht über den Himmel ist nicht weniger dürftig als der von Colton Burpo, und weicht sogar noch mehr von der biblischen Lehre ab. Erschienen Ende Mai 2012, erreichte dieses Buch schon im ersten Monat die Spitze der Bestsellerliste in der *New York Times*.

In Kapitel 2 werden wir uns die in *Den Himmel gibt's echt* erzählte Geschichte etwas näher anschauen. In einigen Anhängen werden wir Neals Geschichte untersuchen und einige andere populäre Bücher desselben Genres. An dieser Stelle möchte ich nur auf die beunruhigende Leichtigkeit hinweisen, mit der imaginäre Berichte wie diese an Zugkraft gewinnen und unter evangelikalen Lesern begeisterte Anhänger finden. Vor zwanzig Jahren noch hätte kein seriöser evangelikaler Verleger diesen Büchern einen zweiten Blick geschenkt. Zurzeit veröffentlichen und verkaufen christliche Buchhändler jedoch mehr Bücher mit solch falschen Ansichten über das Leben nach dem Tod als von allen Kommentaren und biblischen Nachschlagewerken zusammengenommen.[9]

Es mag faszinierend sein, diese verwickelt detaillierten Berichte von Menschen zu lesen, die behaupten, aus dem Himmel zurückgekommen zu sein, aber das ist ein ebenso gefährliches wie verführerisches Hobby. Leser bekommen nicht nur ein verkehrtes, unbiblisches Bild vom Himmel durch diese Lügengeschichten; sie nehmen auch eine subjektive, abergläubische und oberflächliche Art von Geistlichkeit auf. Es gibt keinen Grund, jemandem zu glauben, der behauptet, im Himmel gewesen und zurückgekehrt zu sein (Joh 3,13; 1,18). Wenn man die mystischen Berichte von angeblichen Reisen ins Leben danach studiert, führt das zu nichts als zu Verwirrung, Widerspruch, falscher Hoffnung, falscher Lehre und jeder Menge ähnlicher Übel.

Dennoch zeigt die aktuelle Popularität solcher Bücher, wie hungrig die Menschen sind, etwas über den Himmel zu erfahren. Daran ist an sich natürlich nichts falsch. Es ist eine Sehnsucht, die zum Guten genutzt werden kann, solange wir in die Bibel schauen und uns vom Wort Gottes informieren und unsere Hoffnungen prägen lassen.

Es ist richtig und nützlich für Christen, ihr Herz auf den Himmel auszurichten. Die Schrift drängt uns wiederholt, diese Ausrichtung zu pflegen: «Wenn ihr nun mit Christus auferweckt worden seid, so sucht das, was droben ist, wo der Christus ist, sitzend zur Rechten Gottes. Trachtet nach dem, was droben ist, nicht nach dem, was auf Erden ist» (Kol 3,1–2). «Da wir nicht auf das Sichtbare sehen, sondern auf das Unsichtbare; denn was sichtbar ist, das ist zeitlich; was aber unsichtbar ist, das ist ewig» (2Kor 4,18). «Unser Bürgerrecht aber ist im Himmel, von woher wir auch den Herrn Jesus Christus erwarten als den Retter» (Phil 3,20).

Eine solche Ausrichtung ist laut Hebräer 11 der Kern echten Glaubens. Menschen mit echtem, biblischem Glauben bestätigen, dass sie nur Fremde und Gäste auf dieser Erde sind (V. 13). Sie suchen nach einem himmlischen Vaterland (V. 14). Sie «trachten nach einem besseren, nämlich einem himmlischen. Darum schämt sich Gott ihrer nicht, ihr Gott genannt zu werden; denn er hat ihnen eine Stadt bereitet» (V. 16). Die «Stadt», auf die sich dieser Vers bezieht, ist das himmlische Jerusalem, ein unvorstellbarer Ort – die Hauptstadt des Himmels. Sie wird der ewige Wohnsitz der Erlösten sein. Kein Wunder, dass Christen von diesem Thema fasziniert sind.

Die Wahrheit ist, praktisch jeder (einschliesslich überzeugter Atheisten) *denkt* an den Himmel, stellt sich vor, wie er sein könnte, und wünscht sich, dort zu sein. Gott hat diese Sehnsucht in die Seele der Menschen eingeschrieben. «Auch die Ewigkeit hat er ihnen ins Herz gelegt» (Pred 3,11). Die Wahrheit dieses Verses ist offensichtlich, sogar in einer säkularisierten, skeptischen Gesellschaft wie der unseren.

Vor fast einem halben Jahrhundert schrieb der Theologe Wilbur Smith (damals Professor für biblische Studien an der Trinity Evangelical Divinity School) ein ausgezeichnetes Buch über den Himmel, in dem er das nachlassende Interesse an himmlischen Dingen und eine dementsprechend steigende Beschäftigung mit weltlichen Dingen beklagte. Das war in den späten 1960ern. Jahrzehnte des modernistischen Rationalismus haben viele Gemeinden geistlich ruiniert. Menschen dieser Generation genossen ein Mass an materiellem Wohlstand, vom dem ihre Eltern und Grosseltern nicht zu träumen wagten. Die Öffentlichkeit und die Medien waren besessen von Politik, Sport, Unterhaltung und anderen irdischen Dingen – und vielleicht weniger an geistlichen Dingen interessiert als jede Generation vor ihnen.

Wilbur Smith begann festzustellen, dass «im letzten Vierteljahrhundert nur zwei wirklich bedeutende Bände über den Himmel veröffentlicht wurden.»[10] Das erste Kapitel seines Buches trug den Titel: «Die Verwerfung der Vorstellung vom Himmel im modernen Denken.»[11] Er zitierte einige berühmte Köpfe, die die moderne Philosophie begründeten, einschliesslich Friedrich Nietzsche, der sich rühmte, dass seine Philosophie letzten Endes Gott getötet hat, und Karl Marx, der erklärte, es sei die angestammte Rolle der Philosophie, die Religion abzuschaffen und die Wahrheit in *dieser Welt* aufzurichten. Er zitierte auch Wladimir Lenin, der Marx' berühmten Ausspruch «Die Religion ist das Opium des Volks» zitierte. Lenin bezeichnete die Hoffnung auf den Himmel seinerseits als «ein geistiges Rauschmittel, in welchem die Sklaven des Kapitals ihre Menschlichkeit ersäufen und mit dem sie ihre Sehnsüchte nach einem halbwegs menschenwürdigen Leben abstumpfen.»[12]

Anschliessend zeigte Smith auf, wie die meisten Bereiche des modernen Denkens einer Vorstellung vom Himmel offen feindlich gegenüberstehen. So verfügt die *Wissenschaft* beispielsweise über keine Mittel, etwas zu untersuchen, das über den Bereich der Natur hinausgeht. Leider ziehen viele Wissenschaftler daraus den falschen Schluss, dass es nichts ausser dem natürlichen Bereich gibt. Die *Philosophie*, sagt Smith, «hatte nie einen Platz für den Himmel.» (Er zitiert den Philosophen Alfred North Whitehead, der schrieb: «Können Sie sich etwas entsetzlich Dümmeres vorstellen als die christliche Vorstellung vom Himmel?»[13]) Doch der schlimmste Bereich von allen ist die vom Liberalismus und Rationalismus beeinflusste moderne *Theologie*, die ebenfalls die Vorstellung vom Himmel aufgegeben und sich anderen Zweigen des modernen Denkens angeschlossen hat in ihrer Aussage, es sei «Aberglaube, ein Mythos und eine überholte Vorstellung.»[14]

Heute ist das intellektuelle Sadduzäertum noch feindseliger (und sicherlich durchdringender) als zu der Zeit, als Smith seine Beobachtungen machte. Weltlichkeit und Materialismus sind zu Kennzeichen der postmodernen Gesellschaft geworden. Und dennoch erstaunt es, dass alle diese Tendenzen zusammen es nicht geschafft haben, das menschliche Verlangen nach der Herrlichkeit des Himmels und nach der Gewissheit des Glaubens zu ersticken. Obwohl die intellektuelle Elite den Menschen unermüdlich gesagt hat, dass es keine geistliche Realität gibt, die sie aus irgendeiner Ursuppe herausgebildet hat, und dass sie keine Zukunft in der Ewigkeit haben – *wissen die Menschen es besser*. Gott hat die Ewigkeit in unser Herz gelegt. Der Himmel *ist* real, und die Sehnsucht, dort zu sein, liegt in der Natur des Menschen.

Der Kern unserer gemeinsamen Studien in diesem Buch ist eine tiefgründige Betrachtung dessen, was die Bibel über den Himmel sagt. Ganz gleich, was jemand über den Himmel denkt oder wie jemand sich ihn vorzustellen wünscht, die Realität ist anders und übertrifft die menschliche Vorstellung bei Weitem. Man kann einfach kein besseres Verständnis über den Himmel bekommen als es uns die Bibel vermittelt – insbesondere nicht aus den Träumen und Nahtoderfahrungen anderer Personen. Mit den Worten von Charles Spurgeon:

> Es ist ein bisschen wie der Himmel auf Erden, sich schöne Dinge vorzustellen. Doch denken Sie nicht, dass sich die Vorstellungskraft den Himmel ausmalen kann. Selbst wenn sie sehr erhaben ist, frei vom Staub der Erde, vom grössten Wissen getragen und von äusserster Vorsicht begleitet wird, kann sich unsere Vorstellungskraft den Himmel nicht ausmalen. «Was ... keinem Menschen ins Herz gekommen ist, was Gott denen bereitet hat, die ihn lieben.» Vorstel-

> lungskraft ist gut, aber nicht, wenn es um den Himmel geht. Nach und nach werden Sie merken, dass der Himmel nach Ihrer Vorstellung ein einziger Fehler ist; auch wenn Sie schöne Schlösser gebaut haben, werden Sie feststellen, dass es nur Luftschlösser sind, und sie werden verschwinden wie kleine Wölkchen beim Hereinbrechen des Sturms. Denn Vorstellungskraft kann keinen Himmel hervorbringen. «Was kein Auge gesehen und kein Ohr gehört und keinem Menschen ins Herz gekommen ist.»[15]

Was Gott in der Schrift geoffenbart hat, ist die einzig legitime Information, die uns ein klares Verständnis vom Reich des Himmels gibt. Auf diesen Punkt werden wir immer wieder zurückkommen: Die Bibel ist unsere *einzige* zuverlässige Informationsquelle über den Himmel. Ich möchte Ihnen zeigen, warum es irreführend und gefährlich ist, die Nahtoderfahrungen anderer Menschen eingehend zu untersuchen und im Einzelnen genau zu prüfen, als könnten sie uns irgendeine bedeutende Wahrheit über das Leben nach dem Tod geben, die in der Schrift fehlt.

Ausserdem möchte ich Ihnen zeigen, was die Schrift über den Himmel, die Engel und das Leben nach dem Tod lehrt. Und gemeinsam werden wir feststellen, dass, was die Bibel über diese Dinge sagt, völlig *ausreicht* –, denn wir wissen, dass uns die Schrift alles bietet, was wir wissen müssen, um für jedes gute Werk ausgerüstet zu sein (2Tim 3,17). Dem kann kein Augenzeugenbericht etwas Verlässliches hinzufügen.

Wenn wir uns anschauen, was die Bibel lehrt, werden Sie erkennen, dass uns Gottes geschriebenes Wort ein bemerkenswert klares Bild vom Himmel und dem geistlichen Bereich liefert – *natürlich* gibt es noch viele Fragen, die die Bibel unbeantwortet lässt. Wir müssen die Grenzen akzeptieren, die Gott selbst dem, was er offenbart hat, gesetzt hat. Es ist reine Dummheit, wenn wir Spekulationen über Dinge anstellen, über die die Schrift schweigt. Es ist falsch und sündig, geistliche Geheimnisse mittels okkulter Praktiken erforschen zu wollen. Und es ist äusserst gefährlich, auf jemanden zu hören, der behauptet, er wüsste mehr über Gott, den Himmel, die Engel oder das Leben nach dem Tod, als Gott selbst uns in der Schrift geoffenbart hat.

Wenn uns die Schrift auffordert, unsere Herzen auf himmlische Dinge auszurichten, lehrt sie uns, dass wir Christus und die wahre himmlische Herrlichkeit in den Mittelpunkt stellen sollen – statt sich in Fantasien über das Leben im Himmel zu ergehen. Kolosser 3,2: «Trachtet nach dem, was droben ist, nicht nach dem, was auf Erden ist», ist einfach eine andere Ausdrucksweise für das erste und grosse Gebot: «Du sollst den Herrn, deinen Gott, lieben mit deinem ganzen Herzen und mit deiner ganzen Seele und mit deinem ganzen Denken und mit deiner ganzen Kraft!» (Mk 12,30).

Ganz gleich, wie intensiv sie sich damit befassen, herauszufinden wie der Himmel ist, Menschen, die ihre Köpfe mit fantastischen oder trügerischen Vorstellungen aus den Nahtoderfahrungen anderer füllen, haben ihre Gedanken *nicht* wirklich auf die Dinge, die droben sind, ausgerichtet. Wenn die unfehlbare biblische Wahrheit, die Gott uns gegeben hat, die einzige vertrauenswürdige Wissensquelle über den Himmel ist, zu der wir Zugang haben (und das ist sie), dann sollte sie unser Herz und unseren Verstand ganz einnehmen. Das, so hoffe ich, ist die allerwichtigste Botschaft, die Sie aus diesem Buch mitnehmen werden.

Wir wollen uns nun anschauen, warum die biblische Darlegung über den Himmel unvergleichlich besser ist als die Träume und Spekulationen des menschlichen Verstandes.

---

1. Gallup-Umfrage, 10.–13. Mai 2007.
2. Gallup/Nathan Cummings Foundation und Fetzer Institute Poll, Mai 1997.
3. Greg Paul, «Atheism on the Upswing in America», *The Washington Post*, 20. September 2011.

4. Gallup-Umfrage, 5.–8. Mai 2011. S. auch Jeffrey M. Jones, «In U.S., 3 in 10 Say They Take the Bible Literally», 8. Juli 2011 auf http://www.gallup.com/poll/148427/say-bible-lite-rally.aspx.
5. Dieselben Tendenzen finden sich auch im Datenmaterial der Umfragen, die von der Barna Research Group in den Jahren 2003 und 2011 durchgeführt wurden.
6. *Heaven Is for Real: A Little Boy's Astounding Story of His Trip to Heaven and Back* (Nashville: Nelson, 2010).
7. Maud Newton, «My Son Went to Heaven, and All I Got Was a No. 1 Best Seller», *New York Times Magazine*, 27. April 2012.
8. Mary C. Neal, *To Heaven and Back: A Doctor's Extraordinary Account of Her Death, Heaven, Angels, and Life Again* (Colorado Springs: Waterbrook, 2012).
9. Den Statistiken des Verlegers zufolge wurden von der amerikanischen Ausgabe von *Den Himmel gibt's echt* innerhalb von 18 Monaten nach Veröffentlichung mehr als 7 Millionen Exemplare verkauft (nicht eingerechnet die mehr als eine halbe Million Exemplare der Kinderbuchausgabe). *Einmal Himmel und zurück* ist dabei, dies noch zu übertreffen. Don Pipers Buch *90 Minutes in Heaven* (dt. Titel: *90 Minuten im Himmel*) aus dem Jahr 2004 verkaufte sich 4 Millionen Mal – ein phänomenaler Erfolg, der den späteren Projekten zweifellos den Weg bereitete. Im Sommer 2012, als zwei dieser Bücher in der Liste der *New York Times* noch Spitzenplätze belegten, war *The KJV Standard Lesson Commentary* das einzige biblische Nachschlagewerk, das es unter die ersten 50 auf der Bestsellerliste der Vereinigung christlicher evangelikaler Verleger (Evangelical Christian Publishers Association) schaffte.
10. Wilbur M. Smith, *The Biblical Doctrine of Heaven* (Chicago: Moody, 1968), S. 7.
11. Ebd., S. 17.
10. Ebd., S. 19.
13. Ebd., S. 21.
14. Ebd., S. 22.
15. Charles H. Spurgeon, *The New Park Street Pulpit*, 6 Bde. (London: Passmore & Alabaster, 1856), 2:20–21.

KAPITEL 1

Himmlisches Durcheinander

Ich weiss, Sie haben über den Himmel nachgedacht und sich vorgestellt, wie der Himmel sein könnte. Das tut jeder. Die Hoffnung auf das Leben nach dem Tod wohnt dem menschlichen Denken inne. Zusammen mit unserem angeborenen Sinn für Moral, unserer Liebe zu Schönheit und unserer Neigung zu Hingabe, unterscheidet unsere Faszination für den Himmel den Menschen von den Tieren. Alle diese Charakteristika gehen auf die Tatsache zurück, dass *wir geistliche Geschöpfe sind, geschaffen im Bilde Gottes*. Das ist das Hervorstechende, das die Menschheit an sich bestimmt und unsere Rasse in eine aussergewöhnliche Stellung über den ganzen Rest der Schöpfung stellt (1Mo 1,26; 5,1; Jak 3,9). Gott selbst «hat die Ewigkeit ins Herz [des Menschen] gelegt» (Pred 3,11).

Mit anderen Worten, die atheistische Behauptung, das Ende dieses Lebens bedeutete das Ende unserer Existenz, widerspricht dem untrüglichen Empfinden des Menschen. Sie ist grundlegend wider die Natur und leugnet den menschlichen Geist.

Die Schrift lehrt ausdrücklich, dass der Mensch geschaffen wurde mit einem angeborenen Bewusstsein von Gott. «Das von Gott Erkennbare ist unter ihnen offenbar, da Gott es ihnen offenbar gemacht hat» (Röm 1,19). Eine wörtliche Übersetzung des griechischen Textes wäre: «Etwas von Gott ist deutlich in ihnen geoffenbart.» Menschen besitzen ein intuitives Gespür für die Existenz Gottes. Wir wissen etwas über sein Wesen. Gott selbst hat uns mit diesem innewohnenden Wissen geschaffen. Und wir spüren, dass wir ihm letztlich Rechenschaft schuldig sind.

Zusätzlich zu diesem angeborenen Wissen hat Gott seine Herrlichkeit zur Wahrnehmung für uns auf alles gelegt, was er erschaffen hat. «Sein unsichtbares Wesen, nämlich seine ewige Kraft und Gottheit, wird seit Erschaffung der Welt an den Werken durch Nachdenken wahrgenommen» (Röm 1,20). Aus diesem Grund erkennen wir in diesem riesigen Universum, wo wir auch hinschauen, Gottes Weisheit, Kraft und Grösse. Blicken Sie durch das leistungsstärkste Teleskop in die äussersten Ecken des Universums, und Sie werden von der unendlichen Erhabenheit überwältigt, die unser Verständnis weit übersteigt. Schauen Sie sich unter dem Mikroskop einen Tropfen Wasser aus einem Teich an und Sie werden ebenso komplexe Wunder sehen, die die unbeschreibliche Majestät und die unerschöpflichen Fähigkeiten unseres Schöpfers erkennen lassen. Beide Perspektiven – und jeder Standpunkt dazwischen – erinnern uns an das, was unserem Herzen und Gewissen bereits bekannt ist: Wir wurden von einem unvorstellbar herrlichen Gott geschaffen, und sein Plan für uns geht unendlich weit über dieses kurze Leben auf der Erde hinaus.

Die ganze atheistische Propaganda in der Welt kann nicht (und wird niemals) das angeborene Wissen des Menschen über Gott auslöschen, das Zeugnis der Schöpfung zum Schweigen bringen, das menschliche Gewissen ersticken, das Gespür für die Ewigkeit im Herzen des Menschen abtöten oder unsere Sehnsucht nach dem Himmel unterdrücken.

Das erklärt, warum jede grössere Religion und jede bedeutende Kultur in der Menschheitsgeschichte irgendeine Vorstellung von einem perfekten Paradies gehabt hat – Nirwana, Elysium, Walhalla, Utopia, Shangri-La oder was auch immer. Es erklärt aber nicht, warum sich jeder den Himmel ein bisschen anders vorstellt. Sogar die Menschen, die behaupten, schon einmal im Himmel gewesen zu sein, stimmen in ihrer Beschreibung nicht überein. Wenn Gott die

Ewigkeit ins menschliche Herz gelegt hat, warum haben dann verschiedene Menschen so verschiedene Vorstellungen vom Himmel?

Das verlorene Paradies

Die Antwort auf diese Frage ist begründet in der traurigen Wahrheit, dass wir gefallene Geschöpfe sind, belastet mit Schuld und Sünde. Sünde beeinflusst unser Denken, unsere Wünsche, unsere Fantasie und vor allem unser Verständnis von geistlichen Dingen. Wir sind nicht einmal in der Lage, unser eigenes Herz verlässlich klar zu erkennen: «Überaus trügerisch ist das Herz und bösartig; wer kann es ergründen» (Jer 17,9).

Während wir also intuitiv die Realität des Himmels erfassen können und zu ihm hingezogen werden, nehmen wir auch unsere eigene Gefallenheit und Schuld wahr. Es ist bezeichnend, dass Adam und Eva, nachdem sie von der verbotenen Frucht gegessen hatten, als erstes versuchten, ihre Nacktheit zu bedecken und sich vor Gott zu verstecken (1Mo 3,7–11). Ihre tiefe Scham war sogar stärker als ihr Gespür für Gottes wunderbare Erscheinung, daher wollten sie als gefallene Geschöpfe Gott aus dem Weg gehen. Vernünftig und angemessen wäre es gewesen, wenn sie sich zu ihm hingezogen gefühlt hätten, gefesselt von seiner Herrlichkeit und umgeben von Liebe und Wonne in seiner Gegenwart. All das *hatten* sie erlebt – bis zu dem Augenblick, als sie ungehorsam wurden. Aber die Sünde änderte alles radikal und augenblicklich, und als irrationale Handlung versuchten sie sich vor dem zu verstecken, den sie am dringendsten brauchten, dem einen wahren Gott, der allein ihre Liebe und Hingabe verdiente.

Seitdem hat sich die ganze Menschheit in der gleichen nutzlosen Übung betätigt. Wir werden mit einer Neigung zur Sünde geboren. Wir spüren die Schande unserer Schuld und wissen, dass wir Gottes Güte nicht verdienen. Von Natur aus sind wir uns seiner Allmacht und seiner unendlichen Weisheit bewusst (und werden davon beunruhigt) – und diese Wahrheiten sind der ganzen Schöpfung dauerhaft einbeschrieben, damit wir sie nicht vergessen. Wir wissen, wir hätten kein stichhaltiges Argument oder könnten uns nicht verteidigen gegen den gerechten Zorn des Allmächtigen, würden wir vor sein vollkommenes Gericht gerufen. «Und kein Geschöpf ist vor ihm verborgen, sondern alles ist enthüllt und aufgedeckt vor den Augen dessen, dem wir Rechenschaft zu geben haben» (Hebr 4,13). Daher versuchen gefallene Menschen unweigerlich, zu verdrängen und zu verdrehen, was Gott ihnen geoffenbart hat (Röm 1,18).

Je mehr die Menschen dieses angeborene Wissen von der Gottheit zum Schweigen bringen, umso geistlich verwirrter und schamlos sündiger werden sie. Römer 1,21–25 zeichnet den Weg der menschlichen Verdorbenheit nach:

> Denn obgleich sie Gott erkannten, haben sie ihn doch nicht als Gott geehrt und ihm nicht gedankt, sondern sind in ihren Gedanken in nichtigen Wahn verfallen, und ihr unverständiges Herz wurde verfinstert. Da sie sich für weise hielten, sind sie zu Narren geworden und haben die Herrlichkeit des unvergänglichen Gottes vertauscht mit einem Bild, das dem vergänglichen Menschen, den Vögeln und vierfüssigen und kriechenden Tieren gleicht. Darum hat sie Gott auch dahingegeben in die Begierden ihrer Herzen, zur Unreinheit, sodass sie ihre eigenen Leiber untereinander entehren, sie, welche die Wahrheit Gottes mit der Lüge vertauschten und dem Geschöpf Ehre und Gottesdienst erwiesen anstatt dem Schöpfer, der gelobt ist in Ewigkeit. Amen!

Berücksichtigen Sie folgende Tatsache: Wenn Menschen ihr Wissen von Gott absichtlich verdrängen und verwerfen, was er über sich geoffenbart hat, dann leugnen sie normalerweise Gottes Existenz nicht komplett. Vielmehr erfinden sie einen Gott für sich selbst, der eher ihrer Vorstellung entspricht. Der auf falsche Weise Gott Verehrende erkennt, dass er das angeborene Wissen von Gottes Existenz nicht vollständig auslöschen kann, ohne ein Teil seines Menschseins zu opfern. Daher entscheidet er sich, einen kleineren Gott nach seinen eigenen Vorstellungen zu erdenken, der mehr seinem persönlichen Geschmack entspricht. Manche verehren krass das blosse Geschöpf (sogar «Vögel und vierfüssige und kriechende Tiere»). Andere machen sich Götzen aus Stein oder verehren fiktive Gestalten aus menschlichen Mythologien. Heute stellen sich die meisten einfach eine persönliche Gottheit vor, die wenig mehr ist als ein Spiegelbild ihrer selbst. Sie mögen vorgeben – und sich sogar selbst einreden –, dass sie den Gott der Bibel ehren, aber in Wirklichkeit verehren sie sich selbst. Das alles sind sündige Formen von Verehrung des Geschöpfes. Keine ist besser oder kultivierter als die andere; und keine Art ist besser als ein wild wuchernder Atheismus.

Falsche Religionen stellen sich häufig als groteskere und nachdrücklichere Ablehnungen des einen wahren Gottes heraus als ein rigoroser Atheismus – weil von Menschen gemachte Religionen jede geistliche Wahrheit systematisch verdrehen und neu ersinnen.

Was Menschen über das Leben nach dem Tod glauben, wird besonders beeinflusst von der Verderbtheit falscher Religionen. Menschen, die ihre eigenen Götter erfinden, müssen sich auch ihren eigenen Himmel erfinden. Das ist mittlerweile zu einem sehr modernen Zeitvertreib geworden, sogar unter Leuten, die behaupten, an den Gott der Bibel zu glauben.

Wolkenschlösser

Mehrere äusserst fantasievolle Berichte, die behaupten zu beschreiben, wie es im Himmel ist, stehen gegenwärtig weit oben auf den Bestsellerlisten, und das Tempo, im dem solche Veröffentlichungen erscheinen, scheint noch zuzunehmen. Aus der Luft gegriffene Geschichten über mystische Besuche im Himmel (oder in manchen Fällen auch in der Hölle) bilden heute eine neue und recht grosse

Kategorie im Verlagswesen: Reiseberichte für das Leben nach dem Tod. Tim Challies, produktiver evangelikaler Blogger und Experte für Buchbesprechungen, bezeichnet das neue Genre als «Himmelstourismus» und sagt:

> In den Himmel zu reisen und zurück, ist heute das Mass aller Dinge. Don Piper verbrachte neunzig Minuten dort und verkaufte vier Millionen Exemplare seines Berichts darüber. Colton Burpo weiss nicht, wie lange er dort war, aber sein Reisetagebuch hat 6 Millionen verkaufte Exemplare überschritten. Ausserdem ging eine Kinderbuchausgabe eine weitere halbe Million Mal über den Ladentisch. Bill Wiese buchte seinen Trip offensichtlich auf der falschen Website und fand sich in der Hölle wieder, was seinen Verkaufszahlen höllisch schadete. Dennoch verkaufte sich *23 Minutes in Hell* besser, als hätte er eine Reise nach, sagen wir mal, Detroit beschrieben, und sein Buch schaffte es sogar einige Wochen in die Bestsellerliste. Es gab noch andere, und zusammen haben sie Reiseberichte über das Leben nach dem Tod als ein völlig neues Genre im christlichen Verlagswesen etabliert – ein Genre, das wie warme Semmeln oder amische Fiktion weggeht.[1]

Bücher wie diese gehören seit den 1970ern zur Grundausstattung des säkularen Verlagswesens. Evangelikale Buchhändler sind diesem Trend etwas hinterhergehinkt. Jetzt aber scheinen sie es durch hohe Auflagen und Verkaufszahlen auszugleichen.

«Medizinische» Forscher beginnen das Leben nach dem Tod zu untersuchen

Die Faszination der Leserschaft über Abstecher in den Himmel und Nahtoderfahrungen nahm einen ernsthaften Anfang, kurz nachdem Dr. Elisabeth Kübler-Ross 1969 ihr Buch *On Death and Dying*[2] veröffentlichte. Kübler-Ross, eine in der Schweiz geborene amerikanische Psychiaterin, führte in den 1960ern eine Studie an todkranken Patienten durch. Sie ist berühmt für ihre Theorie über die fünf Phasen der Trauer.

Zusammen mit ihren Ideen über das Trauern veröffentlichte sie Berichte von mehreren Personen, die, wie es schien, buchstäblich aus dem Tod zurückgekehrt waren – die meisten von ihnen wurden im Operationssaal von Chirurgen oder an Unfallorten von Sanitätern wiederbelebt. Viele hatten faszinierende Dinge darüber zu berichten, was sie auf der «anderen Seite» angeblich gesehen und erlebt hatten.

Kübler-Ross entschloss sich zu weiteren Untersuchungen über das Phänomen der Nahtoderfahrung. Sie sagte, die Studie veränderte ihre eigenen Ansichten über das Leben nach dem Tod. Bevor sie zu *On Death and Dying* zu recherchieren begann, war sie eine rationalistische Skeptikerin und glaubte, dass auf den Tod nur ein Zustand der Bewusstlosigkeit folgte. Später schrieb sie: «Als ich diese Arbeit begann, muss ich sagen, war ich weder besonders am Leben nach dem Tod interessiert, noch hatte ich ein klares Bild von der Definition vom Tod.»[3] Doch nachdem sie die Berichte von Menschen mit Nahtoderfahrungen hörte, glaubte sie an das Übernatürliche, sagte sie.

Etwa fünf Jahre nachdem Kübler-Ross diesen ersten Bestseller über das Sterben veröffentlicht hatte, wurde ein weiterer wissenschaftlicher Forscher, der sich auf Nahtoderfahrungen spezialisiert hatte, bekannt. Wie Kübler-Ross war Raymond A. Moody ein Mediziner, der sich für die menschliche Psychologie interessierte. Er führte eine Studie durch über den Umgang der Menschen mit der Realität des Todes. Moodys erstes Buch zu diesem Thema war *Life after Life*[4], und kurz nach der Veröffentlichung im Jahr 1975 wurde es zu einem Megabestseller.

Moodys Buch führte mehr als hundert Fälle von Menschen an, die klinisch tot waren und wiederbelebt wurden. In ihren Geschichten beschrieben praktisch alle seine Testpersonen eine Art positive, erleuchtende, tröstende oder einfach nur friedliche Erfahrung, die sie auf der anderen Seite gemacht hatten.

Auf einmal schien es, als wäre ein Grossteil der Welt versessen nach Zeugenaussagen, die von der Rückkehr aus den Toten berichteten. Was können uns diese Nahtoderfahrungen in den Händen von wissenschaftlichen Forschern über das Leben nach dem Tod mitteilen? Mehr und mehr Geschichten von Menschen tauchen auf, die behaupten, sie hätten himmlische Phänomene erlebt. Nach dem Erfolg seines erstes Bandes schloss Raymond Moody in den nächsten anderthalb Jahrzehnten eine Reihe von Nachfolgewerken an: *Reflections on Life after Life*; *The Light Beyond*; *Coming Back*; und *Reunions: Visionary Encounters with Departed Loved Ones*.[5]

Sentimentalisierung menschlicher Sterblichkeit und das Spiel mit dem Gnostizismus

Ein solch plötzliches und starkes Interesse am Leben nach dem Tod mag wie ein ermutigender Trend klingen. Schliesslich begann es mit zwei Gelehrten mit einwandfreien akademischen und medizinischen Referenzen, die unabhängig voneinander arbeiteten und angeblich wissenschaftliche Forschungsmethoden einsetzten. Kübler-Ross hatte an der Universität von Zürich unter einigen der renommiertesten praktizierenden Ärzte Europas Psychiatrie studiert. Sie lehrte an der medizinischen Fakultät der Universität von Chicago, als sie ihr fundamentales Werk veröffentlichte. Im Jahr nach ihrem ersten Buch hielt sie in Harvard Vorlesungen über menschliche Unsterblichkeit. Raymond Moody besass zwei Doktortitel in Psychologie, einen von der Universität von Virginia und den anderen von der Universität von West Georgia. Ausserdem ist er Doktor der Medizin, arbeitete als forensischer Psychiater und unterrichtete Medizinstudenten an wichtigen Universitäten in Georgia und Nevada.

Hatten diese angesehenen Doktoren schliesslich den Zusammenhang zwischen Spiritualität und Wissenschaft entdeckt?

Wohl kaum. Zunächst einmal haben weder Elisabeth Kübler-Ross noch Raymond Moody Achtung vor der Autorität der Schrift; und indem sie sich eingehender mit den Nahtoderfahrungen einiger Menschen befassten, stiessen diese beiden angesehenen Doktoren letztlich auch die Wissenschaftlichkeit zur Seite. Stattdessen griffen sie leichtfertig auf mittelalterlichen Aberglauben zurück. Der anhaltende Einfluss ihrer Veröffentlichungen bedeutet einen ernsthaften Rückschlag für Glauben und Wissenschaft gleichermassen.

Die Realität übernatürlicher Dinge zu akzeptieren, ist nicht dasselbe, wie der Wahrheit zu glauben. Wenn ein ungläubiger Geist die Autorität der Bibel ablehnt, die Realität des Übernatürlichen aber anerkennt, ist das Ergebnis immer katastrophal.

Elisabeth Kübler-Ross und Raymond Moody sind zu lebenden Beispielen für diese Grundwahrheit geworden. Beide sagten, sie hätten ihre Untersuchungen über Nahtoderfahrungen als wissenschaftliche Rationalisten begonnen, überzeugt, dass es eine völlig vernünftige natürliche Erklärung für die fremdartigen Sinneswahrnehmungen von sterbenden Menschen geben müsste. Doch kurz darauf gaben beide ihren agnostischen Materialismus für etwas noch Schlimmeres auf.

Kübler-Ross drehte allmählich ab in die Welt des New-Age-Okkultismus. Nach der Veröffentlichung ihrer Studie über weitere Nahtoderfahrungen berichtete sie, dass sie selbst eine ziemlich bemerkenswerte Ausserhalb-des-Körpers-Erfahrung gemacht hatte, bei der sie mit Lichtgeschwindigkeit reiste. Sie fing an, mit spiritistischen Sitzungen zu experimentieren, um Kontakt mit Toten aufzunehmen. Sie wurde zu einer führenden Stimme der New-Age-Bewegung. Irgendwann schloss sie sich der bizarren religiösen Sekte, geleitet von Jay Barham, an, einem offenkundigen Scharlatan, der behauptete, er könne Geister sich materialisieren lassen, um Sex mit den Lebenden zu haben.[6] Kübler-Ross' Abgleiten ins

Okkulte führte schon bald zu einer Trennung und dem Verlust ihres Ansehens in der wissenschaftlichen Welt. («Einige begannen, sich über ihre geistige Gesundheit Gedanken zu machen.»)[7]

Kübler-Ross gelangte zu dem Glauben, «dass der physische Körper nur das Haus oder der Tempel oder, wie wir es nennen, der Kokon ist, in dem wir eine bestimmte Zahl von Monaten oder Jahren wohnen, bis wir den Übergang machen, genannt Tod. Wenn wir dann sterben, stossen wir diesen Kokon ab und sind wieder frei wie ein Schmetterling.»[8]

Es dauerte nicht lange, bis die weltweit bekannteste säkulare Autorität in Bezug auf Tod und Sterben die Realität des Todes an sich zu hinterfragen begann. Letztlich kam Kübler-Ross zu dem Schluss, dass «es keinen Tod gibt, nur ‹Übergänge› von einer durchlässigen Grenze zur nächsten.»[9] Als bei ihr diese New-Age-Überzeugungen unverblümter und ausgefallener anwuchsen, wiesen akademische und wissenschaftliche Kritiker darauf hin, dass selbst ihre bekannten frühen Werke keine wirklich objektiven wissenschaftlichen oder gelehrten Studien waren. Es waren einfach anekdotenhafte Schilderungen, erzählt mit üppiger Leichtgläubigkeit und Spekulation, sorgfältig verpackt in eine klinische Fachsprache, die den Anschein wissenschaftlicher Legitimität erwecken sollte. Als Kübler-Ross noch tiefer in das okkulte New-Age-Denken eintauchte, nahm ihr Ansehen in der akademischen und wissenschaftlichen Welt nach und nach ab. Wiederholte Schlaganfälle führten Mitte der 1990er-Jahre zu einer teilweisen Lähmung und 2004 starb sie in einer Pflegeeinrichtung in Arizona.

Nichtsdestotrotz hat ihr Werk – vor allem ihr leichtgläubiges Fasziniertsein von Nahtoderfahrungen – bis heute einen starken Einfluss auf die populäre westliche Sicht über den Tod und das Leben danach.

In einem Artikel, der auf das Leben und die Exzentrizität von Elisabeth Kübler-Ross zurückblickte, bemerkte ein Schreiber in *Slate*, dass ihr Werk «eine kultartige Verehrung für die angeblich höhere, die Wahrheit sagende Weisheit der Sterbenden auslöste. ... Es ist eine Sentimentalisierung der Sterblichkeit, die sich in die Populärkultur eingeschlichen hat und als Ursprung von derart vom Tod verfolgte Dramen wie *Touched by an Angel* (im dt. Raum auch bekannt unter dem Titel *Ein Hauch von Himmel*) und *Dead Like Me* angesehen werden kann.»[10] Das ist eine einsichtige Beobachtung. Eine der grossen Gefahren dieser Zurück-vom-Tod-Zeugnisse ist, dass Leser dazu neigen, die Erfahrung zu romantisieren und der Person, die derartiges behauptet, eine überirdische Weisheit zuzuschreiben.

Was ich gerade beschrieben habe, ist im Grunde gnostisches Denken. Der *Gnostizismus* war eine subchristliche Irrlehre (in Wirklichkeit eine ganze Klasse von unterschiedlichen Kultausrichtungen), die im zweiten Jahrhundert bekannt wurde und mit dem frühen Christentum mindestens vier Jahrhunderte konkurrierte. Überreste von gnostischen Glaubensinhalten haben überlebt und sich vermehrt und sind seitdem immer wieder aufgetaucht. Die gegenwärtige Faszination für Nahtoderfahrungen ist ein klassisches Beispiel für gnostisches Gedankengut, das von der New-Age-Bewegung wiederbelebt und neu angepasst wurde.

Die charakteristische Behauptung jedes gnostischen Glaubenssystems ist, dass wahre Erleuchtung aus einer ausserbiblischen Quelle kommt. Gnostiker haben die Schrift nicht offen geleugnet, aber sie lehrten, der erforderliche Schlüssel zur wahren Bedeutung des Bibeltextes sei die *Gnosis* (das griechische Wort für «Erkenntnis») – übernatürliche Erleuchtung, die einer mystischen Erfahrung entstammt. Gnostische Erleuchtung kann auserwählten Personen nur von denen vermittelt werden, die diese mystische Erfahrung gemacht haben.

Die Überzeugung, dass beinahe toten oder sterbenden Menschen eine besondere Einsicht in den spirituellen Bereich gegeben wird, ist eine klassische gnostische Vorstellung – eine teuflische Lehre. Somit verwundert es nicht, dass Menschen, die verfolgt sind von Nahtoderfahrungen und Berichten über die Rückkehr aus den Toten, leicht zu Aberglauben, Mystizismus und Okkultismus zu verführen sind.

Raymond Moodys Abstecher in den Supernaturalismus nahmen eine gleichermassen unheilvolle Wendung. Von Anfang an war klar, dass Moody kategorisch ablehnte, was die Bibel lehrt über die menschliche Seele nach dem Tod, das Gericht Gottes, Himmel und Hölle. In seinem ersten Bestseller schrieb er:

> Während meiner ganzen Forschung ... habe ich nicht einen einzigen Hinweis gehört auf einen Himmel oder eine Hölle oder auf etwas wie das übliche Bild, dem wir in dieser Gesellschaft ausgesetzt sind. Viele Personen haben betont, wie anders ihre Erfahrungen waren, verglichen mit den Erwartungen, die sie angesichts ihres religiösen Hintergrunds hatten. Eine Frau, die «starb», berichtete: «Ich hatte immer gehört, dass man beim Sterben sowohl den Himmel als auch die Hölle sieht, aber ich habe weder das eine noch das andere gesehen.» ... Ausserdem stammten in einigen Fällen Berichte von Personen, die vor ihrer Erfahrung überhaupt keine religiöse Überzeugung oder Unterweisung hatten, und ihre Schilderungen scheinen sich inhaltlich nicht von denen der Leute zu unterscheiden, die starke religiöse Überzeugungen vorzuweisen hatten.[11]

Laut Moody kehrten auch die mit starken religiösen Überzeugungen normalerweise «mit einem neuen Modell und einem neuen Verständnis von der jenseitigen Welt [von ihren Nahtoderfahrungen] zurück – einer Vision, in der es kein einseitiges Gericht gibt, sondern vielmehr eine gemeinsame Entwicklung hin zum letztendlichen Ziel der Selbstverwirklichung.»[12]

Mit anderen Worten, Moody behauptete, aufgrund ihrer Nahtoderfahrungen wiesen seine Testpersonen die Wahrheit zurück, dass «es den Menschen bestimmt ist, einmal zu sterben, danach aber das Gericht» (Hebr 9,27).

Moodys Entdeckungen wurden sorgfältig verdreht, dass sie sich gegen fast alles richteten, was die Bibel über Himmel, Hölle und die Bestimmung für die Seele nach dem Tod lehrt. Aber *besonders* achtete er darauf, alles zu entfernen, was auf die Realität des Gerichts Gottes hinweisen konnte. Mit voller Absicht betonte er Merkmale in den Aussagen seiner Testpersonen, die der klaren und wiederholten Behauptung der Bibel widersprachen, dass «wir ja alle vor dem Richterstuhl Gottes erscheinen werden» (Röm 14,10). Moody zufolge hatten die Erfahrungen nach dem Tod den Menschen die Augen geöffnet für eine andere, tiefgründigere *Gnosis*:

> In den meisten Fällen wird der Zusammenhang von Belohnung und Strafe nach dem Tod aufgegeben und verleugnet, sogar von vielen, die es gewohnt waren, in solchen Kategorien zu denken. Sie stellten sehr zu ihrem Erstaunen fest, dass selbst wenn ihre scheusslichsten und sündigsten Taten vor dem Wesen des Lichts offenbar gemacht wurden, dieses Wesen nicht mit Zorn und Wut reagierte, sondern nur mit Verständnis und sogar mit Humor.[13]

Da er nicht anerkannte, was die Bibel lehrt, und gleichzeitig über zunehmende empirische Anhaltspunkte verfügte, dass es einen unsichtbaren spirituellen Bereich gibt und die menschliche Existenz nicht mit dem Tod endet, war Moody gezwungen, nach ausserbiblischen Erklärungen zu suchen. Auch er liess sich auf das Okkulte ein. Seine späteren Bücher zeigen ein nicht mehr loslassendes Verfolgtsein von Totenbeschwörung. Eines von ihnen, zum Beispiel, trägt den Titel *Elvis after Life: Unusual Psychic Experiences Surrounding the Death of a Superstar*.[14]

Heute ist Raymond Moody im Grunde ein Medium, auch wenn er nach wie vor unter dem Deckmantel eines medizinischen Forschers arbeitet. Er wendet alle klassischen Techniken eines Salonspiritisten an, der in seiner «Therapie» wahrsagt – einschliesslich des Blicks in Kristallkugeln und Spiegel als Mittel, um Kontakt zu den Toten herzustellen. Er beschreibt detailliert, wie er ein *Psychomanteum* oder eine Erscheinungskammer baute, «eine modernisierte Version der Einrichtungen, die im antiken Griechenland zu finden waren, mit demselben Ziel, die Erscheinung von Toten zu sehen».[15] Es ist ein spezieller Raum mit einem Spiegel, in dem, wie Moody behauptet, er mit den Geistern der Verstorbenen kommuniziert. In diesem Raum, sagt er, «habe ich mich mit meiner verstorbenen Grossmutter unterhalten, die ebenso real erschien, wie es irgendjemand nur sein kann.»[16] Wenn er die Wahrheit sagt, hat er mit Dämonen gesprochen.

Moody glaubt, er habe in seiner Erscheinungskammer andere in Kontakt mit ihren geliebten toten Menschen gebracht. So erzählt er beispielsweise, wie eine Frau «die Gegenwart ihrer Tante spürte. Ihr Besuch im Psychomanteum und seine Nachwirkungen veränderten ihr Denken über das Paranormale. Während sie früher Zweifel an einem späteren Leben hatte, ist sie heute überzeugt von einem Leben nach dem Tod.»[17]

Verführt vom Licht

Gegen Anfang der 1990er-Jahre ging die Neugierde auf Nahtoderfahrungen und Reiseberichte in den Himmel über die New-Age-Bewegung, den Spiritismus und andere offen okkulte Gemeinschaften hinaus und bahnte sich ihren Weg in etabliertere religiöse Kreise. Der Trend nahm nach 1992 noch weiter zu, als *Licht am Ende des Lebens* (Originaltitel: *Embraced by the Light*) von Betty Eadie erschien.[18] Hier war der persönliche Bericht einer einfachen Frau über ihre eigene Nahtoderfahrung voller starker religiöser Untertöne und erzählt wie ein christliches Zeugnis.

Laut Dr. med. Melvin Morse,[19] der das Vorwort schrieb, ist Eadies

Buch «ein Lehrbuch über Nahtoderfahrung, geschrieben wie eine einfache und wunderschöne Geschichte, die wir alle verstehen können.»[20] Das Buch stieg schnell an die Spitze der Liste der *New York Times*, blieb dort 78 Wochen lang und verkaufte sich mehr als 13 Millionen Mal.

Frau Eadie erzählte eine fantastische Geschichte, die in dem Krankenhaus beginnt, wo eine teilweise Gebärmutteroperation sie an die Schwelle des Todes brachte, wie sie sagt. Sie behauptet, als ihre Seele ihren Körper zu verlassen begann, sei sie nicht direkt in den Himmel gegangen, sondern erlebte zuerst, wie sie an verschiedene Orte auf der Erde reiste. Unterwegs, sagt sie, begegnete sie Engeln – «schützende Geister, die ihr halfen, wichtige Dinge über ihr Leben und ihre Beziehung zu ihrer Familie zu verstehen. Sie assistierten ihr beim Übergang in den Tod.»[21]

Sie sagt, sie wäre anschliessend durch einen dunklen Tunnel geführt worden, bevor sie schliesslich in das intensive weisse Licht des Himmels überwechselte. Sie berichtete von ihrer Erfahrung in bemerkenswert anschaulichen Details.

Licht am Ende des Lebens ist stark beeinflusst von Lehrsätzen aus dem Mormonentum und der New-Age-Bewegung (s. Anhang 1). Aber Betty Eadies Schilderung ist geschickt durchzogen von vielen evangelikalen Klischees und biblischen Bildern – in einem solchen Ausmass, dass es, als es die Spitze der säkularen Bestsellerlisten erreichte, in der evangelikalen Gemeinschaft begrüsst und weitläufig gelesen wurde und dort schnell eine beträchtliche Anhängerschaft fand. Evangelikale Kritiker wiesen auf eine Fülle antibiblischer Vorstellungen, mormonische Lehren und ernsthafte theologische Fehler in Frau Eadies Weltanschauung hin,[22] aber ihr Buch schien dennoch einen weitreichenden und dauerhaften Einfluss auf die evangelikale Gemeinschaft zu haben. Es trug eindeutig dazu bei, den Appetit nach ähnlichen Berichten zu wecken.

Das Verlangen nach Geschichten über den Himmel wurde schon bald zu einer gefährlichen Sucht.

Am Haken von himmlischen Halluzinationen

Buchhändler lieben es, wenn das Interesse ihrer Leser zu einem zwanghaften Verfolgtsein wird. Verlagshäuser veröffentlichen mittlerweile fast jeden Monat neue Berichte über mystische Ausflüge in den Himmel. Titel aus diesem Genre gehören heute zu den gefragtesten Produkten im Verlagswesen – und die Käufer verlangen nach noch mehr.

Am interessantesten (und erschreckendsten) an diesem ganzen Trend ist die Geschwindigkeit und Subtilität, mit der er in die Gemeinde eingedrungen ist. Vor 1995 hätte kein seriöser christlicher Verleger ernsthaft in Betracht gezogen, ein Buch über den Himmel zu veröffentlichen, das auf einer mystischen Erfahrung eines klinisch Toten basierte. Doch erstaunlicherweise werden die bekanntesten und meistverkauften himmlischen Reiseberichte heute praktisch alle von wichtigen evangelikalen Herausgebern produziert und aggressiv vermarktet.[23] Sie sind von Autoren geschrieben, die sich zum Glauben an Christus bekennen. Sie zielen speziell auf bibelgläubige Christen ab. Und in allen wimmelt es nur so von falschen, fehlerhaften und aus der Luft gegriffenen Vorstellungen über den Himmel.

Wesentliche Bestandteile, die in diesen Berichten herausragen, sind makabere Phänomene und extravagante «Offenbarungen», denen biblisch-gesinnte Gläubige keine Aufmerksamkeit schenken sollten. Die Kommunikation zwischen den Lebenden und den Toten ist natürlich ein weit verbreiteter Anteil in allen diesen Geschichten. Menschen unterhalten sich mit ihren toten Verwandten und kommen dann von der anderen Seite zurück mit Neuigkeiten über die Familie. Eine Frau behauptet, sie könne Menschen im Himmel schmecken, fühlen und riechen, indem sie sie bloss anschaut. Ein Unfallopfer sagt, der Teufel sei ihm irgendwo zwischen dem Unfallort und dem Paradies sichtbar erschienen und habe ihn fälschlicherweise angeklagt und verhöhnt. Ein anderer Mann beschreibt himmlische Lagerhallen voll mit menschlichen Gliedmassen, von denen er meint, sie seien Wunder und Heilungen, die darauf warten, dass Menschen einen Anspruch auf sie erheben. Wieder ein anderer sagt, die Krawatte, die er während seines Aufenthalts im Himmel trug, habe den Duft des Paradieses angenommen. Wenn immer er sich also dorthin zurückversetzen möchte, riecht er einfach an dieser Krawatte.

Es mag ironisch klingen, aber eine Fixierung auf weltliche Dinge ist ein weiteres weit verbreitetes Merkmal derartiger Geschichten. Viele Reisende in den Himmel deuten an, dass es im Himmel möglich ist, irdische Ereignisse so nahe zu beobachten, wie man will. Die bevorzugten Zeitvertreibe im Himmel haben oft auch einen starken irdischen Anstrich. Es gibt Rasenspiele, Picknicks, Sportveranstaltungen und verschiedene Arten von himmlischer Ausgelassenheit. Die meisten Rückkehrer aus dem Himmel berichten natürlich, dass die im Paradies erlebten Farben, Klänge, Gerüche, Bilder und Gefühle unglaublich lebendig sind. Doch wenn sie die himmlische Szene beschreiben, klingt ihre Schilderung immer furchtbar irdisch, verglichen mit Hesekiel 1 oder Offenbarung 4.

In vielerlei Hinsicht weisen die christianisierten Versionen dieser Geschichten eine beunruhigende Ähnlichkeit mit ihren säkularen Vorgängern auf. Die wirklich unverwechselbaren Elemente ihrer Botschaft haben nichts zu tun mit der biblischen Lehre über den Himmel und das Leben nach dem Tod. Die Verfasser dieser Berichte scheint das nicht besonders zu stören. Schliesslich beanspruchen sie für sich ein höheres Verständnis vom Leben nach dem Tod – das sie aber nicht aus der Schrift haben, sondern durch Visionen, Geistererscheinungen, ausserkörperliche Reisen und andere okkulte Mittel.

In wichtigen Details stimmen sie aber nicht immer miteinander überein. Ein Besucher im Himmel sagt, im Leben nach dem Tod wären Sprachen nicht erforderlich, weil alle telepatisch miteinander kommunizieren; ein anderer meint, die Menschen im Himmel sprechen eine Engelssprache, die wie Musik klingt. Einer sagt, die Menschen im Himmel tragen Schwerter, um den Teufel draussen zu halten; andere erklären, der Himmel sei ein Ort, an dem vollkommener Frieden und Ruhe herrschen, ohne Hinweise auf irgendwelche Konflikte. Einer besteht darauf, dass es im Himmel ein Loch gibt, das direkt in die Hölle führt. Niemand kümmert es, dass Jesus ausdrücklich sagte, dass keiner vom Himmel in die Hölle gelangen kann oder umgekehrt (Lk 16,26).

Alle Bestseller in diesem Genre enthalten skurrile Quacksalbereien wie diese – die einen mehr, die anderen weniger. Das aber scheinen alle zu betonen, wodurch sie die wahre Herrlichkeit des Himmels ihres Gewichts berauben.

In der ganzen Schrift findet sich keine Rechtfertigung, die Träumereien von bewusstlosen oder schwer verletzten Personen so zu behandeln, als hätten sie eine prophetische Bedeutung. Die Schrift warnt uns wiederholt, die Behauptungen von Propheten nicht für bare Münze zu nehmen. «Geliebte, glaubt nicht jedem Geist, sondern prüft die Geister, ob sie aus Gott sind! Denn es sind viele falsche Propheten in die Welt ausgegangen» (1Jo 4,1; vgl. 5Mo 13,2–6; Jer 29,8–9; Mt 7,15–16; 24,4–5; 2Petr 2,1).

Heutige Evangelikale haben eine zu geringe Meinung von der Schrift und eine zu hohe Achtung vor Dingen, die im allgemeinen Trend liegen. Möglicherweise ist keine Bevölkerungsschicht leichter zu beeinflussen oder Lemmingen ähnlicher. Dementsprechend sind evangelikale Leser zum grössten Markt und zu unersättlichen Konsumenten von Geschichten von Leuten geworden, die behaupten, sie wären im Himmel gewesen und wieder zurückgekehrt.

Die Masse dieser Geschichten wird wahrscheinlich nicht so schnell abnehmen, und evangelikale Verlage werden ihre Veröffentlichungen nicht einstellen. Angesichts der relativ hohen Zahl von mehreren Millionen Bestsellern im Genre machen diese Bücher bereits jetzt die finanziell lukrativste Kategorie von Sachbüchern in der Geschichte des evangelikalen Verlagswesens aus.

Sachbücher? Das ist natürlich die Bezeichnung, unter der Verleger und Buchhändler diese Bücher eingeordnet sehen möchten. Es erfordert ein Mass an stoischer Nachsicht, das ich nicht besitze, um diese Bezeichnung ohne Abstriche anzuerkennen. Tatsache ist aber, dass diese himmlischen Reiseführer ausnahmslos als Sachbücher vermarktet werden und nicht als Fantasy. (Einer der aktuellen Bestseller wirbt auf dem Cover mit den Worten «Eine wahre Geschichte» in fett gedruckten Buchstaben, die genauso gross sind wie der Buchtitel.)

Leider gibt es immer mehr unkritische Leser, die diese gesamten Geschichten ernst nehmen. Die astronomisch hohen Verkaufszahlen und der weitreichende Einfluss dieser Bücher sollte jedem, der das Wort Gottes wirklich liebt, Anlass zu ernsten Bedenken geben.

Im folgenden Kapitel wollen wir eines der bekanntesten Beispiele des Genres einer Prüfung unterziehen, um zu sehen, warum das so ist.

---

1. Tim Challies, «Heaven Tourism», blogpost, 18. Juni 2012, auf http://www.challies.com/articles/heaven-tourism.
2. Elisabeth Kübler-Ross, *On Death and Dying* (New York: Simon & Schuster, 1969).
3. Elisabeth Kübler-Ross, *On Life after Death* (Berkeley, CA: Celestial Arts, 1991), S. 40.
4. Raymond A. Moody, *Life after Life* (New York: Mockingbird, 1975; und Bantam, 1976).
5. Raymond A. Moody, *Reflections on Life after Life* (New York: Mockingbird, 1977); *The Light Beyond* (New York: Bantam, 1989); *Coming Back: A Psychiatrist Explores Past-Life Journeys* (New York: Bantam, 1990); *Reunions: Visionary Encounters with Departed Loved Ones* (New York: Villard, 1993).
6. «The Conversion of Kübler-Ross: From Thanatology to Séances and Sex», *Time*, 12. November 1979, S. 81.
7. Christopher Reed, «Obituary: Elisabeth Kübler-Ross», *The Guardian*, 30. August 2004.
8. Kübler-Ross, *On Life after Death*, S. 40.
9. Ron Rosenbaum, «Dead Like Her: How Elisabeth Kübler-Ross Went around the Bend», *Slate*, 23. September 2004.
10. Ebd.
11. Moody, *Life after Life*, S. 128–129.
12. Ebd., S. 92.
13. Ebd.
14. Raymond A. Moody, *Elvis after Life: Unusual Psychic Experiences Surrounding the Death of a Superstar* (Atlanta: Peachtree, 1987).
15. Moody, *Reunions*, S. 65–66.
16. Ebd., xvii. Moody sagt, diese Frau war während ihres Lebens «ständig mürrisch und negativ» [S. 20], doch als sie als Geist erschien, wirkte sie ganz anders:

> Ich spürte schnell, dass die Frau, die vor mir stand, auf eine äusserst positive Weise verwandelt wurde. Ich fühlte, wie Wärme und Liebe von ihr ausstrahlten, während sie dort stand, und Empathie und Mitgefühl, die meinen Verstand überstiegen.
>
> Der Grund, weshalb ich sie zuerst nicht erkannte, war, dass sie viel jünger wirkte, als sie es bei ihrem Tod war, sogar jünger als zu meiner Geburt. Ich erinnere mich an kein Foto von ihr in dem Alter, das sie während dieser Begegnung zu haben schien. Das ist hier jedoch nicht von Bedeutung, da ich sie nicht ausschliesslich anhand ihrer physischen Erscheinung erkannte. Vielmehr erkannte ich diese Frau aufgrund ihres unverwechselbaren Auftretens und der vielen Erinnerungen, auf die wir zurückblickten und über die wir sprachen. Kurz gesagt, diese Frau war meine verstorbene Grossmutter. Ich hätte sie überall erkannt (ebd.).

17. Ebd., S. 101.
18. Betty J. Eadie, *Embraced by the Light* (Detroit: Gold Leaf, 1992).
19. Im August 2012 wurde Morse verhaftet und angeklagt, bei seiner 11-jährigen Tochter Waterboarding-Techniken angewandt zu haben. Die Polizei, die den Fall untersuchte, vermutete, dass er vorgetäuscht haben könnte, sie ertränken zu wollen, um das Mädchen in einen Nahtodzustand zu versetzen. (Zu seinem Spezialgebiet gehören Nahtoderfahrungen von Kindern.)

    Morses Ex-Frau sagt, er habe mehrfach Überdosen an Tabletten und Alkohol genommen. Er selbst gibt nur eine solche Begebenheit zu, bestreitet aber, dass es ein Selbstmordversuch war, und nennt es vielmehr eine «Selbstmordgeste».

    Morse ist in den Fernsehsendungen «Larry King Live» und «The Oprah Winfrey Show» als Experte für Nahtoderfahrungen aufgetreten. Er hat mindestens vier Bücher zu diesem Thema selbst oder als Koautor geschrieben («Near-death Experiences Doctor May Have Been Experimenting by ‹Waterboarding› Stepdaughter, Police Say», [Associated Press, 15. August 2012]).
20. Melvin Morse, in Eadie, *Embraced by the Light*, xv.
21. Ebd., xvi.
22. Die Erstausgabe dieses Buches (*The Glory of Heaven* [Wheaton, IL: Crossway, 1996]) widmete einen Grossteil des Anfangskapitels der Kritik an Eadies Lehre. Das meiste dieses Materials findet sich in Anhang 1 dieser Ausgabe. S. auch Douglas R. Groothuis, *Deceived by the Light* (Eugene, OR: Harvest House, 1995); und Richard Abanes, *Embraced by the Light and the Bible: Betty Eadie and Near-Death Experiences in the Light of Scripture* (Camp Hill, PA: Christian Publications, 1994).
23. Listen zufolge, die von Amazon.com und *The New York Times* veröffentlicht wurden, waren im Sommer 2012 vier der meistverkauften Sachbücher Berichte von Menschen, die behaupteten, sie wären im Himmel gewesen und wieder zurückgekehrt. Alle vier sind bei evangelikalen Verlagen erschienen: *Heaven Is for Real* (Nelson); *To Heaven and Back* (Waterbrook Multnomah); *The Boy Who Came Back from Heaven* (Tyndale); und *90 Minutes in Heaven* (Revell).

KAPITEL 2

Der Himmel *ist* real, Halluzinationen nicht

Viel zu viel des gegenwärtigen Interesses am Himmel, den Engeln und dem Leben nach dem Tod geht auf eine fleischliche Neugier zurück. Das ist kein Trend, den die, die unter uns die Autorität der Schrift anerkennen, unterstützen oder gutheissen sollten. Jede Beschäftigung, die das Vertrauen der Menschen auf die Bibel schwächt, ist mit ernsten geistlichen Gefahren verbunden – vor allem, wenn es leichtgläubige Seelen zu Aberglauben, Gnostizismus, Okkultismus, New-Age-Philosophien oder zu sonst einer geistlichen Verwirrung verführen kann. Das sind unbestreitbar die meist bereisten Strassen der Menschen, die ein krankhaftes Verlangen nach detaillierten Informationen über das Leben nach dem Tod nähren, indem sie Geschichten von Personen verschlingen, die behaupten, sie wären im Reich der Toten gewesen und wieder zurückgekehrt.

Die Schrift übt *keine* Nachsicht mit diesem Verlangen. Zu alttestamentlicher Zeit galt jeder Versuch, mit den Toten zu kommunizieren, als Sünde, gleichbedeutend mit der Opferung kleiner Kinder für falsche Götter (5Mo 18,10–12). Die hebräischen Schriften sagen vergleichsweise wenig über die Bestimmung der Seele nach dem Tod, und dem Volk Gottes war es strengstens verboten, eigene Nachforschungen anzustellen. Totenbeschwörungen waren ein wichtiges Bestandteil der ägyptischen Religion. Sie beherrschten auch jede unter den Kanaanitern bekannte Religion. Doch nach dem mosaischen Gesetz war es eine Sünde, die mit dem Tod bestraft wurde (3Mo 20,27).

Das Neue Testament trägt viel zu unserem Verständnis von Himmel (und Hölle) bei, aber uns ist es nicht erlaubt, eigene subjektive Vorstellungen und auf Erfahrungen basierende Schlussfolgerungen zu dem hinzuzufügen, was Gott ausdrücklich durch sein unfehlbares Wort geoffenbart hat. In *allen* geistlichen Fragen ist es uns verboten, über das hinauszugehen, was geschrieben steht (1Kor 4,6).

Lazarus aus Bethanien wurde krank und starb, und sein Körper lag vier Tage lang leblos in einem Grab und verweste, bevor Jesus ihn auferweckte (Joh 11,17). Im Johannes-Evangelium ist ein ganzes Kapitel der Geschichte gewidmet, wie Jesus ihn aus den Toten zurückholte. Aber es gibt in der ganzen Schrift keinen Hinweis oder die leiseste Spur, was mit Lazarus' Seele in diesen vier Tagen passierte. Dasselbe gilt für jede Person in der Bibel, die aus den Toten zurückgeholt wurde, beginnend mit dem Sohn der Witwe, den Elia auferweckte (1Kö 17,17–24), bis hin zu Eutychus, den Paulus heilte (Apg 20,9–12). Nicht eine einzige biblische Person berichtete jemals von ihren nach dem Tod gemachten Erfahrungen im Reich der abgeschiedenen Seelen.

Der Apostel Paulus erlebte den Himmel so real, dass er sich nicht sicher war, ob er körperlich dort war oder nur in einer Vision. Er erwähnte dieses Erlebnis nur einmal – widerstrebend –, weil falsche Lehrer seine Autorität herausforderten und diese himmlische Vision einen entscheidenden apostolischen Beglaubigungsnachweis darstellte. Aber er bewahrte völliges Stillschweigen über dieser ganzen Angelegenheit bis vierzehn Jahre vergangen waren. Und selbst dann kleidete er sein Zeugnis in die Erzählform der dritten Person: «Ich weiss von einem Menschen in Christus, der vor 14 Jahren (ob im Leib oder ob ausserhalb des Leibes, ich weiss es nicht; Gott weiss es) bis in den dritten Himmel entrückt wurde. Und ich weiss von dem betreffenden Menschen (ob im Leib oder ausserhalb des Leibes, weiss ich nicht; Gott weiss es), dass er in das Paradies entrückt wurde» (2Kor 12,2–4). Obwohl er darüber in der dritten Person berichtete, war dies eindeutig sein eigenes Erlebnis, denn sobald er davon spricht, wie Gott ihn nach diesem Erlebnis demütig machte, wechselt er in die erste Person: «Und damit ich mich wegen der ausserordentlichen Offenbarungen nicht überhebe, wurde mir ein Pfahl fürs Fleisch gegeben, ein Engel Satans, dass er mich mit Fäusten schlage, damit ich mich nicht überhebe» (V. 7).

Die typische evangelikale Reaktion auf ein Ereignis wie dieses wäre heutzutage, einen Sensationsbericht darüber zu schreiben (oder von einem Ghostwriter verfassen zu lassen). Dieser wäre voller spezieller Details über den Himmel und das aktuelle Geschehen dort. Ein grosser Verlagskonzern würde ihn veröffentlichen, und wenn er sich erst einmal als Bestseller etabliert hat, würde man an Fortsetzungen arbeiten und sich um Verfilmungsrechte bemühen.

Nachdem der Apostel Paulus die *Tatsache* seines Erlebnisses erwähnt hatte, verzichtet er, Einzelheiten preiszugeben. Er sagt nur, dass er «unaussprechliche Worte hörte, die ein Mensch nicht sagen darf» (2Kor 12,4). Er verwendet einen griechischen Ausdruck, der bedeutet, dass es Menschen nicht erlaubt ist, von den Dingen zu reden, die er hörte.

Paulus, der in eine der wichtigsten apostolischen Positionen in der frühen Gemeinde berufen worden war, war es also verboten, darüber zu sprechen, was er im Paradies sah und hörte. Der kurze, drei Verse umfassende Bericht, den er von seiner Vision liefert, bildet einen starken Kontrast zu allen aktuell populären Bänden, die von Leuten geschrieben sind, die behaupten, sie wären im Himmel gewesen und seien von dort zurückgekehrt.

Warum war es Paulus nicht erlaubt, was er im Himmel hörte, zu beschreiben? Schliesslich hatten Hesekiel, Jesaja und der Apostel Johannes Visionen vom Thronsaal im Himmel und schrieben darüber, was sie sahen und hörten. Ihre Berichte gehören zum inspirierten Wort Gottes.

Genau das ist der Punkt. Wer in der Bibel über das schrieb, was er im Himmel gesehen hatte, wurde von Gott ausdrücklich dazu aufgefordert und vom Geist Gottes beim Schreibprozess geleitet (2Petr 1,21). Die relativ kurzen Berichte dieser Personen sind Teil des von Gott eingehauchten Textes. Der Allmächtige liess von diesen Männern genau die Worte zu unserem Nutzen aufzeichnen, die er selbst wählte. Kein ausserbiblischer Bericht über den Himmel kann das rechtmässig von sich behaupten.

Wer mehr wissen will, als die Schrift uns mitteilt, sündigt: «Was verborgen ist, das steht bei dem HERRN, unserem Gott; was aber geoffenbart ist, das ist ewiglich für uns und unsere Kinder bestimmt» (5Mo 29,28). Der Umfang der biblischen Offenbarung legt unserer Neugierde Grenzen.

Heute scheinen dem typischen Christen die Grundsätze in 5. Mose 29,28 und 1. Korinther 4,6 («damit ihr an uns lernt ... nicht über das hinauszugehen, was geschrieben steht») nicht bewusst zu sein. Die Menschen suchen nach geistlichen Wahrheiten, Botschaften von Gott und Einblicken in die Welt der Geister – überall, *nur nicht* in der Schrift. Ein jahrzehntelang wirkender charismatischer Einfluss hat heutige Evangelikale indoktriniert zu denken, Gott würde sein geschriebenes Wort regelmässig übergehen, um direkt zu jedem Gläubigen zu sprechen – gerade so als gehörten ausserbiblische Offenbarungen zum Standard der christlichen Erfahrung. Daher denken viele, die Nächstenliebe würde von ihnen verlangen, Behauptungen von «frischen Offenbarungen» mit einer Art frommer Einfältigkeit aufzunehmen. Wer sind wir denn, dass wir das persönliche Wort Gottes an eine andere Person in Frage stellen könnten?

Wenn also Dutzende von Bestsellerautoren, die sich zu Christus bekennen, plötzlich behaupten, sie hätten den Himmel gesehen, und uns mitteilen wollen, wie es dort ist, ist der Grossteil der Christen diesem Angriff schutzlos ausgeliefert.

Wo die Engel mir ein Lied gesungen haben

Todd Burpos mehrfacher Millionenbestseller *Den Himmel gibt's echt*[1] steht beispielhaft für den phänomenalen Erfolg, den christliche Autoren und Verleger mit angeblichen Besuchen im Himmel gehabt haben. Es macht auch deutlich, wie gefährlich es ist, wenn die eigenen Vorstellungen über das Leben nach dem Tod auf persönlichen Erfahrungen beruhen statt allein auf der Schrift.

Die meisten bekannten Merkmale des Genres sind in Burpos Geschichte enthalten: bewusste ausserkörperliche Reisen; die Fähigkeit, Dinge aus einer ätherischen Perspektive zu sehen; Visionen von Engelwesen; erhabene Gefühle; strahlende Lichter und Farben; und Unmengen von unerwarteten, aber fein detaillierten Belanglosigkeiten darüber, wie der Himmel aussieht und sich anfühlt. Aber *Den Himmel gibt's echt* enthält durchgängig auch Dutzende von biblischen Bezügen. Die ganze Geschichte ist sorgfältig in eine vertraute evangelikale Sprache und Ausdrucksweise gekleidet.

Zehn Jahre zuvor bemühte sich Betty Eadie noch sehr wie eine Evangelikale zu klingen, scheiterte aber darin. Todd Burpo gelang es eindeutig, seine Geschichte über eine Nahtoderfahrung Evangelikalen so zu verkaufen, als wäre es eine rechtmässige Informationsquelle über den Himmel. Scharen von christlichen Lesern haben sein Buch mit ganzem Herzen aufgenommen.

Burpo ist der Pastor einer quasi-pfingstlerischen wesleyanischen Gemeinde einer entlegenen Farmgemeinschaft im Südwesten Nebraskas. In kultureller, wenn nicht sogar lehrmässiger Hinsicht ist er evangelikal – ein ziemlich typischer amerikanisch konservativer Kleinstadtpastor. Seiner eigenen Aussage nach ist er «einer dieser Pastoren, die während der Predigt auf und ab gehen. Beim besten Willen kein fanatischer ‹Feuer und Schwefel›-Typ, aber auch kein leise sprechender Diener im Messgewand, der liturgische Lesungen abhält. Ich bin ein Geschichtenerzähler, und dazu muss ich mich ein bisschen bewegen.»[2]

Burpo ist sehr vertraut mit der evangelikalen Kultur und ihren Erwartungen. Er sagt, er glaube an die Autorität der Schrift, und er versucht, so viele Verbindungen zu ziehen wie möglich zwischen seiner Geschichte und dem, was die Bibel über den Himmel, die Engel und den geistlichen Bereich sagt. Aus diesem Grund stehen so viele seiner Details neben biblischen Anspielungen und Texten. Zumindest in dieser Hinsicht finden sich in *Den Himmel gibt's echt* mehr biblische Bezüge als in den meisten Büchern des Genres.

Was das Buch jedoch unterscheidet, ist, dass es auf der Erfahrung eines noch nicht ganz vier Jahre alten Jungen gründet.[3] Es ist die Geschichte von Pastor Burpos ältestem Sohn Colton, der als Kleinkind beinahe an einem Blinddarmdurchbruch starb. Vier Monate nach der medizinischen Krise antwortete der kleine Colton auf die Frage von Todds Frau Sonja, ob er sich daran erinnerte, im Krankenhaus gewesen zu sein: «Ja, Mama, ich erinnere mich daran. ... Da haben die Engel mir ein Lied gesungen.»[4]

Todd Burpos Reaktion auf diese Aussage war atemloses Staunen. Das von ihm beschriebene Mass an Ehrfurcht und Verwunderung scheint in keinem Verhältnis zu der Bedeutung einer solchen Aussage eines typischen 4-jährigen Jungen zu stehen. Er schreibt: «Die Zeit blieb stehen. Sonja und ich schauten uns an und liessen dem anderen eine stumme Botschaft zukommen: *Sagte er gerade, was ich glaube, dass er es sagte?*»[5] So wie Pastor Burpo die Geschichte erzählt, war er augenblicklich und völlig davon überzeugt, dass Colton tatsächlich irgendeine ausserkörperliche Erfahrung gemacht hatte:

> Colton sagte, er sei «hinaufgestiegen aus seinem» Körper, er habe mit Engeln gesprochen und sass im Schoss Jesu. Und wir wussten, dass er sich nichts ausdachte, weil er uns erzählen konnte, was wir in einem anderen Teil des Krankenhauses gemacht haben: «Du warst allein in einem kleinen Raum und hast gebetet, und Mama war in einem anderen Raum und sie betete und telefonierte.»[6]

Diese Art naive Leichtgläubigkeit durchzieht das ganze Buch. Pastor Burpo zeigt wenig Verständnis dafür, wie lebhaft die Fantasie eines kaum vier Jahre alten Jungen sein kann und schenkt Coltons Aussagen bedingungslos Glauben. Er entschloss sich augenblicklich, sein ganzes Verständnis vom Himmel den Worten des kleinen Colton zu unterwerfen. «Wenn er wirklich Jesus und die Engel gesehen hatte, möchte ich der Schüler sein, nicht der Lehrer!»[7]

Es war einfach unglaublich

Vieles, was Todd Burpo als unwiderlegbaren Beweis interpretiert, dass seinem Sohn eine besondere Offenbarung gegeben wurde, scheint kaum mehr als die normalen Sonntagsschulgeschichten zu sein, die ein typisches Vorschulkind seiner Neigung entsprechend leicht verdreht hat. Pastor Burpo schildert folgendes Gespräch, das kurze Zeit später stattfand, nachdem Colton über den Himmel zu reden begonnen hatte:

> «Ist sonst noch was passiert?»
>
> Er nickte, seine Augen strahlten. «Wusstest du, dass Jesus einen Cousin hat? Jesus erzählte mir, sein Cousin hat ihn getauft.»
>
> «Ja, du hast Recht», sagte ich. «Die Bibel sagt, der Name von Jesus' Cousin ist Johannes.» Im Stillen tadelte ich mich: *Gib ihm keine Informationen. Lass ihn nur reden ...*
>
> «Ich erinnere mich nicht an seinen Namen», sagte Colton fröhlich, «aber er war wirklich nett».
>
> *Johannes der Täufer ist „nett"?!*
>
> Gerade als ich die sich aus der Aussage meines Sohnes ergebenden Schlüsse verarbeitete – dass er Johannes dem Täufer *begegnet* war –, entdeckte Colton ein Plastikpferd unter seinen Spielsachen und hielt es mir entgegen. «He, Dad, weisst du, dass Jesus ein Pferd hat?»

«Ein Pferd?»
«Ja, ein Regenbogenpferd. Ich durfte es streicheln.»[8]

Sonja Burpo kam ebenso schnell wie ihr Mann zu dem Schluss, dass Colton wirklich im Himmel war und mit einem beeindruckenden Wissen über den Himmel zurückgekommen ist. Hier ist Pastor Burpos Bericht über das Gespräch, in dem er seine Frau informierte, dass Colton Johannes dem Täufer begegnet war. (Sie besuchte gerade eine Anbetungskonferenz, als er sie aufgeregt anrief, um ihr von der Begebenheit zu berichten):

> Ich stand auf und sprang die Treppe hoch, griff zum Telefon und wählte Sonjas Handynummer. Sie ging ran und ich konnte im Hintergrund Musik und Gesang hören. «Weisst du, was dein Sohn gerade zu mir gesagt hat?!»
> «Was?», rief sie durch den Lärm hindurch.
> «Er erzählte mir, dass er Johannes dem Täufer begegnet ist!»
> «*Was?*»
> Ich fasste den Rest für sie zusammen und konnte vom anderen Ende der Leitung das Staunen in ihrer Stimme vernehmen.
> Sie versuchte, weitere Details aus mir herauszubekommen, aber im Konferenzsaal war es zu laut. Schliesslich mussten wir aufgeben. «Ruf mich nach dem Abendessen an, okay?», sagte Sonja. «Ich will alles wissen!»[9]

Pastor Burpo scheint zu denken, dass Coltons Perspektive auf Johannes den Täufer und himmlische Regenbogenpferde voller tiefer Einsicht ist. In Wirklichkeit machen früh entwickelte Vorschuldkinder immer wieder fantasievolle Bemerkungen, die wie zuverlässige Beobachtungen klingen. Art Linkletter machte Karriere, indem er Kindern im täglichen Live-Fernsehen unfreiwillig geistreiche Kommentare zu ernsten Themen entlockte.

Bedenken Sie, Colton verbrachte sein ganzes Leben im Haus eines Pastors, bekam Gespräche mit, hörte Geschichten und war mit den Lehren zu biblischen Themen vertraut. An einem Punkt erkennt Pastor Burpo an, dass er Colton zahllose biblische Geschichten aus Bilderbüchern vorgelesen hatte.[10] Doch als Colton nebenbei bemerkt, dass «Jesus Markierungen hat» (womit offensichtlich die Nägelmale an seinen Händen und Füssen gemeint sind), reagiert Todd Burpo mit atemlosem Staunen: *„Er sah sie. Das muss so gewesen sein.“*[11]

Und so geht das Buch weiter. Wenn Colton etwas sagt, das weit hergeholt, ungewöhnlich oder unbiblisch ist, findet Todd Burpo einen Weg, es als ebenso wahr einzustufen. So sagt Colton beispielsweise einmal, dass er auf einem kleinen Stuhl neben dem Geist Gottes sass. Daraufhin fragt Todd seinen Sohn, wie der Heilige Geist aussieht:

> «Hm», erwidert Colton. «Das ist schwer ... er ist irgendwie blau.»[12]

Eine Bemerkung wie diese verlangt natürlich nach einer weiteren Frage oder irgendeiner Erklärung. *Blau?* Hat sich Colton den Heiligen Geist etwa als Papa Schlumpf vorgestellt? Beschreibt er eine bläuliche Nebelwolke? «Blau»? Was meint er?

Anfangs scheint Todd ähnliche Fragen in Erwägung zu ziehen. («Ich versuchte mir vorzustellen, dass ...») Aber Colton wechselt sofort das Thema, und es wird keine weitere Erklärung gegeben. Den einzigen Hinweis, den wir über das erhalten, was in Coltons Kopf vor sich geht, kommt mehr als zwanzig Seiten später, als er seinem Vater erzählt, dass Jesus vom Himmel «Kraft herabschiesst», während Todd Burpo predigt. Dieses Mal drängt Todd auf eine Erklärung: «Wie sieht diese Kraft aus?»

«Es ist der Heilige Geist.»[13] Offenbar stellt sich Colton den Heiligen Geist wie die elektrische Entladung aus einer Tesla-Spule vor, und er sieht Jesus mit der Fähigkeit, aus seinen Fingern blaue Blitze direkt in den Prediger abzufeuern.

Todd Burpo ist sprachlos: «Würden wie im Comic Gedankenblasen über den Köpfen der Menschen erscheinen, wäre meine in diesem Augenblick voller Fragezeichen und Ausrufezeichen gewesen.»[14] Aber Todd glaubt bereits fest an Coltons Vision vom Himmel. Er erinnert sich daran, dass er vor einer Predigt immer um Gottes Hilfe bat und schreibt: «Sich vorzustellen, dass Gottes Antwort darin besteht, ‹Kraft herabzuschiessen› ... das war einfach unglaublich.»[15]

Gnostische Erleuchtung in den Händen eines Vorschulkindes

Aufgrund von Coltons Aussage glaubt Pastor Burpo offensichtlich, dass alle Bewohner des Himmels (ausser Jesus) Flügel und Heiligenscheine haben[16]; dass sie ihre Zeit mit «Hausaufgaben» füllen[17]; und dass Colton nicht nur einem Grossvater, der Jahre vor Coltons Geburt starb, begegnete und mit ihm sprach, sondern auch mit einer Schwester, die nie geboren wurde, weil Coltons Mutter eine Fehlgeburt hatte[18].

Colton sagt, seine ungeborene Schwester sei ihm als ein «kleines Mädchen» erschienen und sein Grossvater, der mit 61 Jahren gestorben war, sah aus wie ein 29-jähriger Mann[19]. Colton selbst blieb bei seinem Aufenthalt im Himmel offensichtlich nur drei Jahre alt (auf dem Weg zu vier). Obschon er sagt, dass er Flügel hatte wie jeder andere, war er anscheinend enttäuscht, wie klein seine Flügel waren[20]. Er sagt auch, dass jeder andere im Himmel ein Schwert besass, ihm aber eines verwehrt blieb, weil er zu jung war. «Jesus liess es nicht zu, dass ich eines bekam. Er sagte, es wäre zu gefährlich.»[21]

Todd Burpos Fragen an seinen Sohn verraten eine seltsame Fixierung auf die physische Erscheinung von Dingen. Todds eigenartiges Interesse am Aussehen des Heiligen Geistes ist keineswegs das einzige Beispiel dafür. Als der vier Jahre alte Colton darüber zu sprechen begann, dass er im Himmel Menschen sah, verlangte Todd sofort eine visuelle Beschreibung. Er schreibt: «Alles, woran ich denken konnte, war, ihn zu fragen: ‹Wie sahen die Kinder aus? Wie sehen die Menschen im Himmel aus?›»[22] Später, als Colton seinen Vater informierte, dass er den Teufel im Himmel sah, lautete Todd Burpos erste Frage: «Wie sah er aus?»[23]

Und natürlich stellte Todd Burpo seinem Sohn andauernd Fragen über die physische Erscheinung Christi:

> Wenn Colton Jesus im Himmel sah, wie sah er aus? Der Grund für das häufige Auftauchen dieses bestimmten Themas war, dass ich als Pastor viel Zeit in Krankenhäusern, christlichen Buchläden und anderen Gemeinden verbringe – an all diesen Orten finden sich eine Menge Zeichnungen und Bilder von Christus. Oft haben mich Sonja und die Kinder begleitet, und wir machten daraus eine Art Spiel. Wenn wir ein Bild von Jesus sahen, fragten wir Colton: «Was ist mit diesem? Sieht Jesus so aus?»
>
> Immer das Gleiche, Colton schaute sich das Bild einen Augenblick lang an und schüttelte dann seinen kleinen Kopf. «Nein, das Haar stimmt nicht», sagte er. Oder: «Die Kleidung ist nicht richtig.»
>
> Das passierte in den nächsten drei Jahren Dutzende Male.[24]

Am Ende sagt Todd Burpo, er habe im Fernsehen eine Geschichte über ein 12-jähriges Mädchen mit ungewöhnlichen malerischen Fähigkeiten gesehen, das behauptete, im Himmel gewesen zu sein. Sie hatte das Bild eines markanten, blauäugigen Mannes gemalt, von dem sie sagte, es sei Jesus. Als Colton das Bild anschaute und es für exakt richtig erklärte, sagt Todd: «Ich hatte letzten Endes den Eindruck, dass wir in Akianes Porträt das Gesicht Jesu sehen. Oder zumindest eine verblüffende Ähnlichkeit.»[25]

(Bilder eines blauäugigen Jesus können kaum zutreffen. Blaue Augen sind ein rezessives Merkmal, das semitischen Volksgruppen nicht angeboren ist. Im ersten Jahrhundert hätte ein hellenisierter Jude mit Generationen von Mischehen in seiner genetischen Herkunft möglicherweise blaue Augen gehabt, aber der im Neuen Testament vorliegende Stammbaum Jesu scheint die Möglichkeit von blauen Augen auszuschliessen.)

Die meisten Details, die Todd Burpo über Coltons Nahtoderfahrung erzählt, kamen Monate nach Coltons Entlassung aus dem Krankenhaus ans Licht, und selbst dann strömte die Geschichte nicht unaufgefordert in einem zusammenhängenden Bericht heraus. Hier und da tauchten einzelne Fragmente und Geschichten über einen langen Zeitraum auf – normalerweise als Reaktion auf beharrliche Fragen seitens der Eltern. Somit kamen neue Einzelheiten aus Coltons Erinnerung ziemlich regelmässig über einen jahrelangen Zeitraum zum Vorschein. Jedes Mal kam Pastor Burpo ohne Ausnahme zu dem Schluss, dass Coltons Wissen über das Leben nach dem Tod nicht durch andere Mittel als sein Erleben aus erster Hand zustande gekommen sein konnte, und deshalb ist er völlig überzeugt, dass der Bericht seines Sohnes über den Himmel absolut glaubwürdig, präzise und zuverlässig ist.

In einer prägnanten Rezension des Buches beobachtete Tim Challies folgendes Leitmotiv:

> Jede von Coltons Erfahrungen oder nahezu jede, folgt einem Muster. Er erzählt seinem Vater irgendein kleines Detail. Sein Vater ringt nach Luft oder hat den Eindruck, als würde ihm das Herz stocken. «Ich bekam kaum Luft. In meinem Kopf drehte sich alles. Mir wurde ganz schwinde-

lig.» Eine Bibelstelle kommt dem Vater in den Sinn, die die beschriebene Erfahrung bestätigt. Colton wird es langweilig und er läuft weg. Immer dasselbe.[26]

Eine fehlerhafte Sicht von Glauben

Das Einschliessen von Bibelstellen in *Den Himmel gibt's echt* mag oberflächliche Leser davon überzeugen, dass Pastor Burpo die Aussagen seines Sohnes sorgfältig mit der Schrift verglichen hat und sie auf dieser Grundlage als richtig beurteilte. Doch wer sich die Zeit nimmt, die Zitate nachzuschlagen und sie kritisch im Kontext zu untersuchen, dem wird klar, dass Todd Burpos gewandtes Hantieren mit Beweistexten einen Mangel an ernsthaftem Umgang mit der Schrift offenbart. Eine gründliche Prüfung hat er versäumt, wozu wir angewiesen und ermutigt werden (1Thes 5,21; Apg 17,11).

Erstaunlicherweise gibt Todd Burpo zu, dass er «Coltons Erinnerungen selten an den Aussagen der Bibel überprüft hat»[27]. In dem einen Fall, wo er dies erwähnt, erklärt er auf der Grundlage des dünnst möglichen Beweises, dass Colton den biblischen Test «ohne mit der Wimper zu zucken bestand».

Welche biblische Frage stand in diesem Fall zur Debatte? Todd hatte seinen Sohn gefragt, ob er Gottes Thron gesehen hat. Zuerst musste er dem Jungen erklären, was ein «Thron» ist. («Ich nahm das Buch mit den biblischen Geschichten und zeigte ...»)

«O, natürlich!», erwiderte Colton. «Den habe ich oft gesehen!»

Entsprechend dem Ton des ganzen Buches war Todd ganz begierig: «Mein Herz fing schneller an zu schlagen. Sollte ich tatsächlich einen Blick auf den Thronsaal im Himmel bekommen?»

Colton sagte weiter: «Und weisst du, dass Jesus rechts neben Gott sitzt? ... Jesus' Stuhl steht gleich neben dem seines Vaters!»[28]

Pastor Burpos Reaktion zeigt wieder einmal seine Leichtgläubigkeit (ganz zu schweigen von seiner Ahnungslosigkeit, welche

Bilder ein 4-jähriger Junge, der mit illustrierten Bibelgeschichten aufgewachsen ist, im Kopf hat): «Das haute mich um. Es besteht keine Möglichkeit für einen Vierjährigen, so etwas zu wissen. Es war wieder einer dieser Momente, in dem ich dachte: *Er muss es gesehen haben.*»[29]

Einer der beunruhigendsten Denkansätze von *Den Himmel gibt's echt* ist: Todd Burpo schmuggelt durchgehend den Gedanken ein, dass persönliche Erfahrungen – sogar die geisterhaften Erinnerungen eines drei Jahre alten Jungen unter Narkose – von zwingenderer Beweiskraft sind als die Schrift. «Ich bin seit meiner Kindheit Christ und bereits mein halbes Leben Pastor, daher glaubte ich das vorher schon. Aber jetzt *wusste* ich es.»[30] Coltons praktische Exegese vom Himmel hatte eine deutlich tiefere Wirkung auf Todd (und prägte seine Vorstellung vom Leben nach dem Tod stärker) als alles, was er zuvor selbst in seinem Studium der Schrift über den Himmel herausgefunden hatte.

Diese Art des Denkens ist dem, was die Bibel über Glauben, Erfahrung und die Autorität der Schrift sagt, diametral entgegengesetzt. Der allerwichtigste Schutz von Christen gegen Selbstbetrug ist die Überzeugung, dass das geschriebene Wort Gottes sicherer und zuverlässiger ist als *jede* menschliche Erfahrung. Das lehrt die Schrift ausdrücklich und wiederholt. Ein Beispiel. Über seine Erfahrung auf dem Berg der Verklärung – ein unbestrittenes Wunder, bei dem noch weitere Augenzeugen anwesend waren – schreibt der Apostel Petrus: «Denn wir sind nicht klug ersonnenen Legenden gefolgt ... Und diese Stimme hörten wir vom Himmel her ergehen» (2Petr 1,16.18). Es war ein überwältigender, noch nie da gewesener und ganz naher Blick auf die Herrlichkeit des Himmels – buchstäblich. Petrus sagt jedoch weiter, dass das geschriebene Wort Gottes noch zuverlässiger ist als eine Erfahrung derartigen Ausmasses! «Und so halten wir nun fest an dem völlig gewissen prophetischen Wort, und ihr tut gut daran, darauf zu achten» (V. 19).

Echter Glaube kommt «aus der Verkündigung (wörtlich: dem

Hören), die Verkündigung aber durch Gottes Wort» (Röm 10,17) – nicht aus mystischen Erfahrungen; und ganz gewiss nicht aus dem blinden Vertrauen auf den Bericht eines Kindes von seinen mystischen Erfahrungen. Diese Art von naiver Überzeugung hat nichts mit wahrem Glauben zu tun; sie hat mehr gemein mit gefährlichem Selbstvertrauen.

Dennoch glaubt Pastor Burpo zweifellos, dass die Erfahrung des kleinen Colton den Glauben seiner Familie auf eine Weise gestärkt hat, wie es die Bibel nie könnte. «Ich liebe es, wie meine Mutter es zusammenfasst», schreibt Todd und zitiert anschliessend die Worte seiner Mutter, die (mit Ausnahme eines kurzen Nachworts) den Schlusssatz des Buches bilden: «Ich habe die Vorstellung vom Himmel vorher schon angenommen, jetzt aber kann ich ihn mir bildlich vorstellen. Vorher hörte ich davon, jetzt aber weiss ich, dass ich ihn eines Tages sehen werde.»[31]

Wo die Hauptgefahr liegt

Ich habe nicht deswegen eine so lange Kritik zu *Den Himmel gibt's echt* geschrieben, weil es das schlimmste Buch des Genres ist, sondern weil es von allen Büchern in dieser Kategorie von typischen Evangelikalen am wahrscheinlichsten gelesen und als harmlos eingestuft wird. Es ist jedoch *keineswegs* harmlos. Es setzt die Autorität und Allgenügsamkeit der Schrift herab; es verwechselt Glaube mit Aberglaube; es hebt die menschliche Erfahrung geschickt auf eine höhere Stufe als das Wort Gottes; es gibt vor, Dinge über Gott und den himmlischen Bereich zu offenbaren, die die Schrift nicht lehrt; und es redet wiederholt ein, dass das Zeugnis eines Menschen, der auf mystische Weise erleuchtet wurde, anregender für den Glauben ist als die Schrift allein.

In den folgenden Kapiteln möchte ich mich der Frage zuwenden, was die Bibel über den Himmel sagt. In Anhängen finden Sie weitere kritische Stellungnahmen zu einigen der populärsten und einflussreichsten Berichte von Nahtoderfahrungen und Besuchen im Himmel, inklusive zwei Megabestsellern von evangelikalen Verlegern. Alle Verfasser dieser Geschichten – wie offensichtlich auch Millionen von Lesern – halten ihre Zeugnisse für zuverlässig, glaubwürdig und voller höherer Einsichten, die die Leser auf einen höheren Stand des Verständnisses und der Erleuchtung bringen können, über das hinaus, was die Bibel vermag. Mit anderen Worten, alle diese Bücher nehmen einen ähnlich protognostischen Standpunkt zum Himmel und dem Leben nach dem Tod ein. Sie alle sind gefährlich und irreführend. Das schliesst gleichermassen die ein, die eher gutartig erscheinen, als auch jene, die eindeutig von okkultem Aberglauben durchdrungen sind. All diese Bücher sind Mahnzeichen für uns, dass die Schrift und allein die Schrift die einzig sichere Quelle für Christen ist, aus der sie etwas über die Unsterblichkeit der menschlichen Seele lernen können, darüber, was mit einem Menschen nach dem Tod geschieht, was der Himmel ist, was die Ungerechten in der Hölle erwartet, und was wir beim zukünftigen Gericht erwarten können.

Am Ende dieses Kapitels möchte ich folgenden Punkt hervorheben: Den Grundsatz *sola scriptura*. Dieser lateinische Ausdruck bedeutet die «Schrift allein». Es ist eine Art Kurzbegriff, der die Autorität und Allgenügsamkeit der Schrift bezeichnet. Er bedeutet, dass die Schrift der einzige Massstab für den Glauben und das Leben von Christen ist – keine Verpflichtung, Lehre oder Überzeugung, der es an einer biblischen Grundlage mangelt, ist je als bindend für einen Christen anzusehen.

Noch einmal anders ausgedrückt: der Grundsatz *sola scriptura* beginnt und endet mit der Anerkennung, dass die Bibel über jeder anderen Wissensquelle steht, über jedem Anspruch auf Wahrheit, jeder religiösen Tradition und jeder angeblich neuen Offenbarung.

Dieser Grundsatz gehörte zu den fundamentalen Säulen des biblischen Christentums, das die frühen Reformatoren wiederentdeckten, nachdem es vernachlässigt und geleugnet worden war.

Das geschah, weil die gesunde, biblische Lehre aus dem Gemeindeleben verdrängt wurde durch falsche Lehren, mittelalterlichen Aberglauben, Korruption innerhalb der Kirche und einer Vielzahl von Problemen, die alle damit zu tun hatten, dass die sichtbare Kirche sich nicht der Autorität der Schrift unterworfen hat. Die aktuelle evangelikale Bezauberung durch Nahtoderfahrungen (und durch andere ausserbiblische Quellen einer angeblich geistlichen Erleuchtung) weist zurück auf dieselbe Art von Glaubensabfall.

Klar, wenn wir glauben, dass die Schrift Gottes Wort ist, müssen wir jeden Erfahrungsbericht ablehnen, der dem, was die Bibel lehrt, widerspricht oder darüber hinausgeht. Wir dürfen uns auch nicht fangen lassen von irgendeiner Art Spekulation, einem Anspruch auf Wahrheit oder einer angeblich neuen Offenbarung, die die Menschen vom einfachen Vertrauen auf das Wort Gottes abbringen.

---

1. Todd Burpo und Lynn Vincent, *Heaven Is for Real: A Little Boy's Astounding Story of His Trip to Heaven and Back* (Nashville: Nelson, 2010).
2. Ebd., S. 10.
3. Der grösste Teil der Werbung für dieses Buch lässt darauf schliessen, dass Colton Burpo vier Jahre alt war, als er seinen Angaben nach den Himmel besuchte. Laut dem im Buch beschriebenen zeitlichen Ablauf wurde er jedoch am 19. Mai 1999 geboren und die Krisensituation, die ihn fast das Leben kostete, ereignete sich am 5. März 2003 (ebd., S. 155–158). Das bedeutet, er war zu diesem Zeitpunkt erst drei Jahre und neun Monate alt; das macht es umso erstaunlicher, dass er seine Erfahrung Jahre später noch so detailliert und genau beschreiben konnte.
4. Ebd., xiii.
5. Ebd., xiv.
6. Ebd., S. 61.
7. Ebd., S. 62.
8. Ebd., S. 63.
9. Ebd., S. 64.
10. Ebd., S. 66.
11. Ebd., S. 65–67.
12. Ebd., S. 103.
13. Ebd., S. 126.
14. Ebd.
15. Ebd., S. 126.
16. Ebd., S. 72–73. Colton sagt, jeder im Himmel flog – «Alle ausser Jesus. Er war der Einzige im Himmel, der keine Flügel hatte. Jesus ist einfach auf- und abgestiegen wie ein Fahrstuhl.»
17. Ebd., S. 71.
18. Ebd., S. 85–88, 94–95.
19. Ebd., S. 96, 122–123.

20. Ebd., S. 72.
21. Ebd., S. 133.
22. Ebd., S. 72.
23. Ebd., S. 134.
24. Ebd., S. 93.
25. Ebd., S. 145.
26. Tim Challies, «Heaven Is For Real», blogpost, 28. März 2011, auf http://www.challies.com/=book-reviews/heaven-is-for-real.
27. Burpo, *Heaven Is for Real*, S. 101.
28. Ebd., S. 100.
29. Ebd., S. 100–101.
30. Ebd., S. 84.
31. Ebd., S. 150.

KAPITEL 3

Grössenwahn

Die zurzeit reissend verkauften himmlischen Reiseberichte haben alle eine erschreckende Ausrichtung gemeinsam: Sie schaffen es, den himmlischen Touristen als heldenhaft darzustellen, während der Himmel selbst eher in irdischem Charakter erscheint.

Wir leben in einer Kultur der übersteigerten Selbstliebe, und das macht sich bemerkbar in diesen Berichten von Menschen, die behaupten, sie wären im Himmel gewesen. Sie hören sich an, als hätten sie das Paradies in einem Spiegel gesehen mit sich selbst im Vordergrund. Sie sagen vergleichsweise wenig über die Herrlichkeit Gottes, das Bedeutendste im Himmel. Aber alle haben eine Menge darüber zu berichten, wie gut *sie* sich gefühlt haben – wie friedlich, glücklich und getröstet sie waren; wie sie Privilegien und Auszeichnungen empfingen; wie schön und aufschlussreich ihre Erfahrung war; und wie viele Dinge sie ihrer Ansicht nach jetzt vollkommen verstehen, die sie nie und nimmer allein aus der Schrift erfahren hätten. Kurz gesagt, sie verherrlichen sich selbst und nehmen kaum Notiz von Gottes Herrlichkeit. Sie betonen alles, aber nicht, was wirklich wichtig ist am Himmel.

Was sticht im Himmel am deutlichsten hervor?

Es stimmt natürlich, dass der Himmel ein Ort vollkommener Glückseligkeit ist – frei von aller Trauer und Sünde und voller Jubel und Freude –, ein Ort, an dem Gnade und Frieden unbestreitbar herrschen. Der Himmel ist der Ort, an dem jeder echte Schatz und jede ewige Belohnung für die Erlösten aufbewahrt ist. Jeder, dessen Bestimmungsort der Himmel ist, wird dort mehr Freude und Wertschätzung erleben, als unser gefallener Verstand fassen kann – unendlich mehr als jedes gefallene Geschöpf verdient. Hätten Sie den Himmel aber wirklich gesehen und könnten auf der Erde davon berichten, würden diese Dinge *nicht* Ihr Herz und Ihre Fantasie gefangen nehmen.

Vielmehr würden Sie eingenommen sein von der Majestät und Gnade der Person, deren Herrlichkeit diesen Ort erfüllt.

Wird niemand mehr von Ehrfurcht ergriffen bei der Herrlichkeit des Himmels? Sind wir von den Spezialeffekten aus Hollywood so überbelichtet, dass der aussergewöhnliche Anblick des hoch erhöhten allmächtigen Gottes weniger beeindruckend erscheint als zur Zeit Jesajas? Leben wir in einem so hoch entwickelten Hightechzeitalter, dass die Herrlichkeit des Himmels im Vergleich dazu schon ein wenig blass wirkt?

Ich glaube nicht. Wer dem biblischen Bericht wirklich glaubt, dem ist es unmöglich, sich der zusammenfassenden Einstufung zu verweigern, dass diese modernen Zeugnisse – mit ihrem ständigen Fokus auf dem Ich und der dürftigen Beachtung der Herrlichkeit Gottes – *schlichtweg unwahr sind*. Sie sind entweder Hirngespinste der menschlichen Vorstellungskraft (Träume, Halluzinationen, trügerische Erinnerungen, Fantasien oder im schlimmsten Fall absichtliche Lügen) oder das Ergebnis dämonischer Täuschung.

Das wissen wir mit absoluter Sicherheit, weil die Schrift deutlich sagt, dass Menschen nicht in den Himmel gehen und wieder zurückkommen: «Wer stieg zum Himmel empor und fuhr herab?» (Spr 30,4). Antwort: «*Niemand* ist hinaufgestiegen in den Himmel, ausser dem, der aus dem Himmel herabgestiegen ist, der Sohn des Menschen» (Joh 3,13). All die Berichte über den Himmel in der Bibel sind Visionen, nicht Reisen, die tote Menschen unternommen haben. Sie alle lassen sich an einer Hand abzählen.

So viel ist absolut klar: Die Geschichten, die heutzutage unter den Evangelikalen erzählt und verschlungen werden, sind ganz anders als die Berichte aus erster Hand über den Himmel, die wir in der Bibel lesen.

Immer wenn ein Prophet in der Schrift mit einer himmlischen Vision gesegnet wurde, war sein Fokus fest auf Gott und die alles übertreffende Herrlichkeit gerichtet, die den Thron Gottes umgibt. Die Bibel beschreibt die Erscheinung im Himmel als so wunderbar, dass *nichts* in diesem Universum – einschliesslich der überwältigenden Pracht des Universums selbst – die Aufmerksamkeit eines blossen Geschöpfs von der Herrlichkeit Gottes abwenden könnte. Die herrlichen Engel, die in seiner Gegenwart leben, schauen *nie* weg (Mt 18,10).

In jedem in der Bibel beschriebenen Fall, in dem eine sterbliche Person eine himmlische Vision hat, ist sie – wenn sie sich überhaupt selbst erwähnt – voller Furcht und sich ihrer eigenen Unbedeutendheit, Schuld und Gefallenheit völlig bewusst. Einige der grössten Propheten in der Bibel bezeugten, dass sie sich augenblicklich schämten und für unwürdig und fehl am Platz hielten, als sie die Herrlichkeit des Himmels erblickten.

Jesaja sagte: «Wehe mir, ich vergehe! Denn ich bin ein Mann mit unreinen Lippen und wohne unter einem Volk, das unreine Lippen hat» (Jes 6,5). Der Apostel Johannes schrieb: «Und als ich ihn sah, fiel ich zu seinen Füssen nieder wie tot» (Offb 1,17). Auch Hesekiel meinte beim Anblick der Herrlichkeit Gottes: «Als ich sie sah, fiel ich auf mein Angesicht» (Hes 1,28).

Daniel zeigte eine ähnliche Demut, als er Christus in seiner Herrlichkeit vor seiner Menschwerdung sah. Er schrieb: «Es blieb aber keine Kraft in mir, und mein Aussehen wurde sehr schlecht, und ich behielt keine Kraft. Und ... als ich aber den Klang seiner Worte hörte, sank ich ohnmächtig auf mein Angesicht zur Erde nieder» (Dan 10,8–9). Daniel schaffte es, sich zitternd auf Hände und Knie zu stützen. Nach einer Weile stand er auf, noch immer zitternd, und hörte zu (V. 10–11). Als die Stimme aufhörte zu reden, sagte Daniel: «Ich schlug meine Augen zur Erde nieder und blieb stumm» (V. 15).

Als er schliesslich wieder etwas Kraft hatte, konnte er nur unter grossen Mühen sprechen: «Wegen dieser Erscheinung haben mich Wehen überfallen, und ich habe keine Kraft behalten! ... Und nun ist keine Kraft mehr in mir, und der Atem ist mir ausgegangen!» (V. 16–17).

Jede Vision vom Himmel, die in der Bibel berichtet wird, hebt dieselbe atemberaubende Majestät und dieses strahlende Licht hervor. Kein Wunder. Der ganze Himmel wird von Gottes eigener Herrlichkeit erleuchtet, eine andere Lichtquelle ist nicht nötig (Jes 60,19; Offb 21,23; 22,5). Es ist ein Leuchten, das das Licht unserer Sonne vergleichsweise trübe und düster erscheinen lässt. Und die Herrlichkeit des Himmels ist noch unendlich viel komplexer, transzendenter, schöner, Ehrfurcht gebietender und voller Wunder und Wonne. Wenn Sie sie für die ganze Ewigkeit sehen, werden Sie ihrer nie müde. Wenn Sie im Glauben stehen, wartet genau das auf Sie.

Aber die Herrlichkeit des Himmels ist kein Anblick, der sterbliche Menschen schwindelig oder selbstsicher machen würde. Im Gegenteil. Es ist ein derart eindrucksvoller Glanz, dass ein Blick auf Gottes Herrlichkeit in ihrem vollen, unmittelbaren Ausmass buchstäblich vernichtend wäre für die nicht verherrlichte menschliche Natur. Gott sagte zu Mose: «Mein Angesicht kannst du nicht sehen, denn kein Mensch wird leben, der mich sieht!» (2Mo 33,20). Der Apostel Paulus schrieb über Gottes Herrlichkeit: «... der in einem unzugänglichen Licht wohnt, den kein Mensch gesehen hat noch sehen kann» (1Tim 6,16).

Dennoch ist die Sehnsucht, Gottes Herrlichkeit zu sehen, ein Kennzeichen des wahren Glaubens an ihn. Das am meisten Anziehende und die höchste Belohnung des Himmels ist natürlich: *Gottes Herrlichkeit wird dort für immer in ihrer vollen Pracht zu sehen sein.* Wir werden in der Lage sein, sie zu sehen, ohne durch sie zerstört zu werden. Die Erlösten werden verherrlichte Körper haben, die vollkommen passend sind für den Himmel. Sie werden Gottes Herrlichkeit zu sehen bekommen, sie studieren, sich in ihr sonnen, sie reflektieren und sie in alle Ewigkeit geniessen. «Glückselig sind, die reinen Herzens sind, denn sie werden Gott schauen!» (Mt 5,8). Ihre Sicht auf die Herrlichkeit wird unverhüllt, unmittelbar und ungehindert von den Folgen von Sünde und Schuld sein. «Wir werden ihn sehen, wie er ist» (1Jo 3,2). Diese Erwartung ist ein wesentlicher Aspekt des echten errettenden Glaubens (Hebr 11,16).

Daher wollte Mose Gottes Herrlichkeit sehen, ob es ihn das Leben kostete oder nicht. So willigte der Herr ein, Mose in einer Felsspalte zu verstecken und ihm einen kurzen Blick zu gewähren, während Gott an ihm vorüberging. Nachdem er Gott von hinten gesehen hatte, wies Moses Gesicht eine Zeitlang eine schwache Reflektion der Herrlichkeit Gottes auf. Doch selbst eine solch kleine Probe von der Herrlichkeit Gottes war für die Israeliten äusserst beängstigend (2Mo 34,30). Mose musste sein Gesicht mit einer Decke verhüllen!

Wenn das langsam nachlassende, reflektierende Leuchten auf dem Gesicht Moses schon so furchterregend war, ist es kein Wunder, dass jede Person in der Bibel, die eine Vision vom Himmel hatte und anschliessend darüber sprach, sagte, der Anblick habe eine lähmende Furcht in ihr erzeugt. *Das* ist es, worüber jeder, der den Himmel wirklich gesehen hat, reden würde.

Im Gegensatz dazu scheinen die gnostischen Nahtoderfahrungen heutzutage das Selbstbild der himmlischen Besucher geradezu in Grössenwahn aufzublähen. Während alle Propheten und Apostel, die den Himmel zu biblischen Zeiten sahen, sprachlos und verängstigt waren und sich wünschten, sich vor der Herrlichkeit Gottes zu verstecken, sagt Colton Burpo, die Bewohner des Himmels hätten ihm eine grosse Ehre erwiesen: «‹Sie brachten einen kleinen Stuhl für mich herbei›, sagte er lächelnd. ‹Ich sass neben Gott dem Heiligen Geist.›»[1]

Allen gegenwärtigen Berichten über das Leben nach dem Tod ist ein reichliches Mass an dieser Art von Angeberei eigen, und sie alle scheinen ähnlich unempfindsam für die wahre Herrlichkeit des Himmels zu sein. Mary Neal sagt, ihre Ankunft im Himmel wurde von «einem grossen Empfangskomitee» bejubelt. Sie sagt, zu dieser Gruppe gehörten mehrere ihrer toten Freunde und Nachbarn (inklusive «Frau Sivits, meine alte Babysitterin»). Sie waren «von Gott gesandt», meint sie – und «[sie] begrüssten mich mit der grössten Freude, die ich je erlebt hatte und mir hätte vorstellen können. Es war eine reine und völlig unverfälschte Freude.»[2]

In *Der Junge, der aus dem Himmel zurückkehrte: Eine wahre Geschichte* (Originaltitel: *The Boy Who Came Back from Heaven*) behauptet Kevin Malarkey, sein Sohn Alex würde nach wie vor regelmässige Besuche im Himmel machen («meistens im Schlaf»):

> Er kommt direkt innerhalb der Tore an. Er redet mit den Engeln, die Wache stehen. ... Als nächstes geht Alex in den Tempel und spricht mit Gott selbst. Auf dem Weg redet er möglicherweise mit anderen Engeln oder auch nicht. ... Alex unterhält sich mit Gott, bis der Herr den Besuch für beendet erklärt. Manchmal sind auch andere Engel dabei, und ein andermal nur Gott und Alex.[3]

Malarkeys Bericht über die Erfahrung seines Sohnes hebt sich in diesem Punkt von den anderen ab. Er *erwähnt*, wie Gottes Herrlichkeit in der Bibel dargestellt wird, und er zitiert sogar ein paar Beispiele, in denen die Herrlichkeit des Himmels Furcht in den biblischen Personen erzeugte, die sie sahen. Letzten Endes ist die Herrlichkeit Gottes aber nur eine Randnotiz, nicht das Zentrum der Erzählung von Kevin Malarkey. Im Grunde scheint er dieses Thema aber nur anzusprechen, um zu zeigen, wie furchtlos sein junger Sohn in der Gegenwart der Herrlichkeit Gottes ist.[4] Kevin zufolge sagten die Engel dem Kind, dass er sich nicht fürchten soll, und der kleine Alex Malarkey bleibt auch kindlich unbeeindruckt inmitten der ganzen Herrlichkeit des Himmels.

Was in diesen Berichten gänzlich fehlt, ist das starke Gefühl persönlicher Unwürdigkeit und Untauglichkeit, das jede biblische

Schilderung von Personen bestimmt, die den Himmel gesehen haben. Ebenso fehlt es an ehrfurchtsvollen Beschreibungen der Herrlichkeit, die das Hauptmerkmal des Himmels ist.

Vergleichen Sie diese Berichte einmal mit Hesekiels detaillierter Beschreibung von Rädern innerhalb von Rädern (Hes 1,16); von «lebendigen Wesen [die] aber liefen hin und her, sodass es aussah wie Blitze» (V. 14); von Geschöpfen, die, wenn sie sich bewegten, «so liefen sie nach ihren vier Seiten hin; sie wandten sich nicht um, wenn sie gingen» (V. 17); von ihren Flügeln, die das Geräusch machten «wie das Rauschen grosser Wasser und wie die Stimme des Allmächtigen; wenn sie gingen, so gab es ein Geräusch wie das Getümmel eines Heerlagers» (V. 24); und vor allem von dieser unbeschreiblichen Herrlichkeit: «Wie der Bogen aussieht, der an einem Regentag in den Wolken erscheint, so war auch der Glanz ringsum anzusehen. So war das Aussehen der Erscheinung der Herrlichkeit des HERRN» (V. 28).

Das ist ganz und gar keine Szenerie, die einem sagt: «Nimm dir einen Stuhl und mach es dir bequem.» Genau an diesem Punkt sagte Hesekiel: «Als ich sie sah, fiel ich auf mein Angesicht» (V. 28).

Visionen von der Entrückung

Die Vision des Apostels Johannes vom Himmel ist der ausführlichste Bericht über den Himmel in der Schrift und füllt fast das ganze Buch der Offenbarung. Er bildet einen lehrreichen Gegensatz zu den aktuell populären himmlischen Reisebeschreibungen.

Johannes' Absicht für sein Schreiben war nicht, uns mitzuteilen, was der Himmel ist. Seine Vision handelt hauptsächlich vom «Tag des Zorns und der Offenbarung des gerechten Gerichtes Gottes» (mit den Worten aus Römer 2,5). Der Name des Buches, *Offenbarung*, ist eine Übersetzung des ersten griechischen Wortes, mit dem Johannes seine Botschaft beginnt: *apokalypsis* (Offb 1,1). Das ist natürlich die Wurzel des deutschen Begriffes *Apokalypse* – das im heutigen

Sprachgebrauch oft in Bezug auf jede Art von Klimakatastrophe verwendet wird. Was Johannes im Buch der Offenbarung beschreibt, ist buchstäblich die Katastrophe, die alle Katastrophen beendet. Johannes' Vision ist *apokalyptisch* in jedem Sinn dieses Wortes.

Was Johannes aus der Perspektive des Himmels sah, war eine prophetische Offenbarung, über die schreckliche und furchtbare Ausgiessung von Gottes Zorn, der schliesslich über die Erde hereinbrechen wird. In den letzten Kapiteln erklärt Johannes dann, wie diese apokalyptischen Ereignisse zum Triumph Gottes führen werden, der Enthüllung des neuen Himmels und der neuen Erde und zur ewigen Ruhe der Treuen in der nie endenden Glückseligkeit des Reiches Gottes.

So finden wir am Ende der Offenbarung den besten und vollständigsten biblischen Ausblick auf die ewige Ruhe der Heiligen. Doch halten Sie fest: Das ist nicht der Hauptpunkt von Johannes' Vision. Seine eigentliche Absicht ist es, uns einen ausführlichen Bericht darüber zu geben, wie der Zorn Gottes und die Drangsal alle Menschen auf der Erde erreichen werden – in einem Ausmass, das für unseren Verstand unfassbar ist und wofür es in unserer Erfahrung keine Parallele gibt. Johannes möchte Staunen, Ehrfurcht und Furcht hervorrufen – und in diesem Zusammenhang liefert er uns die detaillierteste biblische Beschreibung über den Himmel.

Erinnern Sie sich, dass der Apostel Paulus eine so reale und lebendige Vision vom Himmel hatte, dass er zweimal sagte: «Ob im Leib oder ob ausserhalb des Leibes, ich weiss es nicht; Gott weiss es» (2Kor 12,2–3). Johannes sagt zweimal: «Ich war im Geist» (Offb 1,10; 4,2). Diese Vision wurde also eindeutig vom Heiligen Geist geleitet. Sie ist kein Traum, keine Halluzination, keine Nahtoderfahrung oder ein Produkt seiner Fantasie. Sein Geist wurde vom Heiligen Geist aus der materiellen Welt herausgeführt (bei vollem Bewusstsein, nicht in einem Traum), und Gott offenbarte ihm Dinge, die er mit seinen Sinnen nie hätte wahrnehmen können. Das ist die ausführlichste, prophetische Vision, die wir in der ganzen

Schrift finden. Sie ist (wie die Vision des Apostels Paulus) so lebendig, dass Johannes sich gefühlt haben muss, als wäre er bei den von ihm beschriebenen Ereignissen körperlich dabei gewesen.

Es geschah unmittelbar. Johannes sagt: «Nach diesem schaute ich, und siehe, eine Tür war geöffnet im Himmel; und die erste Stimme, die ich gleich einer Posaune mit mir reden gehört hatte, sprach: Komm hier herauf, und ich will dir zeigen, was nach diesem geschehen muss! Und *sogleich* war ich im Geist; und siehe, ein Thron stand im Himmel, und auf dem Thron sass einer» (Offb 4,1–2). Es gab keine Reise durch einen dunklen Tunnel, kein aus Engeln bestehendes Empfangskomitee und kein Gefühl des Schwebens, während er auf seinen Körper herabsah, als seine Seele ihn verliess. Das war keine Astralprojektion. Johannes wurde «im Geist» von der Insel Patmos unmittelbar in die himmlische Dimension gebracht.

Beachten Sie auch, dass seine Aufmerksamkeit gleich zu Anfang auf den Thron Gottes gerichtet wird: «Und siehe, ein Thron stand im Himmel, und auf dem Thron sass einer.» Im ganzen vierten Kapitel der Offenbarung bleibt sein Fokus auf dem Thron; und in den letzten Kapiteln des Buches kehrt er immer wieder zu diesem Thron zurück. (Der Thron wird in der Offenbarung mehr als vierzig Mal erwähnt, mindestens einmal in 17 der 22 Kapitel des Buches.) Wie wir bereits gesehen haben und noch mehrere Male sehen werden, ist dieser Thron Herz und Zentrum des Himmels.

In den nächsten fünf Versen beschreibt Johannes die Geschöpfe, die Verzierungen, die Lichter und die Farben, die den Thron unmittelbar umgeben. Im fünften Kapitel kehren wir noch einmal zu dieser Stelle zurück und erhalten einen genaueren Blick auf den himmlischen Thron und seine Umgebung. In diesem Zusammenhang möchte ich jedoch auf die innige Anbetung hinweisen, die um den Thron herum stattfindet.

Die Stätte für die Anbetung ist aufgerichtet durch Johannes' Beschreibung der vier wunderbaren Wesen, die um den Thron herum Wache stehen: «In der Mitte des Thrones und rings um den

Thron waren vier lebendige Wesen, voller Augen vorn und hinten. Und das erste lebendige Wesen glich einem Löwen, das zweite lebendige Wesen glich einem jungen Stier, das dritte lebendige Wesen hatte ein Angesicht wie ein Mensch, und das vierte lebendige Wesen glich einem fliegenden Adler» (4,6–7).

Das sind Engel – offensichtlich dieselben vier Geschöpfe, die Hesekiel in seiner Vision vom Himmel beschreibt. Im ganzen zehnten Kapitel bezeichnet Hesekiel sie als «Cherubim». In Psalm 80,2 und 99,1 heisst es, dass Gott «über den Cherubim thront.» In seiner Vision vom Himmel sagt Jesaja: «Ich sah den Herrn sitzen auf einem hohen und erhabenen Thron, und seine Säume erfüllten den Tempel. Seraphim standen über ihm» (Jes 6,1–2) – und anschliessend beschreibt er die Seraphim als Wesen mit Flügeln, die den Thron bewachen. Das Wort *Seraphim* taucht nur zweimal in der Schrift auf, beide Male in Jesaja 6. Die Wortwurzel hat die Nebenbedeutung «Feuer», daher könnte es sich einfach um eine feurige Art von Cherub handeln. Somit könnten es dieselben Geschöpfe sein, die Hesekiel «Cherubim» nennt. Vielleicht ist auch eine unterschiedliche und höhere Ordnung von Engeln gemeint.

Diese Geschöpfe, die Hesekiel «Cherubim» nennt, unterscheiden sich sehr von Raffaels berühmtem Gemälde von verträumten, süss aussehenden Cherubim, die Kinderpuppen gleichen. Sie sind ganz gewiss nicht so wie die Cherubim aus Keramik, die Sie kennen! Hesekiel sagt: «Sie hatten Menschengestalt. Und jedes von ihnen hatte vier Gesichter, und jedes von ihnen hatte vier Flügel» (Hes 1,5–6). Ihre Gestalt ähnelte also der eines Menschen – vermutlich mit Armen und Beinen und der Fähigkeit, aufrecht zu stehen. Und sie hatten (laut Johannes) vorne und hinten Augen.

Hesekiel stimmt damit überein. Seine Beschreibung ist aber noch ausführlicher:

> Als ich nun die lebendigen Wesen betrachtete, siehe, da war je ein Rad auf der Erde neben jedem der lebendigen

> Wesen, bei ihren vier Gesichtern. Das Aussehen der Räder und ihre Gestaltung war wie der Schimmer eines Chrysoliths, und alle vier hatten die gleiche Gestalt. Sie sahen aber so aus und waren so gemacht, als wäre ein Rad mitten in dem anderen Rad. Wenn sie gingen, so liefen sie nach ihren vier Seiten hin; sie wandten sich nicht um, wenn sie gingen. Und ihre Felgen waren hoch und furchtgebietend; und ihre Felgen waren voller Augen ringsum bei allen vier. (Hes 1,15–18)

Stellen Sie sich das bildlich vor, wenn Sie können. Das ist einfach wunderbar – und bestimmt nicht die Art eines Szenarios, in dem Sie einen kleinen Stuhl nehmen und sich zu einer zwanglosen Unterhaltung hinsetzen würden.

Hesekiel und Johannes beschreiben die Gesichter dieser Wesen ähnlich. Johannes berichtet von ihnen aus einer Perspektive: «[Eines] glich einem Löwen, das zweite ... einem jungen Stier, das dritte ... hatte ein Angesicht wie ein Mensch, und das vierte ... glich einem fliegenden Adler» (Offb 4,7). Hesekiel sagt, dass jedes dieser vier Geschöpfe alle vier Gesichter hatte: «Ihre Gesichter aber waren so gestaltet: vorn das Gesicht eines Menschen; auf der rechten Seite, bei allen vieren, das Gesicht eines Löwen; zur Linken, bei allen vieren, das Gesicht eines Stieres; hinten aber hatten alle vier das Gesicht eines Adlers» (Hes 1,10).

Hesekiel erwähnt, dass jedes Geschöpf «vier Flügel» hatte (V. 6). Damit scheint er sagen zu wollen, dass sie an jeder Seite sowie vorne und hinten je einen Flügel hatten. Des Weiteren gibt er an: «Unter ihren Flügeln befanden sich Menschenhände an ihren vier Seiten» (V. 8). Ausserdem schienen sie noch ein zusätzliches Paar Flügel zu haben, mit dem sie flogen, denn Offenbarung 4,8 sagt: «Jedes einzelne von den vier lebendigen Wesen hatte sechs Flügel.» Genau so beschreibt Jesaja die Seraphim: «Jeder von ihnen hatte sechs Flügel: mit zweien bedeckten sie ihr Angesicht, mit zweien bedeckten sie ihre Füsse, und mit zweien flogen sie» (Jes 6,2). Zwei Flügel für den Dienst und vier für die Anbetung. Dass die Anbetung Priorität hat, bringen diese Engel deutlich zum Ausdruck.

In seinem Bericht schreibt Jesaja: «Und einer rief dem anderen zu und sprach: Heilig, heilig, heilig ist der HERR der Heerscharen; die ganze Erde ist erfüllt von seiner Herrlichkeit!» (V. 3). Johannes war Zeuge desselben Anblicks, und er sagt, um den himmlischen Thron herum herrscht ein nie endender Chorgesang: «Unaufhörlich rufen sie bei Tag und bei Nacht: Heilig, heilig, heilig ist der Herr, Gott der Allmächtige, der war und der ist und der kommt!» (Offb 4,8).

Der Lobpreis hat die Form einer Kantate – oder noch besser die eines Oratoriums. Der Chorgesang der Engel wird von einem Chor im Wechselgesang beantwortet. Es schwillt zu einem grossen Crescendo an und wird zu einem gewaltigen Lobpreiskonzert, das Johannes' Vision bis zum Ende von Kapitel 5 bestimmt.

Beginnend mit dem ersten «Heilig, heilig, heilig» in Offenbarung 4,8, berichtet Johannes von fünf Lobliedern, bevor er das Ende des nächsten Kapitels erreicht. Diese himmlischen Lobeshymnen können in zwei Kategorien eingeteilt werden. Einige von ihnen besingen *die Erlösung der Schöpfung*; die Restlichen *die Erlösung der Menschheit*.

Der Lobpreis in Offenbarung 4 stellt Gott als den Schöpfer und Erlöser aller Dinge in den Mittelpunkt: «Würdig bist du, o Herr, zu empfangen den Ruhm und die Ehre und die Macht; denn du hast alle Dinge geschaffen, und durch deinen Willen sind sie und wurden sie geschaffen!» (V. 11). Kapitel 5 zeigt Gott als den Retter-Gott, der die Menschen erlöst:

> Die 24 Ältesten fielen vor dem Lamm nieder, und sie hatten jeder eine Harfe und eine goldene Schale voll Räucherwerk; das sind die Gebete der Heiligen. Und sie sangen ein neues Lied, indem sie sprachen:

«Du bist würdig, das Buch zu nehmen
und seine Siegel zu öffnen;
denn du bist geschlachtet worden
und hast uns für Gott erkauft mit deinem Blut
aus allen Stämmen und Sprachen und Völkern
und Nationen,
und hast uns zu Königen und Priestern gemacht
für unseren Gott,
und wir werden herrschen auf Erden.» (V. 8–10)

Der Lobpreis gipfelt in diesem bekannten Loblied über Christus: «Würdig ist das Lamm, das geschlachtet worden ist, zu empfangen Kraft und Reichtum und Weisheit und Stärke und Ehre und Ruhm und Lob!» (V. 12). Praktisch jedes Mal, wenn wir zum Tisch des Herrn zusammenkommen, singt unsere Gemeinde diese Worte zu einer vertrauten Melodie.

Der Lobpreis ist noch nicht zu Ende:

> Und jedes Geschöpf, das im Himmel und auf der Erde und unter der Erde ist, und was auf dem Meer ist, und alles, was in ihnen ist, hörte ich sagen:
>
> > «Dem, der auf dem Thron sitzt, und dem Lamm gebührt das Lob und die Ehre und der Ruhm und die Macht von Ewigkeit zu Ewigkeit!»
>
> Und die vier lebendigen Wesen sprachen: Amen! Und die 24 Ältesten fielen nieder und beteten den an, der lebt von Ewigkeit zu Ewigkeit. (V. 13–14)

Es ist ein Oratorium, das von Erlösung handelt.

In der Orchestrierung dieses Oratoriums findet sich ein langes, kontinuierliches Crescendo. Es beginnt mit einem Quartett (die vier Engel). Hinzukommen 24 Stimmen (die Ältesten, 4,10). Über dem Quartett der Engel und den 24 Ältesten erklingen Harfen (5,8). Dann schliessen sich ihnen alle lebenden Wesen im Himmel an – «und ihre Zahl war zehntausendmal zehntausend und tausendmal tausend» (5,11). Alles steigt bis zum Höhepunkt der himmlischen Anbetung an, und die Engel fügen den Schlusstakt hinzu: «Und die vier lebendigen Wesen sprachen: Amen! Und die 24 Ältesten fielen nieder und beteten den an, der lebt von Ewigkeit zu Ewigkeit» (V. 14). Jedes Geschöpf im Himmel bricht in Anbetung Gottes der reinsten Form aus.

Das möchte ich sehen. *Ich möchte Teil davon sein.*

Und eines weiss ich ganz sicher: Niemand, der solch eine aussergewöhnliche Erscheinung erlebt hat, wird, wieder auf die Erde zurückgekehrt, über irgendetwas anderes reden.

---

1. Zitiert von Todd Burpo und Lynn Vincent, *Heaven Is for Real: A Little Boy's Astounding Story of His Trip to Heaven and Back* (Nashville: Nelson, 2010), S. 102.
2. Mary C. Neal, *To Heaven and Back: A Doctor's Extraordinary Account of Her Death, Heaven, Angels, and Life Again* (Colorado Springs: Waterbrook, 2012), S. 69.
3. Kevin Malarkey und Alex Malarkey, *The Boy Who Came Back from Heaven: A Remarkable Account of Miracles, Angels, and Life beyond This World* (Carol Stream, IL: Tyndale, 2010), S. 182. In Anhang 2 finden Sie eine ausführliche Besprechung. Obwohl Kevin und Alex Malarkey auf dem Buchcover als Koautoren aufgeführt werden, hat Alex das Buch im Internet öffentlich von sich gewiesen und es das «irreführendste Buch aller Zeiten» genannt. Beth Malarkey, Alex' Mutter und Kevins Frau, bezeichnet das Buch als «ein wunderschönes Zeugnis, das verfälscht, verdreht und zu einem Geschäft gemacht wurde.» http://amomonamission.blogspot.com/2012/11/following-is-post-that-my-son-alex.html.
4. Ebd.

KAPITEL 4

Diese Welt ist nicht mein Zuhause

So irreführend wie diese falschen Geschichten über den Himmel für Personen, die von ihnen betrogen werden, auch sein mögen, weitaus mehr Menschen verlieren den Himmel aus dem Blick, weil sie von Weltlichkeit und Materialismus gefangen genommen werden und alle Gedanken an den Himmel und das Leben nach dem Tod völlig aus ihrem Kopf verdrängen. Trotz ihrer hohen Verkaufszahlen und des weitreichenden Einflusses, den Bücher über Reisen in den Himmel und zurück heute haben, ist die Verbindung zu dieser materiellen Welt sicherlich eine viel bestimmendere Ursache, weshalb Menschen eine falsche Vorstellung vom Himmel haben.

Seien wir doch ehrlich: Materialismus ist nicht nur ein Problem für Ungläubige. Ein Blick auf Amerikas evangelikale Subkultur macht deutlich, dass der Materialismus unter bibeltreuen Christen weit verbreitet ist. Wir haben heute moderne Gebäudekomplexe mit Megagemeinden, die Hightechunterhaltung, Fitnesscenter, Bowlingbahnen und sogar Lebensmittelläden beinhalten. Der Herde materielle Annehmlichkeiten zu bieten, ist für manche Gemeinden wichtiger geworden, als dem Preis der himmlischen Berufung nachzujagen. Da verwundert es nicht, wenn die Menschen in der Gemeinde nicht erkennen, dass Materialismus Sünde ist. Und es ist kaum eine Überraschung, wenn ein Himmel, der völlig von der Herrlichkeit Gottes bestimmt wird, «langweilig» erscheint für Menschen, die einen grossen Hunger auf weltliche Vergnügungen haben statt auf Anbetung.

Offen gesagt, den meisten Christen in den reichen westlichen Gesellschaften geht es in dieser Welt einfach zu gut. Die meisten wissen nicht wirklich, was es heisst, sich nach dem Himmel zu sehnen. Gott hat uns mit einer Fülle von irdischen Annehmlichkeiten gesegnet – mehr als jede Generation vor uns in der Menschheitsgeschichte.

Uns geht es in diesem Leben so gut, dass wir Gefahr laufen zu vergessen, da ss wir nur Fremdlinge und Pilger in dieser Welt sind. Wie Abraham sollten wir uns für Reisende auf der Erde halten, die «auf die Stadt [warten], welche die Grundfesten hat, deren Baumeister und Schöpfer Gott ist» (Hebr 11,10).

Christen in weniger wohlhabenden und annehmlichen Gesellschaften als der unseren, neigen mehr dazu, an den Himmel zu denken, weil er Dinge ganz anders verspricht, als sie sie in dieser Welt kennengelernt haben.

Vor einigen Jahren habe ich in einer abgelegenen Stadt südlich von Sibirien gedient, wo ich 1500 verarmten Christen begegnete, die ein Dreivierteljahrhundert sehr unter der russischen Unterdrückung gelitten hatten. Sie waren wirtschaftlich unterprivilegierte Nachfahren von Exilanten, die täglich hart für ihr Essen arbeiten mussten. Sie wollten aus der Bibel unterrichtet werden, und am meisten interessierte sie ihre Zukunft in der himmlischen Herrlichkeit. Ich hatte das Glück, ihnen mehrere Stunden dienen zu können, und viele weinten vor Freude.

Unsere Reaktion in privilegierteren Ländern ist da ganz anders! Oft begegne ich Christen, die so leben, als würde der Himmel ihren vollen Zeitplan stören – ein Hindernis für ihre Berufsziele oder Ferienpläne.

Wir leben in einer Region der Welt, wo Bedürfnisse sofort gestillt werden. Keine vorangegangene Generation hatte jemals so viele Möglichkeiten, ihre fleischlichen Wünsche augenblicklich zu erfüllen. Wir besitzen Kreditkarten, mit denen wir uns kaufen, was wir uns nicht leisten können, überall hinreisen, wo wir ansonsten nicht hinkämen, und tun können, was uns andernfalls unmöglich wäre. Erst nach dem Urlaub oder dem Genuss von Luxus müssen wir uns ums Bezahlen kümmern. Dass Kreditkartenschulden mittlerweile überhandnehmen, ist symptomatisch für eine Einstellung, die sagt: «Ich will, was ich will und *wann* ich es will!» Dieses Denken unserer Zeit steht Vergnügungsaufschub in jeder Hinsicht entgegen. Wir ziehen sofortige Befriedigung vor, und wir sind nur allzu bereit, die Zukunft auf dem Altar des Augenblicks zu opfern.

Noch einmal, Christen sind von diesem Trend keineswegs ausgenommen. Statt uns auf Dinge, die droben sind, zu konzentrieren, neigen wir dazu, uns an irdische Dinge zu hängen. Es passiert sehr leicht, sich von zeitlichen Dingen gefangen nehmen zu lassen und das, was von ewiger Bedeutung ist, zu vernachlässigen. Wir verbrauchen unsere Energien für das Konsumieren und Anhäufen von Dingen, die direkte Erfüllung oder Genuss versprechen, aber «durch den Gebrauch der Vernichtung» preisgegeben werden (Kol 2,22). Jesus erinnert uns daran, dass *alle* irdischen Dinge – zusammen mit dem Vergnügen, das sie bereiten – verfallen und vergehen werden (Mt 6,19; Lk 12,20; 18,22). Aus diesem Grund werden wir aufgefordert, uns Schätze im Himmel zu sammeln, die niemals zerstört werden oder vergehen können.

Leider haben zu viele Christen das «süsse Jenseits» aus dem Blick verloren und beschäftigen sich zu sehr mit dem Hier und Jetzt, und werden selbst von verzehrbaren Dingen verzehrt.

Noch schlimmer, gewisse in der Öffentlichkeit stehende Mediendienste, die ein falsches Evangelium von irdischem Wohlstand predigen, vermitteln der Allgemeinheit den verheerenden Eindruck, dass es genau darum im Christentum ginge. Sie versprechen den Menschen, dass Jesus sie in diesem Leben gesund, wohlhabend und erfolgreich machen möchte. Eine solche Lehre ist extrem populär, weil sie an den Zeitgeist ausliefert – vor allem an den Wunsch, alles in diesem Leben zu haben, und zwar jetzt sofort. Menschen, die von Wohlstandspredigern beeinflusst werden, neigen dazu, sich den Himmel als grundlegende Erfüllung jeglichen materiellen Verlangens vorzustellen. Wer eine solche Sicht hat, für den wird selbst die Aufforderung, «sucht das, was droben ist, wo der Christus ist, sitzend zur Rechten Gottes» (Kol 3,1), zu einer Rechtfertigung für seine fleischlichen Begierden.

Da die Christengemeinde dem Himmel nicht *wirklich* in ihrem Denken einen Platz einräumt, neigen Christen dazu, geniesserisch, selbstbezogen, schwach und materialistisch zu sein. Unsere gegenwärtigen Annehmlichkeiten beanspruchen zu viel Raum in unserem Denken, und wenn wir nicht aufpassen, bekommen wir letzten Endes falsche Vorstellungen über den Himmel – oder denken nur sehr gering von ihm.

Kein Christ sollte je in diese Falle tappen. Hin und wieder hört man vielleicht eine Stimme, die sagt, dass Christen zu sehr mit dem Himmel beschäftigt sind. Ich bin mir sicher, Sie haben von der weit verbreiteten Klage über Menschen gehört, die «so himmlisch gesinnt sind, dass sie für nichts Irdisches gut sind». Es gibt tatsächlich eine Art von Ersatzgeistlichkeit, die Menschen wertlos werden lässt für gute Werke und gegenseitige Erbauung. Aber solche Personen sind nicht wirklich *himmlisch* gesinnt. Sie sind wie die Pharisäer, sie zeigen zum Schein eine rituelle und öffentliche Frömmigkeit um ihrer selbst willen, ohne wirklich an die Herrlichkeit Gottes zu denken. «Alle ihre Werke tun sie aber, um von den Leuten gesehen zu werden» (Mt 23,5). Das ist der diametrale Gegensatz zu einer wahren himmlischen Gesinnung.

Ab und an wendet jemand ein, Christen wären so sehr mit dem Himmel beschäftigt, dass sie wichtige irdische Dinge vernachlässigen – soziale Gerechtigkeit, die Bedürfnisse der Armen und Unterdrückten, Gesundheitsfürsorge für entrechtete und unterprivilegierte Menschen und so weiter. Dieser Mangelstand ignoriert die Tatsache, dass Christen stets vorangegangen sind in Fragen des öffentlichen Wohlergehens, dem Bau von Krankenhäusern, sofortigen Hilfsmassnahmen und anderen Formen menschlichen Mitgefühls. Nächstenliebe blüht immer dort auf, wo das Evangelium mutig verkündet wird. Aber die Behauptung, dass irdische Hilfen Priorität haben sollten vor dem geistlichen Heil, ist nicht die Ausrichtung von Christen. Jesus brachte die richtige Reihenfolge klar auf den Punkt in seiner bekannten Aussage: «Trachtet vielmehr zuerst nach dem Reich Gottes und nach seiner Gerechtigkeit, so wird euch dies alles hinzugefügt werden!» (Mt 6,33).

Die Kostbarkeit des Himmels

In Wirklichkeit befindet sich alles, was uns Christen wertvoll ist, im Himmel.

Der Vater ist dort, und deshalb lehrte Jesus uns beten: «Unser Vater, der du bist im Himmel! Geheiligt werde dein Name» (Mt 6,9). *Jesus* selbst ist zur Rechten des Vaters. Hebräer 9,24 sagt: «Denn nicht in ein mit Händen gemachtes Heiligtum, in eine Nachbildung des wahrhaftigen, ist der Christus eingegangen, sondern in den Himmel selbst, um jetzt für uns vor dem Angesicht Gottes zu erscheinen.» Auch unser Erlöser ist im Himmel, wo er für uns eintritt (Hebr 7,25).

Viele *Brüder und Schwestern in Christus* sind ebenfalls dort. Hebräer 12,22–24 sagt: Wenn wir uns Gott zuwenden, sind wir «gekommen zu dem Berg Zion und zu der Stadt des lebendigen Gottes, dem himmlischen Jerusalem, und zu Zehntausenden von Engeln, zu der Festversammlung und zu der Gemeinde der Erstgeborenen, die im Himmel angeschrieben sind, und zu Gott, dem Richter über alle, und zu den Geistern der vollendeten Gerechten, und zu Jesus, dem Mittler des neuen Bundes». Unsere im Glauben gestorbenen Verwandten und Freunde sind dort bei Christus und dem Vater. Jeder alt- und neutestamentliche Gläubige, der gestorben ist, ist jetzt im Himmel.

Unsere Namen sind dort aufgeschrieben. In Lukas 10,20 sagte Christus zu seinen Jüngern, die Dämonen austrieben: «Doch nicht darüber freut euch, dass euch die Geister untertan sind; freut euch aber lieber darüber, dass eure Namen im Himmel geschrieben sind.» Indem er uns mitteilt, dass unsere Namen im Himmel aufgeschrieben sind, versichert uns Christus, dass wir ein beurkundetes Anrecht auf Eigentum dort besitzen. Das ist *unser Erbe*. 1. Petrus 1,4 macht deutlich, dass wir in Christus geworden sind «zu einem unvergänglichen und unbefleckten und unverwelklichen Erbe, das im Himmel aufbewahrt wird» für uns.

«*Unser Bürgerrecht* aber ist im Himmel», heisst es in Philipper 3,20. Mit anderen Worten, der Himmel ist der Ort, wo wir hingehören. Wir sind nur «Gäste ohne Bürgerrecht und Fremdlinge auf Erden» (Hebr 11,13). Zu unseren Zielen sollte daher nicht das Ansammeln von materiellem Besitz auf der Erde gehören. Unser wahrer Reichtum – *unser ewiger Lohn* – ist im Himmel (Mt 5,12). In Matthäus 6,19–21 sagt Jesus, dass dort der einzige Schatz ist, den wir in Ewigkeit besitzen werden.

Anders ausgedrückt, alles, was wir immerwährend lieben *sollten*, alles, was wir zu Recht schätzen, alles von ewigem Wert, ist im Himmel.

Sich selbst mit Luxus verwöhnen und Materialismus fördern eine weltliche Atmosphäre, der eine besonders zerstörerische geistlich verkrümmende Kraft innewohnt. Sie schwächt alles, wofür die Gemeinde stehen sollte. Sie reisst Christen von ihrem himmlischen Ankerplatz fort und macht sie weltlich.

Der Begriff *Weltlichkeit* klingt fast schon veraltet, nicht wahr? Viele Leute halten ihn für kleinkariert, gesetzlich und unnötig altmodisch. Unsere Grosseltern hörten Predigten gegen «die Sünde der Weltlichkeit». Wir meinen, wir wären zu fortschrittlich, um uns mit solchen Belanglosigkeiten zu befassen. Doch das eigentliche Problem ist, dass wir uns nicht ausreichend um himmlische Werte kümmern, sodass wir nicht begreifen, wie extrem sündig es ist, an irdischen Werten festzuhalten.

Und das ist der Kern von Weltlichkeit: die Liebe zu irdischen

Dingen, irdische Werte zu sehr zu schätzen und sich zu sehr mit irdischen Belangen zu beschäftigen. Die Schrift bezeichnet es eindeutig als Sünde – und es *ist* Sünde der schlimmsten Art. Es ist eine geistliche Form von Ehebruch, die Feindschaft zwischen uns und Gott zur Folge hat: «Ihr Ehebrecher und Ehebrecherinnen, wisst ihr nicht, dass die Freundschaft mit der Welt Feindschaft gegen Gott ist? Wer also ein Freund der Welt sein will, der macht sich zum Feind Gottes!» (Jak 4,4).

Ich habe Christen sogar sagen hören, dass sie nicht in den Himmel wollen, bis sie alles genossen haben, was die Welt zu bieten hat. Wenn sich alle irdischen Aktivitäten erschöpft haben oder wenn Alter und Krankheit ihre Genussfähigkeit trüben, dann glauben sie, wären sie bereit für den Himmel. *Bitte, Gott, nimm mich jetzt noch nicht in den Himmel*, beten sie. *Ich war noch nicht auf Hawaii!*

Doch wenn Sie Ihr Leben leben, ohne eine Liebe zu himmlischen Dingen zu entwickeln, werden Sie nie bereit für den Himmel sein. 1. Johannes 2,15–17 sagt ganz klar: «Habt nicht lieb die Welt, noch was in der Welt ist! Wenn jemand die Welt lieb hat, so ist die Liebe des Vaters nicht in ihm. Denn alles, was in der Welt ist, die Fleischeslust, die Augenlust und der Hochmut des Lebens, ist nicht von dem Vater, sondern von der Welt. Und die Welt vergeht und ihre Lust; wer aber den Willen Gottes tut, der bleibt in Ewigkeit.»

Manche Leute, die behaupten, Christus zu kennen, lieben die Welt so sehr, dass man sich offen fragen muss, ob sie wirklich Bürger des Himmels sein können. Wie es in einem alten geistlichen Lied heisst: «Nicht jeder, der über den Himmel redet, kommt auch dorthin.»

Leider ist es auch wahr, dass nicht jeder, der in den Himmel kommt, so über ihn spricht, wie er es sollte: «Das soll nicht so sein, meine Brüder!» (Jak 3,10). Die Hoffnung auf den Himmel sollte uns mit Vorfreude erfüllen, die uns aus dem Griff befreit, den diese vergängliche Welt auf unser Herz haben möchte.

Eine Weltanschauung, die auf den Himmel blickt

Es mag paradox klingen, aber der Himmel sollte im Mittelpunkt der christlichen Weltanschauung stehen. Der Begriff *Weltanschauung* bezeichnet den moralischen, philosophischen und geistlichen Rahmen, anhand dessen wir die Welt und alles um uns herum beurteilen. *Jeder* hat eine Weltanschauung, ob es ihm bewusst ist oder nicht.

Eine angemessene christliche Weltanschauung ist vor allem auf den Himmel ausgerichtet. Obgleich manche dies spöttisch «Realitätsflucht» nennen würden, ist es letzten Endes genau das, wozu uns die Schrift auffordert: «Trachtet nach dem, was droben ist, nicht nach dem, was auf Erden ist» (Kol 3,2). Dieser Vers stammt übrigens vom Apostel Paulus, dessen Art zu Leben alles andere als eine Flucht vor der Realität war.

Paulus ist ein grossartiges Beispiel für eine ausgewogene biblische Sicht von Himmel und Erde. Auf der Erde sah er sich einer starken Verfolgung gegenüber, ohne je den Himmel aus den Augen zu verlieren. In 2. Korinther 4,8–10 sagt er: «Wir werden überall bedrängt, aber nicht erdrückt; wir kommen in Verlegenheit, aber nicht in Verzweiflung; wir werden verfolgt, aber nicht verlassen; wir werden niedergeworfen, aber wir kommen nicht um; wir tragen allezeit das Sterben des Herrn Jesus am Leib umher, damit auch das Leben Jesu an unserem Leib offenbar wird.» In den Versen 16–18 fügt er dann hinzu: «Darum lassen wir uns nicht entmutigen; sondern wenn auch unser äusserer Mensch zugrunde geht, so wird doch der innere Tag für Tag erneuert. Denn unsere Bedrängnis, die schnell vorübergehend und leicht ist, verschafft uns eine ewige und über alle Massen gewichtige Herrlichkeit, da wir nicht auf das Sichtbare sehen, sondern auf das Unsichtbare.» An anderer Stelle schrieb er der Gemeinde in Rom: «Denn ich bin überzeugt, dass die Leiden der jetzigen Zeit nicht ins Gewicht fallen gegenüber der Herrlichkeit, die an uns geoffenbart werden soll» (Röm 8,18).

Paulus sagte genau das, was Petrus den verstreuten und verfolgten Gläubigen mitteilte: wir ertragen die Leiden dieser Welt um der Herrlichkeit des Himmels willen (1Petr 1,3–7). Was wir in diesem Leben auch erleiden müssen, es ist nicht zu vergleichen mit der Herrlichkeit des Lebens, die kommen wird.

Mit anderen Worten, wir versuchen diesem Leben nicht zu *entfliehen*, indem wir vom Himmel träumen. Wir meinen aber, wir können dieses Leben *ertragen*, weil uns der Himmel sicher ist. Der Himmel ist ewig, die Erde zeitlich. Diejenigen, die all ihre Energie auf die kurzlebigen Dinge dieser vergänglichen Welt richten, sind die wirklich Flüchtenden, weil sie vergeblich versuchen, sich nicht der Ewigkeit stellen zu müssen, indem sie sich im Schatten der Dinge, die nur vorübergehend sind, verstecken.

Die Ironie ist, dass alle Dinge, die wir in dieser Welt sehen und berühren können, weniger wirklich und dauerhaft sind als die ewigen Dinge des Himmels, die wir nur im Glauben erfassen können: «Da wir nicht auf das Sichtbare sehen, sondern auf das Unsichtbare; denn was sichtbar ist, das ist zeitlich; was aber unsichtbar ist, das ist ewig. Denn wir wissen: Wenn unsere irdische Zeltwohnung abgebrochen wird, haben wir im Himmel einen Bau von Gott, ein Haus, nicht mit Händen gemacht, das ewig ist» (2Kor 4,18–5,1).

Es erstaunt mich immer wieder, wenn ich jemandem begegne, der so lebt, als wäre dieses Leben eine nie endende Realität. Nichts ist offensichtlicher als das vergängliche Wesen des menschlichen Lebens. Die Tatsache, dass sich dieses irdische Zelt – der menschliche Körper – auflöst, wird schon in jungen Jahren deutlich. Dieses Zelt wird abgerissen. «Denn in diesem Zelt seufzen wir» (2Kor 5,2). Mehr noch, «dass die ganze Schöpfung mitseufzt und mit in Wehen liegt bis jetzt» (Röm 8,22). Nichts in dieser Welt ist von Dauer. Das sollte jedem klar sein, der über das Wesen der Dinge nachdenkt – selbst wenn er es nur oberflächlich tut.

Es gibt viele, die irrtümlicherweise zu dem Schluss kommen, dass die Kürze des Lebens eine gute Rechtfertigung ist, um ungezügelt sich selbst mit Luxus zu verwöhnen. Wenn das Leben schliesslich nicht mehr zu bieten hat als das, was wir im Hier und Jetzt sehen und erleben, warum sollten wir dann nicht ein Maximum an Vergnügen herausholen? Eine bekannte Brauerei warb für ihr Bier, indem sie darauf aufmerksam machte, wie kurz das Leben ist: «Sie sind nur einmal hier, nehmen Sie also alles mit, was Sie können.» Im gleichen Stil warb eine beliebte Schuhmarke mit dem Slogan: «Das Leben ist kurz. Gib alles.» Wie sehr unterscheidet sich das vom Rat Jesu, dieses irdische Leben als Gelegenheit zu nutzen, um sich einen Schatz im Himmel zu sammeln!

Wäre dieses irdische Leben die Gesamtsumme der menschlichen Existenz, dann wäre unser Dasein wirklich eine Tragödie. Der Nihilismus wäre dann die einzige Philosophie, die schliesslich Sinn ergäbe: nichts würde wirklich zählen, daher sollten wir alle Vergnügungen im Leben mitnehmen und nach Selbsterfüllung streben, bevor wir sterben und ins Nichts zurückkehren.

Als Christen verurteilen wir diese Art von Hedonismus selbstverständlich und beklagen die sich daraus ergebende Verzweiflung. Wir sollten jedoch anerkennen, dass eine nihilistische Weltanschauung die klarste und logischste Alternative zum christlichen Glauben ist. Wenn unsere Existenz aus dem Nichts kommt und zum Nichts führt, dann ist das Leben an sich in der Tat nichts. Oder (wie ein Skeptiker es ausdrückte) wir sind nur Protoplasma, das darauf wartet, zu Dung zu werden. Wenn das stimmt, gibt es wirklich keinen guten Grund, dass wir nicht essen, trinken und fröhlich sein sollten, während wir darauf warten, zu sterben.

Aber die Schrift sagt uns, dass dies die Weltanschauung eines Narren ist (Lk 12,19–20). Wie viel besser ist es, die ewige Perspektive zu haben! In einem Heft las ich einmal die folgende Anekdote aus dem Leben von John Quincy Adams:

An einem Tag in seinem 80. Lebensjahr ... trat ein Freund an ihn heran und fragte ihn: «Und wie geht es John Quincy Adams heute?»

Der ehemalige Präsident der Vereinigten Staaten erwiderte freundlich: «Vielen Dank, John Quincy Adams geht es gut, Sir, recht gut, ich danke Ihnen. Aber das Haus, in dem er zurzeit lebt, wird langsam baufällig. Es schwankt auf seinen Fundamenten. Zeit und Jahreszeiten haben es fast zerstört. Sein Dach ist ziemlich abgenutzt, seine Mauern sind schon recht morsch, und bei jedem Windstoss fängt es an zu wackeln. Die alte Mietwohnung wird langsam unbewohnbar, und ich glaube, John Quincy Adams wird schon bald ausziehen müssen. Aber ihm selbst geht es recht gut, Sir, recht gut.» Und daraufhin ging der altehrwürdige Staatsmann auf seinen Stock gestützt langsam die Strasse hinunter.[1]

Ein neuer Bau von Gott

Paulus sagt, wenn das irdische Zelt unseres Körpers dahingegangen ist, werden wir im Himmel einen neuen, ewigen Bau von Gott empfangen. Um 2. Korinther 5,2, das ich zuvor schon teilweise zitiert habe, vollständig wiederzugeben: «Denn in diesem Zelt seufzen wir *vor Sehnsucht danach, mit unserer Behausung, die vom Himmel ist, überkleidet zu werden.*» In Römer 8,23 heisst es, dass im Himmel sogar unser schwacher Körper erlöst – verherrlicht – sein wird. Christus selbst «wird unseren Leib der Niedrigkeit umgestalten, sodass er gleichförmig wird seinem Leib der Herrlichkeit, vermöge der Kraft, durch die er sich selbst auch alles unterwerfen kann» (Phil 3,21). Unser Seufzen wird ein Ende haben, wenn wir schliesslich mit einem himmlischen Körper bekleidet werden, mit all denselben erstaunlichen Eigenschaften, die der Auferstehungsleib Christi hat. (In Kapitel 7 habe ich noch viel mehr über diese wunderbare Realität zu sagen.)

Ein verherrlichter Körper allein wäre bereits ein guter Grund, um all unser Hoffen und Streben auf den Himmel zu richten, oder etwa nicht? Meine liebe Freundin Joni Eareckson Tada weiss das besser als jeder andere. Ihr irdischer Körper ist von den Schultern an abwärts gelähmt, nachdem sie als Teenager in flaches Wasser gesprungen war. In den letzten Jahren kämpfte sie gegen Krebs an. Solange ich sie kenne, hat sie ihr Herz auf den Himmel ausgerichtet. Das zeigt sich in den Gesprächen mit ihr, in ihren Liedern, ihren Radiobotschaften und in ihrer Kunst. Oft scheint es, als würde man in einem Gespräch mit ihr an den Rand des Himmels gezogen und könnte hineinsehen. Joni erklärt das in ihrem Buch zu diesem Thema:

> Ich kann es noch immer kaum glauben. Ich, mit faltigen, gekrümmten Fingern, einer verkümmerten Muskulatur, knotigen Knien und ohne Gefühl von den Schultern abwärts, werde eines Tages einen neuen Körper haben, leicht, hell und in Gerechtigkeit gekleidet – mächtig und strahlend. …
>
> Mir fällt es leicht, «fröhlich in Hoffnung» zu sein, wie es in Römer 12,12 heisst, und genau das habe ich getan in den letzten zwanzig und mehr Jahren. Mein Vertrauen auf den Himmel ist so lebendig, dass ich mich mit Freunden zu allen möglichen lustigen Sachen verabredet habe, wenn wir erst einmal unsere neuen Körper haben. … Ich nehme diese Verabredungen nicht auf die leichte Schulter. Ich bin überzeugt, dass sich diese Dinge wirklich ereignen werden.[2]

Ob sich der Apostel Paulus mit Leuten verabredete, während er zum Himmel hinaufblickte, sagt uns die Schrift nicht. Aber ihn kennzeichnete eindeutig dieselbe lebendige Erwartungshaltung, während er auf den Himmel wartete. Schauen Sie sich noch einmal die ersten Verse von 2. Korinther 5 an:

> Denn wir wissen: Wenn unsere irdische Zeltwohnung abgebrochen wird, haben wir im Himmel einen Bau von Gott, ein Haus, nicht mit Händen gemacht, das ewig ist. Denn in diesem Zelt seufzen wir vor Sehnsucht danach, mit unserer Behausung, die vom Himmel ist, überkleidet zu werden – sofern wir bekleidet und nicht unbekleidet erfunden werden. Denn wir, die wir in dem [Leibes-]Zelt sind, seufzen und sind beschwert, weil wir lieber nicht entkleidet, sondern überkleidet werden möchten, sodass das Sterbliche verschlungen wird vom Leben. (V. 1–4)

In diesem Körper seufzen wir, weil wir mit Sünde, Krankheit, Leid und dem Tod belastet sind. Dennoch wollen wir nicht entkleidet werden. Mit anderen Worten, wir haben kein Verlangen, körperlose Geister zu werden. *Danach* sehnen wir uns nicht. Wir wollen sowohl mit unserem Geist als auch mit unserem Körper in die Gegenwart Gottes treten. Und das ist auch Gottes Plan.

Manche Leute haben die Vorstellung, dass der Himmel völlig ätherisch, geistig und unwirklich ist. Sie stellen ihn sich als ein nicht greifbares Etwas in einer traumgleichen geistigen Dimension vor. Das entspricht nicht der biblischen Vorstellung vom Himmel. Im Himmel werden wir echte Körper haben – verändert, verherrlicht, ähnlich dem Auferstehungsleib Christi (Phil 3,21) –, Körper, die *beständig* sind, anders als unsere jetzigen, da sie nicht den Auswirkungen von Alter, Verletzungen, Krankheiten oder Tod unterworfen sein werden. «Denn dieses Verwesliche muss Unverweslichkeit anziehen, und dieses Sterbliche muss Unsterblichkeit anziehen. Wenn aber dieses Verwesliche Unverweslichkeit anziehen und dieses Sterbliche Unsterblichkeit anziehen wird, dann wird das Wort erfüllt werden, das geschrieben steht: Der Tod ist verschlungen in Sieg!» (1Kor 15,53–54). Und wenn ich meine verherrlichten Knie bekomme, habe ich eine Verabredung mit Joni Tada zu einem langen Lauf.

Kein Ort ist wie das Zuhause

Paulus sagt: «Der uns aber hierzu bereitet hat, ist Gott, der uns auch das Unterpfand des Geistes gegeben hat» (2Kor 5,5). Das griechische Wort für «Unterpfand» ist *arrabōn*, das Paulus auch in Epheser 1,14 benutzt, wo er ebenfalls vom Heiligen Geist spricht. Im modernen Griechisch wird eine Form des alten Wortes *arrabōn* verwendet, um einen Verlobungsring zu bezeichnen. Zu neutestamentlichen Zeiten bezog es sich normalerweise auf eine Anzahlung oder die erste Rate auf Schulden – Handgeld. Somit ist der Heilige Geist ein Zeichen der Zusicherung Gottes an uns, dass sogar unsere Körper in der Herrlichkeit des Himmels neu und unverweslich sein werden.

Paulus macht diese Wahrheit mit ganz praktischen Begriffen deutlich: «Darum sind wir allezeit getrost und wissen: Solange wir im Leib daheim sind, sind wir nicht daheim bei dem Herrn. Denn wir wandeln im Glauben und nicht im Schauen. Wir sind aber getrost und wünschen vielmehr, aus dem Leib auszuwandern und daheim zu sein bei dem Herrn» (2Kor 5,6–8). Diese Welt übte keine Faszination auf Paulus aus. Er sehnte sich nach der zukünftigen Welt.

Fällt es Ihnen schwer, ehrlich zu sagen, dass diese Verse die tiefsten Sehnsüchte Ihres Herzens zum Ausdruck bringen? Die meisten von uns neigen dazu, an dieser Welt festzuhalten, weil sie alles ist, was wir kennen. Sie ist uns vertraut. Alle uns wertvollen Beziehungen haben wir hier aufgebaut. Nur allzu leicht halten wir sie für unser Zuhause. Auf diese Weise nimmt uns dieses Leben gefangen. Doch beachten Sie, dass Paulus sagt, er würde lieber «daheim» sein bei dem Herrn. Genau das bedeutet der griechische Ausdruck im Originaltext. Es ist eine Form des Verbs *endēmeō*, «zu Hause sein». Wir sind erst wirklich «daheim», wenn wir beim Herrn sind. Paulus hatte das verstanden. Und das Wissen, dass er in den Himmel gehörte, half ihm, die Kämpfe dieses Lebens zu ertragen.

Auch wir sollten uns danach sehnen, mit unserer himmlischen Gestalt bekleidet zu werden. Wir sollten uns darauf freuen, unseren Körper zu verlassen und beim Herrn zu sein. Wir sollten uns mehr mit den Herrlichkeiten der Ewigkeit beschäftigen als mit den Leiden der Gegenwart.

Was ist der Himmel?

Die English Standard Version der Bibel verwendet das Wort Himmel 493 Mal in 464 verschiedenen Versen. Das normalerweise mit «Himmel» übersetzte hebräische Wort *schamajim* ist eine Substantivform im Plural, die wörtlich «die Oberen» bedeutet. Das griechische Wort für Himmel ist *ouranos* (von diesem Wort stammt der Name des Planeten Uranus ab). Es bezieht sich auf das, was erhöht oder hoch aufragend ist. Sowohl *schamajim* als auch *ouranos* werden in der Schrift für drei verschiedene Orte verwendet. (Das erklärt, warum Paulus in 2. Korinther 12,2 davon spricht, dass er in «den *dritten* Himmel» entrückt wurde.)

Der Bereich des Himmels, der uns am nächsten ist, ist natürlich *der atmosphärische Himmel*. Der Himmel oder die Troposphäre – der Bereich der Atmosphäre, in dem wir atmen können und der die Erde umspannt. 1. Mose 7,11–12 sagt beispielsweise über die Flut zur Zeit Noahs: «Die Fenster des Himmels öffneten sich. Und es regnete auf der Erde 40 Tage und 40 Nächte lang.» Hier bezieht sich das Wort «Himmel» auf die atmosphärische Hülle um die Erde mit ihrem Wasserkreislauf. Psalm 147,8 sagt, dass Gott der ist, der «den Himmel mit Wolken bedeckt, der Regen bereitet für die Erde.» Das ist der erste Himmel.

Der planetarische Himmel, der zweite Bereich des Himmels, ist der Ort, wo sich die Sterne, der Mond und die Planeten befinden. Die Schrift verwendet dasselbe Wort für diesen Himmel. So lesen wir in 1. Mose 1 beispielsweise:

> Und Gott sprach: Es sollen Lichter an der Himmelsausdehnung sein, zur Unterscheidung von Tag und Nacht, die sollen als Zeichen dienen und zur Bestimmung der Zeiten und der Tage und Jahre, und als Leuchten an der Himmelsausdehnung, dass sie die Erde beleuchten! Und es geschah so. Und Gott machte die zwei grossen Lichter, das grosse Licht zur Beherrschung des Tages und das kleinere Licht zur Beherrschung der Nacht; dazu die Sterne. Und Gott setzte sie an die Himmelsausdehnung, damit sie die Erde beleuchten (V. 14–17).

Der dritte Himmel, von dem Paulus in 2. Korinther 12 spricht, ist *der Himmel, wo Gott wohnt* mit seinen heiligen Engeln und den verstorbenen Gläubigen. Die anderen Himmel werden völlig verschwinden (2Petr 3,10), dieser aber ist ewig. Es ist der Bereich, wo Gott vor Anbeginn der Zeit wohnte – eine Dimension ausserhalb des Universums. In 5. Mose 26,15 belehrt der Herr selbst die Israeliten, ihn im Gebet mit folgenden Worten anzureden: «Blicke herab von deiner heiligen Wohnung, vom Himmel.» Dieser Himmel ist ganz allein der Bereich Gottes.

Da kommt unweigerlich die Frage auf: Wenn Gott doch allgegenwärtig ist, wie kann die Schrift dann sagen, dass der Himmel seine Wohnung ist? Wie kann von einem allgegenwärtigen Wesen gesagt werden, dass es *irgendwo* wohnt? Als Salomo den Tempel in Jerusalem weihte, betete er: «Siehe, die Himmel und aller Himmel Himmel können dich nicht fassen; wie sollte es denn dieses Haus tun, das ich gebaut habe!» (1Kö 8,27).

Es stimmt natürlich, dass der «Himmel und aller Himmel Himmel» Gott nicht *fassen* können. Er ist überall. Es gibt keinen Winkel, in den seine Gegenwart nicht reicht, keinen Ort, an dem er nicht ist. Der Psalmist pries Gottes Allgegenwart und sagte: «Machte ich das Totenreich [die Hölle] zu meinem Lager, siehe, so bist du auch da!» (Ps 139,8).

Sagt man also, dass Gott im Himmel wohnt, heisst das nicht, dass nur der Himmel sein Aufenthaltsort wäre. Aber der Himmel ist vor allem sein Zuhause, seine Operationsbasis, sein Kommandoposten. Es ist der Ort, wo sein Thron steht und an dem er am vollkommensten angebetet wird. In dieser Hinsicht können wir sagen, dass der Himmel seine Wohnung ist.

Diese Vorstellung vom Himmel als dem Wohnort Gottes durchzieht die ganze Schrift. Im Alten Testament heisst es in Jesaja 57,15 beispielsweise: «Denn so spricht der Hohe und Erhabene, der ewig wohnt und dessen Name ‹Der Heilige› ist: *In der Höhe und im Heiligtum wohne ich.*» Gott erklärt ausdrücklich, dass er einen realen Wohnort hat. Jesaja 63,15 charakterisiert diesen Ort: «Blicke vom Himmel hernieder und sieh herab von dem Ort, wo deine Heiligkeit und Ehre wohnt!» Psalm 33,13–14 sagt: «Der HERR schaut herab vom Himmel, er sieht alle Menschenkinder; von der Stätte seiner Wohnung schaut er auf alle Bewohner der Erde.»

Dieselbe Vorstellung vom Himmel als dem Wohnort Gottes wird auch im Neuen Testament hervorgehoben. Es ist ein durchgängiges Thema in der Bergpredigt Jesu. Unser Herr sagte: «So soll euer Licht leuchten vor den Leuten, dass sie eure guten Werke sehen und euren Vater im Himmel preisen» (Mt 5,16). Er warnte jene, die zu Schwüren neigten, nicht beim Himmel zu schwören, «denn er ist Gottes Thron» (V. 34). Und er fordert seine Zuhörer auf, ihre Feinde zu lieben, «damit ihr Söhne eures Vaters im Himmel seid» (V. 45). Matthäus 6,1 sagt: «Habt acht, dass ihr eure Almosen nicht vor den Leuten gebt, um von ihnen gesehen zu werden; sonst habt ihr keinen Lohn bei eurem Vater im Himmel.» Seine Jünger lehrt er wie folgt zu beten: «Unser Vater, der du bist im Himmel! Geheiligt werde dein Name» (V. 9). Gegen Ende der Bergpredigt sagt er: «Wenn nun ihr, die ihr böse seid, euren Kindern gute Gaben zu geben versteht, wie viel mehr wird *euer Vater im Himmel* denen Gutes geben, die ihn bitten!» (7,11). Und: «Nicht jeder, der zu mir sagt: Herr, Herr! wird in das Reich der Himmel eingehen, sondern wer den Willen meines Vaters im Himmel tut» (V. 21).

Dieser Ausdruck kommt in den öffentlichen Predigten und im persönlichen Dienst Jesu immer und immer wieder vor. In Matthäus 10,32–33 lesen wir: «Jeder nun, der sich zu mir bekennt vor den Menschen, zu dem werde auch ich mich bekennen vor meinem Vater im Himmel; wer mich aber verleugnet vor den Menschen, den werde auch ich verleugnen vor meinem Vater im Himmel.» Und in Matthäus 12,50 heisst es: «Denn wer den Willen meines Vaters im Himmel tut, der ist mir Bruder und Schwester und Mutter!» Zu Petrus sagte Jesus: «Glückselig bist du, Simon, Sohn des Jona; denn Fleisch und Blut hat dir das nicht geoffenbart, sondern mein Vater im Himmel!» (Mt 16,17). Er verglich Gläubige mit kleinen Kindern und warnte die Leute davor, ihnen Anlass zur Sünde zu geben: «Seht zu, dass ihr keinen dieser Kleinen verachtet! Denn ich sage euch: Ihre Engel im Himmel schauen allezeit das Angesicht meines Vaters im Himmel» (Mt 18,10). Dann fügte er hinzu: «So ist es auch nicht der Wille eures Vaters im Himmel, dass eines dieser Kleinen verloren geht» (V. 14). Und: «Weiter sage ich euch: Wenn zwei von euch auf Erden übereinkommen über irgendeine Sache, für die sie bitten wollen, so soll sie ihnen zuteil werden von meinem Vater im Himmel» (V. 19). Ständig bezeichnete er Gott als «meinen Vater im Himmel.»

Diese Vorstellung vom Himmel als dem Wohnort Gottes findet sich auch in der neutestamentlichen Lehre über die Gottheit und Menschwerdung Christi. Er wird beschrieben als «das Brot Gottes ... der aus dem Himmel herabkommt» (Joh 6,33). Christus' eigener Anspruch, Gott zu sein, steckt in seiner Aussage: «Denn ich bin aus dem Himmel herabgekommen, nicht damit ich meinen Willen tue, sondern den Willen dessen, der mich gesandt hat» (V. 38). Er sagt über sich selbst: «Ich bin das Brot, das aus dem Himmel herabgekommen ist» (V. 41). Allein in Johannes 6 erhebt er diesen Anspruch mehrfach (V. 50–51.58), und seine Zuhörer verstanden ihn als geradeheraus gegebene Behauptung, dass er Gott ist.

Der Himmel wird in der jüdischen Vorstellung so eng mit Gott verbunden, dass er zu einem Euphemismus für Gott selbst wurde. Menschen, die fürchteten, den Namen Gottes leichthin zu gebrauchen, ersetzten ihn durch das Wort *Himmel*. Insbesondere in der Zeit zwischen den beiden Testamenten (die 400 Jahre zwischen den Ereignissen des Alten und des Neuen Testaments) entwickelte das jüdische Volk eine nahezu abergläubische Furcht, den Namen Gottes zu verwenden. Sie glaubten, der Bundesname Gottes (JHWH oder vokalisiert Jahwe) wäre zu heilig, um über die Lippen von Menschen kommen zu dürfen. Daher ersetzten sie ihn durch andere Begriffe, und «Himmel» wurde zu einem weit verbreiteten Ersatzbegriff. Zur Zeit des Neuen Testaments war diese Praxis schon so fest verankert, dass das jüdische Volk die meisten Anspielungen auf den Himmel als Hinweise auf Gott selbst verstand.

Statt beim Namen Gottes zu schwören, schworen sie zum Beispiel beim Himmel. Und da «Himmel» lediglich eine stellvertretende Bezugnahme auf Gott selbst war, wies Jesus darauf hin, dass das Schwören beim Himmel *de facto* ein Verstoss gegen das Gebot war, seinen Namen leichthin zu gebrauchen. Daher sagt er in Matthäus 23,22: «Und wer beim Himmel schwört, der schwört bei dem Thron Gottes und bei dem, der darauf sitzt.» Das Wort *Himmel* stand für Gott selbst.

Ein solcher Gebrauch ist im Neuen Testament weit verbreitet. Lukas spricht vom «Reich Gottes». Aber Matthäus, der an eine überwiegend jüdische Leserschaft schrieb, nennt es «Reich der Himmel» (vgl. Lk 8,10; Mt 13,11). Ein weiteres Beispiel dafür, dass *Himmel* als Euphemismus für Gott verwendet wurde, finden wir in Lukas 15,18, wo der verlorene Sohn darüber nachdachte, was er seinem Vater sagen würde: «Ich will mich aufmachen und zu meinem Vater gehen und zu ihm sagen: Vater, ich habe gesündigt gegen den Himmel und vor dir.» Er meinte natürlich, dass er *gegen Gott* gesündigt hatte.

Obwohl das Wort *Himmel* oft anstelle des Namens Gottes gebraucht wird, dürfen wir nicht den Schluss ziehen, dass es die

Absicht der Schrift ist, den Himmel mit Gott selbst gleichzusetzen. Die Begriffe sind *nicht* gleichbedeutend. Gott reicht über den Himmel hinaus. Der Himmel ist letztlich eine *Örtlichkeit*. Der Ort, an dem Gott wohnt und wo die Auserwählten mit ihm in alle Ewigkeit leben werden, aller Himmel Himmel – der dritte Himmel.

Der Bereich des Reiches Gottes

Das soll nicht heissen, dass der Himmel von den normalen Grenzen von Zeit und Raum begrenzt wird. Wie wir gesehen haben, lehrt die Schrift eindeutig, dass der Himmel ein realer Ort ist, der von Wesen mit materiellen Körpern gesehen, berührt und bewohnt werden kann. Diese Wahrheit betonen wir unmissverständlich.

Die Schrift zeigt den Himmel aber auch als einen Bereich, der nicht auf ein von Höhe, Breite und Länge bestimmtes Gebiet beschränkt werden kann. Der Himmel scheint diese drei Dimensionen zu umfassen – und mehr. In seiner Botschaft an die Gemeinde in Philadelphia bezeichnet Christus die Hauptstadt des ewigen Reiches beispielsweise als die «Stadt meines Gottes, des neuen Jerusalem, das vom Himmel herabkommt von meinem Gott aus» (Offb 3,12). In den letzten Kapiteln der Bibel spricht der Apostel Johannes vom «heiligen Jerusalem, [das] von Gott aus dem Himmel herabkam» (Offb 21,10). Die neuen Himmel und die neue Erde verschmelzen in einem grossen Reich, das beide Bereiche beinhaltet. Das ewige Paradies wird somit als ein herrliches Reich dargestellt, in dem sich Himmel und Erde in einer Herrlichkeit verbinden, die die Grenzen menschlicher Vorstellungskraft und irdischer Dimensionen übersteigt.

Der Himmel ist also nicht beschränkt auf einen durch Grenzen festgelegten Ort, der gesehen oder gemessen werden kann. Er geht über die Begrenzungen von Zeit und Raum hinaus. Vielleicht meint die Schrift zum Teil das, wenn sie sagt, dass Gott die Ewigkeit bewohnt (Jes 57,15). Sein Wohnort – der Himmel – ist nicht den normalen Beschränkungen endlicher Dimensionen unterworfen. Wir brauchen nicht darüber spekulieren, *wie* das sein kann; es reicht aus, wenn wir festhalten, dass der Himmel auf diese Weise in der Bibel beschrieben wird. Er ist ein realer Ort, an dem Menschen mit physischen Körpern in Gottes Gegenwart ewig wohnen werden; und er ist ebenfalls ein Bereich, der über unsere begrenzte Vorstellung von dem Begriff «Ort» hinausgeht.

Der Himmel geht noch in einem weiteren wichtigen Punkt über die normalen Dimensionen von Zeit und Raum hinaus. Der Schrift zufolge ist das Reich Gottes – das alle Elemente des Himmels einbezieht – in ganz realer Hinsicht der geistliche Bereich, in dem alle wahren Christen schon heute leben. Das Reich der Himmel dringt in das Leben jedes echten Gläubigen in Christus und beginnt es zu regieren. Geistlich gesehen, betreten Christen den Himmel mit vollen Bürgerrechten schon hier und jetzt in diesem Leben.

Genau das brachte Paulus zum Ausdruck, als er schrieb: «Unser Bürgerrecht aber ist im Himmel» (Phil 3,20). Aufgrund ihrer Stellung leben die Gläubigen bereits im Reich Gottes.

In Epheser 1,3 sagt der Apostel Paulus, dass Gott «uns gesegnet hat mit jedem geistlichen Segen *in den himmlischen Regionen* in Christus.» Auch Epheser 2,5–6 macht deutlich: «Auch uns, die wir tot waren durch die Übertretungen, [hat Gott] mit dem Christus lebendig gemacht ... – und hat uns mitauferweckt und mitversetzt in die himmlischen Regionen in Christus Jesus.» Beachten Sie, dass die Verben in beiden Stellen in der Vergangenheitsform stehen. Paulus spricht von einer bereits geschaffenen Realität. Noch ist unser Körper nicht im Himmel, aber in Bezug auf unsere geistlichen Privilegien und unsere Stellung vor Gott ist es so, als wären wir jetzt schon mit Christus in den Himmel versetzt. Aufgrund unserer geistlichen Verbindung mit ihm haben wir den himmlischen Bereich schon betreten. Wir besitzen das ewige Leben hier und jetzt, und in Jesus Christus gehören uns die geistlichen Reichtümer des Himmels vollkommen.

Christus selbst predigte, dass das Reich der Himmel nahe ist (Mt 4,17). Trotzdem sagte er zu jenen, die wissen wollten, wann das *sichtbare* Reich kommen würde: «Das Reich Gottes kommt nicht so, dass man es beobachten könnte. Man wird nicht sagen: Siehe hier! oder: Siehe dort! Denn siehe, das Reich Gottes ist mitten unter euch» (Lk 17,20–21).

Denken Sie darüber nach: Himmel ist, wo Heiligkeit, Gemeinschaft mit Gott, Freude, Frieden, Liebe und alle anderen Tugenden in absoluter Vollkommenheit verwirklicht werden. Aber all diese Dinge können wir – zumindest teilweise – schon jetzt erleben. Der Heilige Geist (Gottes Anzahlung auf unser Erbe) wirkt in uns die Frucht von «Liebe, Freude, Friede, Langmut, Freundlichkeit, Güte, Treue, Sanftmut, Selbstbeherrschung» (Gal 5,22). Noch einmal, das sind dieselben Eigenschaften, die den Himmel kennzeichnen – himmlische Frucht.

Ausserdem haben wir das Leben Gottes in uns und die Herrschaft Gottes über uns. Wir haben die Segnungen und die Stellung von echten Bürgern des Himmels empfangen. Wir sind Teil einer neuen Familie geworden, einer neuen Art von Gemeinschaft. Wir sind vom Reich der Finsternis ins Reich des Lichts gewechselt. Wir stehen nicht länger unter der Herrschaft des Teufels, sondern sind mit Christus in das ewige Reich Gottes eingegangen. 2. Korinther 5,17 sagt: «Darum: Ist jemand in Christus, so ist er eine neue Schöpfung; das Alte ist vergangen; siehe, es ist alles neu geworden!» Wir gehören zu der Erstlingsfrucht der neuen Schöpfung Gottes (Jak 1,18), die ihren Höhepunkt in den ewigen neuen Himmeln und der neuen Erde finden wird. *Das ist es, was* Jesus meinte, als er sagte: «Das Reich Gottes ist inwendig in euch» (Lk 17,21; Schlachter 1951).

Christus leugnete nicht die Realität eines buchstäblichen, sichtbaren, irdischen Reiches, in welchem er über alle Nationen regieren wird. Zu viele Prophezeiungen im Alten und Neuen Testament bestätigen, dass ein solches Reich eines Tages existieren wird. Ebenso wenig wollte er ausdrücken, dass der Himmel kein realer

Ort sei. Er lehrte einfach, dass der Himmel über alle Begrenzungen von Zeit und Raum hinausgeht. Er richtete die Aufmerksamkeit der Pharisäer darauf, das Reich der Himmel hier und jetzt zu suchen. Der sofortige Eingang in dieses Reich ist exakt die Sache, die die Botschaft des Evangeliums darbietet. Deshalb wird es so oft «dieses Evangelium vom Reich» genannt (vgl. Mt 24,14).

Wenn Jesus predigte, forderte er die Menschen auf, in das Reich einzugehen (Lk 13,24). Manchmal drängte er sie, errettet zu werden (Joh 5,34). Und ein andermal sprach er davon, das ewige Leben zu erben (Mk 10,30). Alle drei Ausdrücke treffen zusammen im Bericht über den jungen reichen Obersten. Dieser fragte Jesus: «Guter Meister, was muss ich tun, *um das ewige Leben zu erben*?» (Lk 18,18). Als sich der junge Mann ungläubig abwandte, sagte Jesus: «Wie schwer werden die Reichen *ins Reich Gottes hineinkommen*!» (V. 24). Und die Jünger, die die Begebenheit erschreckte, fragten: «Wer kann dann überhaupt *errettet werden*?» (V. 26). Alle drei Ausdrücke weisen auf das hin, was bei der Bekehrung geschieht. Wenn ein Mensch an Christus glaubt, wird er errettet, erbt das ewige Leben und geht ins Reich Gottes ein. Gläubige kommen unter die Herrschaft und Autorität Gottes, nicht physisch im Himmel, sondern in geistlichem Sinn, so wie sich der Einfluss der Regierung Christi auf sie erstreckt.

Obgleich wir noch nicht physisch im Himmel leben, haben wir bereits jetzt unser geistliches Bürgertum im Bereich des Himmels. Deshalb sollten wir uns viel mehr mit himmlischen Dingen beschäftigen.

Herzen im Himmel

Darum geht es wesentlich in diesem Buch. Wäre es nur meine Absicht, irdische Mythen über den Himmel zu zerstören, könnte ich nicht nur ein paar Anhänge füllen, sondern mehrere Bände mit biblischer Widerlegung der Behauptungen der heutigen Bestseller. Es ist sicherlich entscheidend, dass wir die Gefahren des gnostischen Herangehens an das Thema Himmel erkennen und uns von dieser Art abwenden.

Aber an diesem Punkt bleiben wir nicht stehen. Wir müssen versuchen, die *biblische* Vorstellung vom Himmel zu verstehen. Wir werden aufgefordert, über den Himmel nachzudenken, nach ihm zu streben, wie Abraham die Stadt Gottes erwartete, und uns innerlich auf ihn auszurichten.

Das bedeutet, unsere Herzen von aller Weltlichkeit zu reinigen und dass wir uns zu entwöhnen lernen von der Inanspruchnahme durch dieses irdische Leben. Es bedeutet, auf die Ewigkeit zu blicken und in der Erwartung einer sicheren und gewissen Hoffnung zu leben. Es bedeutet, unsere Augen von irdischen und vergänglichen Dingen abzuwenden und sie fest auf ihn zu richten, der die Herrlichkeit und der Mittelpunkt des Himmels ist.

Wer mit dieser himmlischen Perspektive lebt, wird die Fülle des Lebens entdecken, so wie Gott es hier auf der Erde vorgesehen hat. Ironischerweise fühlen sich die Menschen, die nach irdischem Wohlbefinden streben, am unwohlsten auf der Erde. Wie der puritanische Theologe Richard Baxter schrieb:

> Ein himmlisch gesinnter Geist ist ein freudiger Geist; das ist der nächste und sicherste Weg zu einem zufriedenen Leben, und ohne diese Ausrichtung fühlt man sich zwangsläufig unzufrieden. Kann ein Mensch am Feuer sein und nicht erwärmt werden; oder im Sonnenschein und kein Licht haben? Kann dein Herz im Himmel sein und dennoch unzufrieden? [Andererseits], was sonst könnte solch frostige, unzufriedene Christen aus uns machen, als so weit wie möglich vom Himmel entfernt zu leben? O Christ, strecke dich nach oben aus. Glaube es, dort ist es wärmer als hier unten.[3]

Baxter schreibt weiter:

> Kein Mensch ehrt Gott mehr als der, der Kontakt zum Himmel hält; und ohne diesen bringen wir ihm grosse Unehre. Ist es nicht eine Schande für den Vater, wenn sich die Kinder von Fruchtschoten ernähren, sich in Lumpen kleiden und nur mit Bettlern Umgang pflegen? Ist es nicht so für unseren Vater, wenn wir, die wir uns seine Kinder nennen, uns von der Erde ernähren, und das Gewand unserer Seelen wie das der nackten Welt ist, und wenn unsere Herzen, die stets in der Gegenwart des Vaters stehen und zu ihr erhoben werden sollten, einen vertrauteren und häufigeren Umgang mit diesem Lehm und Staub haben? Gewiss, der Braut Christi geziemt es nicht, unter seinen Gehilfen und Sklaven zu leben, wenn sie täglichen Zutritt zur Kammer seiner Gegenwart haben kann; er streckt das Zepter aus, wenn sie nur hinzutritt.[4]

Nicht vertraut sein mit dem Himmel macht uns zu abgestumpften und weltlichen Christen. Gottes Gnade bietet uns eine Kostprobe von den Freuden der kommenden Welt an, und es ist nur eine rebellische und eigensinnige Einstellung, die uns festhält, weiter durch den irdischen und weltlichen Sumpf zu waten. Gott hat uns eine Anzahlung auf den Himmel gegeben. Er hat unsere Bürgerschaft vom irdischen zum himmlischen Stand verändert. Wir sind «nicht mehr Fremdlinge ohne Bürgerrecht und Gäste, sondern Mitbürger der Heiligen und Gottes Hausgenossen» (Eph 2,19). Daher können wir die Herrlichkeit des Himmels *nicht* ignorieren, als hätte er keine Bedeutung für uns. Mit den Worten von Baxter: «Da ist nichts anderes, das es wert wäre, dass wir unsere Herzen darauf setzen.»[5]

Ich kenne nur wenige biblische Wahrheiten, die für die Seele befreiender sind als diese: «Unser Bürgerrecht aber ist im Himmel, von woher wir auch den Herrn Jesus Christus erwarten als den Retter, der unseren Leib der Niedrigkeit umgestalten wird, sodass er gleichförmig wird seinem Leib der Herrlichkeit, vermöge der Kraft, durch die er sich selbst auch alles unterwerfen kann» (Phil 3,20–21).

Dort sollten unsere Herzen sein. Die Sorgen dieser Welt sind nichts anderes als ein Fallstrick und eine tödliche Fallgrube. Jesus kennzeichnet «die Sorgen dieser Weltzeit und den Betrug des Reichtums und die Begierden nach anderen Dingen» als unheilige Ablenkungen; die «dringen ein und ersticken das Wort, und es wird unfruchtbar» (Mk 4,19). Ähnliches schreibt der Apostel Johannes: «Denn alles, was in der Welt ist, die Fleischeslust, die Augenlust und der Hochmut des Lebens, ist nicht von dem Vater, sondern von der Welt» (1Jo 2,16).

«Wir aber haben den Sinn des Christus» (1Kor 2,16). Wir können unsere Herzen auf die ewige Herrlichkeit des Himmels ausrichten, nicht auf die Dinge der Welt, die unweigerlich vergehen werden (1Jo 2,17). Wir gehören zu einer neuen Familie und sind Kinder Gottes geworden (Joh 1,12). Galater 4,26 sagt: «Das obere Jerusalem aber ist frei, und dieses ist die Mutter von uns allen.» Wir haben ein neues Bürgertum (Phil 3,20), neue Ziele (Kol 3,2) und eine neue Schatzkammer, in der wir unsere Schätze lagern können (Mt 6,19–20).

Doch das Beste ist, dass wir schon hier und jetzt – mit unseren Herzen im Himmel – im Schein der Herrlichkeit des Himmels leben können. Das heisst, das Leben als Christ ist als ein Vorgeschmack auf den Himmel auf der Erde gedacht. Gläubige können täglich teilhaben an den süssen, zufriedenmachenden Wohltaten des gleichen Himmels, in den sie eines Tages kommen werden, um dort für immer zu leben. Gott mit unserem ganzen Sein loben und lieben, Christus anbeten und ihm gehorsam sein, nach Heiligkeit streben, Gemeinschaft mit anderen Gläubigen pflegen – das sind nur ein paar Aspekte des Lebens im Himmel, die Gläubige schon in dieser Welt geniessen. Dieselben Tätigkeiten und Privilegien werden uns in Ewigkeit erhalten bleiben. Je mehr die Frucht des Heiligen Geistes in unserem Leben heranreift, umso mehr können wir die Güte des Himmels schon jetzt in einem erfüllenden Sinn geniessen und wertschätzen.

---

1. Herbert H. Wernecke, *When Loved Ones Are Called Home* (Grand Rapids, MI: Baker, 1972), S. 17.
2. Joni Eareckson Tada, *Heaven* (Grand Rapids, MI: Zondervan, 1995), S. 53–55.
3. Richard Baxter, *The Saints' Everlasting Rest*, gekürzt von John T. Wilkinson (1650; Neuauflage, London: Epworth, 1962), S. 110.
4. Ebd., S. 118.
5. Ebd., S. 121.

KAPITEL 5

Wie es im Himmel sein wird

Gustavs Mahlers vierte Symphonie basiert auf einem Gedicht, das den Himmel aus der Sicht eines Kindes beschreibt. Die Musik *klingt* himmlisch. Im vierten Satz der Symphonie kommt ein Sopran vor, der die Worte des Gedichts «*Das himmlische Leben*» singt. Nicht deutschsprachige Zuhörer mögen einfach nur bewegt sein von der ruhigen Schönheit der Musik. Aber die deutschen Worte malen ein seltsames Bild vom Himmel.

Als erstes sind die Bewohner von Mahlers Himmel unersättliche Fleischfresser. Das Gedicht spricht von Herodes als einem Schlachter, der ahnungslose kleine Lämmer tötet, damit die Bewohner des Himmels so viel essen können, wie sie wollen. Es gibt so viele Ochsen, dass der heilige Lukas sie schlachtet, «ohne darüber nachzudenken». Engel backen Brot. Und «wenn man einen Rehbock oder einen Hasen möchte, laufen sie einem auf den öffentlichen Strassen entgegen».

Im Liedtext springen, hüpfen und singen die Bewohner des Himmels auch – aber meistens stopfen sie sich mit endlosen Essensmengen voll. Der heilige Petrus fängt in einem himmlischen Teich Fische, und die heilige Martha (anscheinend macht sie sich noch immer «viel zu schaffen mit der Bedienung») muss die Köchin sein.

Diese kindliche Vision vom Himmel stellt sich als ein weiteres «Paradies» heraus, in dem irdische Wünsche gestillt werden.

Mich fasziniert, wie die ungläubige Welt den Himmel darstellt. An einem Ende der Skala steht die Sicht, dass es den Himmel gibt, um unsere irdischen Begierden zu befriedigen. Am anderen findet sich das zynische Misstrauen, dass der Himmel furchtbar eintönig sein wird. Die klassische Karikatur stellt die Bewohner des Himmels auf Wolken sitzend und Harfe spielend dar. Ich weiss nicht, ob sich irgendjemand den Himmel wirklich so vorstellt, aber ich habe keinen Zweifel, dass viele Leute den Himmel für einen langweiligen Ort halten, an dem es nichts Unterhaltsames zu tun gibt.

Ein Skeptiker sagte mir einmal: «Ich möchte lieber mit meinen Freunden in die Hölle kommen als in den Himmel mit all diesen Gemeindeleuten.» Eine solch leichtfertige Einstellung zeigt, dass man die Schrecken der Hölle auf tragische Weise falsch beurteilt. Mehr noch, sie unterschätzt völlig die Glückseligkeit des Himmels.

Dieses tief sitzende Misstrauen, dass der Himmel ein ewiger Langweiler sein könnte, spiegelt das sündige Denken unseres gefallenen Verstandes wider. Als Sünder neigen wir von Natur aus dazu, eine kleine Sünde für angenehmer zu halten als vollkommene Gerechtigkeit. Wir können uns nur schwer einen Ort vorstellen, an dem es keine Sünde gibt und der dennoch vor reinen und endlosen Freuden überquillt.

Aber genau so wird es im Himmel sein. Wir werden uns in der Herrlichkeit Gottes sonnen und schliesslich unser Hauptziel erkennen – Gott zu verherrlichen und uns immer an ihm zu *erfreuen*. Der Psalmist schrieb: «Vor deinem Angesicht sind Freuden in Fülle, liebliches Wesen zu deiner Rechten ewiglich!» (Ps 16,11).

Ein solcher Gedanke ist für unseren begrenzten Verstand unbegreiflich. Aber die Bibel macht wiederholt deutlich, dass der Himmel ein Ort ist, an dem unübertreffliche Freude, nie vergehende Herrlichkeit, unverminderte Glückseligkeit, grenzenlose Freuden und endloses Vergnügen herrschen. Nichts an der ewigen Herrlichkeit kann langweilig oder eintönig sein. Es wird eine vollkommene Lebensart sein. Wir werden eine ungestörte Gemeinschaft mit allen

Bewohnern des Himmels haben. Das Leben dort wird ohne Leid, Sorgen, Tränen, Ängste oder Schmerzen sein. «Ewige Freude wird über ihrem Haupt sein; Wonne und Freude werden sie erlangen, aber Kummer und Seufzen werden entfliehen!» (Jes 35,10). Gott selbst «wird alle Tränen von ihren Augen abwischen, und der Tod wird nicht mehr sein, weder Leid noch Geschrei noch Schmerz wird mehr sein; denn das Erste ist vergangen. Und der auf dem Thron sass, sprach: Siehe, ich mache alles neu! Und er sprach zu mir: Schreibe; denn diese Worte sind wahrhaftig und gewiss!» (Offb 21,4–5).

Die besten von unseren geistlichen Erfahrungen hier auf der Erde sind nur eine kleine Kostprobe auf den Himmel. Unsere grössten geistlichen Höhepunkte, unsere tiefgreifendsten Freuden und unsere grössten geistlichen Segnungen werden im Himmel das Normale sein. Wenn wir hier schon in den himmlischen Örtern leben, ist das lediglich ein schwacher Vorgeschmack auf die Herrlichkeiten des zukünftigen Lebens. Wenn wir daran denken, dass Christus darum betete, dass alle, die ihn kennen, die Ewigkeit in ungestörter Gemeinschaft mit ihm verbringen (Joh 17,24), dann sollten unsere Herzen vor Dankbarkeit und Vorfreude überfliessen.

Der Verfasser des Predigerbuches sagte, dass unser Todestag besser ist als der Tag, an dem wir geboren wurden (7,1). Er äusserte sich lediglich zynisch über die Sinnlosigkeit dieses irdischen Lebens, aber für Christen stimmt es in gewisser Weise, dass unser Tod uns in eine unendlich grössere Herrlichkeit bringt, als unsere Geburt es tat. Dieses irdische Leben dauert «nur kurze Zeit und ist voll Unruhe» (Hi 14,1). Die Zuversicht, dass der Himmel auf uns wartet, sollte uns mit einer herrlichen Hoffnung erfüllen. Paulus sagte: «Denn für mich ist Christus das Leben, und das Sterben ein Gewinn» (Phil 1,21). Die Aussicht auf den Himmel gab ihm Freude, sogar im Angesicht des Todes.

Den irdischen Körper hinter sich lassen und beim Herrn sein

Paulus sagte auch, er wünschte sich «vielmehr aus dem Leib auszuwandern und daheim zu sein bei dem Herrn» (2Kor 5,8). Paulus hegte keine krankhafte Todessehnsucht. Er sagte damit nicht, dass er ausgebrannt sei, vom Leben genug habe und unbedingt sterben wolle. Vielmehr brachte er seine Zuversicht zum Ausdruck, dass dieses irdische Dasein nicht das Ende des Lebens eines Christen bedeutete. Der Tod bringt den Gläubigen augenblicklich in einen völligeren, höheren Bereich, mit überfliessenderem Leben – in die unmittelbare Gegenwart des Herrn.

Wenn Sie Christ sind, jemand, der für seine Errettung allein auf Christus vertraut, dann verheisst Ihnen die Schrift, dass Sie in dem Augenblick, in dem Sie dieses Leben verlassen, in den Himmel kommen. Diesen irdischen Körper hinter sich zu lassen, bedeutet, beim Herrn zu sein. Aus diesem Leben zu scheiden, bedeutet, «bei Christus zu sein» (Phil 1,23). Der Gerechte, der stirbt, «wird vor dem Unglück hinweggenommen. Er geht zum Frieden ein» (Jes 57,1–2). «Glückselig sind die Toten, die im Herrn sterben ... sie sollen ruhen von ihren Mühen» (Offb 14,13). Es ist wahr: «Das Leben ist Christus, und das Sterben ein Gewinn» (Phil 1,21).

Wir brauchen ein Herz wie Paulus – das sich danach sehnt, mit unserer himmlischen Gestalt bekleidet zu werden und diese vergängliche Welt gegen ewige Freude einzutauschen. Er schrieb: «Denn dieses Verwesliche muss Unverweslichkeit anziehen, und dieses Sterbliche muss Unsterblichkeit anziehen» (1Kor 15,53). Unsere Sterblichkeit wird von einem reicheren Leben verschlungen (2Kor 5,4).

Da stellt sich unweigerlich die Frage nach dem Zustand der Gläubigen, die zwischen dem heutigen Tag und der schliesslichen Vollendung aller Dinge sterben. Empfangen Gläubige, die sterben, einen vorübergehenden Körper zwischen jetzt und der Auferstehung? Wie sieht das Zwischenstadium aus? Gibt es im Himmel verschiedene Abteilungen? Wo sind die alttestamentlichen Gläubigen nach ihrem Tod hingekommen? Und was ist mit dem Fegefeuer?

Einige falsche Sichtweisen

Eine Reihe von spekulativen Möglichkeiten sind vorgeschlagen worden, um diese Fragen zu beantworten. Hinsichtlich des Zustands der alttestamentlichen Gläubigen lehren manche zum Beispiel, dass der Hades (das Totenreich) in zwei Bereiche geteilt ist – einer für die Gottlosen und der andere für die Gerechten. Sie meinen, alttestamentliche Gläubige sind bei ihrem Tod an einen Ort namens «Abrahams Schoss» gekommen (vgl. Lk 16,22–23) – eine Art himmlischer Aufbewahrungsort. Dieser Theorie zufolge kamen diese Gläubigen zunächst in diesen Abschnitt des Hades und wurden erst in den Himmel gebracht, als Christus durch seine Auferstehung den Tod besiegt hatte.

Das meiste davon ist blosse Vermutung und besitzt kaum, wenn überhaupt, eine biblische Grundlage. Wilbur Smith schreibt: «So reichlich das biblische Material über die Auferstehung der Gläubigen und ihr Leben im Himmel auch ist, spricht die Schrift doch kaum vom Zustand der Seele zwischen Tod und Auferstehung.»[1] Die Schrift liefert uns schlichtweg nicht viele Informationen über das Zwischenstadium. Doch was wir aus der Schrift wissen, reicht aus, um einige von den falschen Theorien aufzudecken.

Seelenschlaf. Eine von vielen vertretene Ansicht ist, dass die Seele eines Gläubigen nach seinem Tod bis zur Auferstehung ohne Bewusstsein bleibt. Diese Sicht findet sich in einigen nichtkanonischen Schriften der frühen Gemeinde. Ihre bekanntesten Befürworter sind heute die Siebenten-Tags-Adventisten. Sie weisen darauf hin, dass das Wort «Schlaf» in der Schrift häufig gleichbedeutend mit Tod verwendet wird. So sagte Jesus beispielsweise zu seinen

Jüngern: «Unser Freund Lazarus ist eingeschlafen; aber ich gehe hin, um ihn aufzuwecken» (Joh 11,11). Und Paulus bezeichnete die Toten in Christus als «die Entschlafenen» (1Thes 4,14).

Aber in diesen Fällen bezieht sich «Schlaf» auf den Körper, nicht auf die Seele. In seinem Bericht über die Kreuzigung erwähnte Matthäus ein grosses Erdbeben: «Und die Gräber öffneten sich, und viele Leiber der entschlafenen Heiligen wurden auferweckt» (Mt 27,52). Nicht die Seele, sondern der *Körper* «schläft» im Tod. Der Körper ruht in Frieden ohne jegliches Empfinden oder Bewusstsein. Aber die Seele kommt in die Gegenwart des Herrn. Das bestätigte der Apostel Paulus immer wieder in den bereits mehrfach zitierten Versen, wo er von seinem Wunsch spricht, «aus dem Leib auszuwandern und daheim zu sein bei dem Herrn» (2Kor 5,8).

Die Seelen der verstorbenen Gläubigen gehen in ihre Ruhe ein. Aber es ist eine Ruhe von den Mühen und Kämpfen, nicht die Ruhe eines bewusstseinslosen Zustands. Der Apostel Johannes sagt über die gerechten Toten, dass sie «ruhen von ihren Mühen» (Offb 14,13). Doch er meint eindeutig nicht die «Ruhe» eines bewusstseinslosen Schlafes; in der Szene, die Johannes im Himmel sah, sangen die anwesenden Seelen der Erlösten und lobten Gott (V. 1–4).

Alles, was die Schrift über den Tod der Gläubigen sagt, lässt darauf schliessen, dass sie in vollem Bewusstsein sofort in die Gegenwart des Herrn gebracht werden. Mit den Worten des Westminster-Bekenntnisses: «Die Leiber der Menschen werden nach dem Tod wieder zu Staub und sehen Verwesung, aber ihre Seelen (die weder sterben noch schlafen) haben eine unsterbliche Wesenheit und kehren unmittelbar zu Gott zurück, der sie gegeben hat. Die Seelen der Gerechten, die dann vollkommen gemacht sind in Heiligkeit, werden in den höchsten Himmel aufgenommen, wo sie Gottes Angesicht in Licht und Herrlichkeit schauen und auf die volle Erlösung ihrer Leiber warten» (Kap. 32,1). (aus *Bekenntnisse der Kirche*, TVG R. Brockhaus, 1997, S. 236 – A. d. Ü.)

Fegefeuer. Die römisch-katholische Lehre vom Fegefeuer wird in der Bibel an keiner Stelle gelehrt. Sie wurde ersonnen, um dem Katholizismus Rechnung zu tragen, der die Rechtfertigung allein aus Glauben leugnet. Hier sind die Gründe:

Die Schrift lehrt ganz deutlich, dass eine absolut *vollkommene* Gerechtigkeit erforderlich ist, um in den Himmel zu kommen. Jesus sagte: «Denn ich sage euch: Wenn eure Gerechtigkeit die der Schriftgelehrten und Pharisäer nicht weit übertrifft, so werdet ihr gar nicht in das Reich der Himmel eingehen!» (Mt 5,20). Dann fügte er hinzu: «Darum sollt ihr vollkommen sein, gleichwie euer Vater im Himmel vollkommen ist!» (V. 48) – das setzt den Massstab so hoch, wie er nur irgend sein kann. Später in seinem Dienst hielt Jesus diesen Standard absoluter Vollkommenheit aufrecht, als ein reicher junger Oberster zu ihm kam und fragte, wie er in den Himmel kommen kann. Zunächst forderte er ihn heraus, weil der junge Mann hoffte, sich den Himmel durch eigene gute Werke verdienen zu können. «Was nennst du mich gut? Niemand ist gut als Gott allein!» (Mt 19,17). Beachten Sie: Jesus bestritt nicht, dass er selbst sündlos vollkommen war (viele Leute verstehen diese Stelle fälschlicherweise so, dass Jesus genau das damit sagen wollte). Er wies einfach nur darauf hin, dass das Mass an Vollkommenheit, das für den Himmel erforderlich ist, von gefallenen Geschöpfen unmöglich erreicht werden kann.

Da sich der junge Mann davon aber nicht abschrecken liess, sagte Jesus ihm, dass er vollkommenen Gehorsam gegenüber dem Gesetz vorweisen müsste, um ewiges Leben zu bekommen (V. 17–21). Immer und immer wieder machte er deutlich, wie unmöglich hoch der Standard der Gerechtigkeit für alle Menschen ist, die Gottes Gunst aus eigener Kraft erlangen wollen.

Der junge Oberste hatte kein Verständnis für seine eigene Sündhaftigkeit oder gestand sie nicht ein. Er versicherte Jesus, dass er das Gesetz seit seiner Jugend gehalten hatte (V. 20).

Geschickt wies Jesus auf die Habgier des jungen Mannes hin, die gegen das zehnte Gebot verstiess. Seit er mit dem jungen Mann zu sprechen begonnen hatte, drängte der Herr ihn zu dem Bekenntnis, dass niemand ausser Gott selbst wirklich *gut* ist. Aber der reiche junge Oberste war nicht bereit, sich seiner Sünde zu stellen, und so ging er schliesslich weg, unerrettet.

Die Jünger wunderten sich darüber. Der junge Mann gehörte – aus menschlicher Sicht – offenbar zu den gerechtesten Personen, die sie kannten. Beachten Sie: Keiner bestritt seine Behauptung, dem Gesetz gehorsam gewesen zu sein. In seinem Leben gab es wohl keine offenkundige Sünde, auf die jemand hätte verweisen können. Er war der Beste der Menschen. Daher waren die Jünger verblüfft, als er wegging, ohne dass Jesus ihm ewiges Leben zugesichert hatte. So nachdrücklich wie möglich sagte Jesus zu ihnen: «Wahrlich, ich sage euch: Ein Reicher hat es schwer, in das Reich der Himmel hineinzukommen! Und wiederum sage ich euch: Es ist leichter, dass ein Kamel durch ein Nadelöhr geht, als dass ein Reicher in das Reich Gottes hineinkommt!» (V. 23–24).

Was Jesus zum Ausdruck bringen wollte, ist unmissverständlich. Er legte die Messlatte auf eine unerreichbare Höhe und sagte, dass selbst die genaueste Einhaltung des Gesetzes nicht ausreicht. Die makelloseste äussere Gerechtigkeit ist nicht genug. Alle weltlichen Vorteile des Reichtums können nicht helfen. Nur *absolute Vollkommenheit* ist vor Gott annehmbar. Unser Herr hob diese Dinge auch weiterhin hervor, weil er den Menschen deutlich machen wollte, wie absolut sinnlos es ist, sich Gerechtigkeit durch irgendein System von guten Werken verdienen zu wollen.

Die Jünger hatten die Botschaft verstanden und fragten: «Wer kann dann überhaupt gerettet werden?» (V. 25).

Und Jesus erwiderte: «Bei den Menschen ist dies unmöglich; aber bei Gott sind alle Dinge möglich» (V. 26).

Aus der Abhandlung von Paulus über Rechtfertigung in Römer 4 wissen wir, dass Gott die Gläubigen errettet, *indem er ihnen den Verdienst der vollkommenen Gerechtigkeit Christi anrechnet* – nicht in geringster Weise aufgrund ihrer eigenen Gerechtigkeit. Gott nimmt die Gläubigen «in Christus» an. Er bekleidet sie mit der vollkommenen Gerechtigkeit Christi. Er erklärt sie für vollkommen gerecht in Christus. Ihre Sünden sind Christus angerechnet worden, der die ganze Strafe für sie getragen hat. Seine Gerechtigkeit ist ihnen nun angerechnet, und sie empfangen die volle Auswirkung davon. Das bedeutet Rechtfertigung aus Glauben. «Denn er [der Vater] hat den [Christus], der von keiner Sünde wusste, für uns zur Sünde gemacht, damit wir *in ihm* zur Gerechtigkeit Gottes würden» (2Kor 5,21).

Mit anderen Worten, Gott macht uns nicht zuerst vollkommen und nimmt uns dann auf dieser Grundlage an. *Zuerst* rechtfertigt er uns, indem er uns eine fremde Gerechtigkeit anrechnet, und *dann* macht er uns vollkommen, indem er uns in das Bild Christi verwandelt. Er «rechtfertigt den Gottlosen» (Röm 4,5).

Paulus schrieb: «Da wir nun aus Glauben gerechtfertigt sind [Vergangenheitsform], so haben wir Frieden mit Gott durch unseren Herrn Jesus Christus» (Röm 5,1). Und: «So gibt es jetzt [Gegenwartsform] keine Verdammnis mehr für die, welche in Christus Jesus sind» (Röm 8,1). Diese Verse beschreiben unsere Rechtfertigung als etwas, das bereits vollbracht ist. Es ist eine vollständig vorliegende Wirklichkeit, nicht etwas, wonach wir streben. Im Gleichnis vom reumütigen Zöllner, der Gott um Gnade bat, stellte Jesus Rechtfertigung als ein unmittelbar wirksames Ereignis dar: «Ich sage euch: Dieser ging gerechtfertigt in sein Haus hinab» (Lk 18,14).

Die Schrift behandelt die Rechtfertigung eindeutig und durchgängig als eine feststehende Tatsache für jeden Gläubigen. Sie ist kein andauernder Prozess. Wir stehen jetzt im Glauben vor Gott und sind aufgrund der Gerechtigkeit Christi von ihm vollkommen angenommen – nicht aufgrund unserer eigenen Werke.

Die römisch-katholische Lehre bestreitet all das. Der Katholizismus lehrt, dass Rechtfertigung ein anhaltender Prozess ist, der von dem Mass an realer, persönlicher Gerechtigkeit abhängt, die wir erlangen. Rom zufolge reicht der uns angerechnete Verdienst

Christi nicht aus, um uns zu erretten; durch die Sakramente und andere gute Werke müssen wir uns mehr eigene Verdienste erwerben. Gerechtigkeit wird uns portionsweise *eingeflösst* (statt uns ein für allemal angerechnet). Es ist jedoch offensichtlich, dass wir nicht aufgrund irgendeines Messens der Lebenspraxis vollkommen gerecht sind. Daher muss die Gerechtigkeit, die wir durch Gnade erhalten, durch unsere eigenen Bemühungen vollkommen gemacht werden. Laut der katholischen Lehre ist diese in uns wohnende, reale und persönliche Gerechtigkeit die nötige Grundlage, auf der Gott uns annimmt. Und unsere Rechtfertigung ist nicht vollständig, solange wir nicht wirklich und völlig vollkommen sind – durch eine innewohnende Gerechtigkeit, nicht bloss durch eine rechtmässig angerechnete Gerechtigkeit. Das aber kehrt die biblische Reihenfolge um und erweckt die Vorstellung, dass wir *zuerst* vollkommen sein müssen, und erst *dann* ist unsere Rechtfertigung vollständig. Mit anderen Worten, laut römisch-katholischer Lehre gilt, dass Gott den Gottlosen nicht rechtfertigt.

Die katholische Sicht von der Rechtfertigung stellt ein offensichtliches Dilemma dar. Wir wissen nur allzu gut, dass selbst die besten Christen nicht vollkommen sind. Niemand (die katholische Lehre sagt, *fast* niemand) erreicht in diesem Leben absolute Vollkommenheit. Und wenn unsere eigene Vollkommenheit eine Grundvoraussetzung für den Himmel ist, scheint es, als würde niemand direkt nach dem Tod in den Himmel kommen können. Jegliche noch verbliebenen Unvollkommenheiten müssten zuerst ausgeräumt werden.

Die Lehre vom Fegefeuer ist nötig, um dieses Dilemma zu lösen. Wenn man leugnet, dass wir allein aus Glauben gerechtfertigt werden, muss man sich eine Erklärung ausdenken, wie wir den Übergang von unserem unvollkommenen Zustand in diesem Leben zu dem vollkommenen Zustand im Himmel schaffen. Katholiken glauben, dass die meisten Menschen nach ihrem Tod ins Fegefeuer kommen, wo sie letztendlich von ihrer verbliebenen Schuld gereinigt werden und den Verdienst empfangen, der ihnen noch fehlt, um in den Himmel zu gelangen. Der Katholizismus lehrt, dass das grosse Schmerzen und Leiden mit sich bringt.

Seltsamerweise gestattet die katholische Lehre, dass Menschen im Fegefeuer die Gerechtigkeit von irdischen Sündern angerechnet wird, obwohl sie andererseits leugnet, dass die angerechnete Gerechtigkeit Christi ausreicht, um Sünder in diesem Leben zu erretten. Aus diesem Grund werden Messen für die Toten gehalten. Angeblich wird die durch die Sakramente erworbene Gerechtigkeit der Person im Fegefeuer angerechnet, und das verkürzt ihren Aufenthalt dort.

Die biblische Erwiderung

Wie ich bereits gesagt habe, lehrt die Schrift nichts davon. Die Leiden Christi waren völlig ausreichend, um unsere Sünden zu sühnen. Unsere eigenen Leiden können dem Verdienst Christi nichts hinzufügen. Wie der Verfasser des Hebräerbriefes sagt, gibt es kein wirksames Opfer für Sünde ausser dem Opfer, das Christus selbst gegeben hat. Wenn das Opfer Christi nicht ausreicht, oder wenn wir uns bewusst von ihm abwenden, «so bleibt für die Sünden kein Opfer mehr übrig, sondern nur ein schreckliches Erwarten des Gerichts und ein Zorneseifer des Feuers, der die Widerspenstigen verzehren wird» (Hebr 10,26–27).

Da wir völlig gerechtfertigt wurden, kann es für Gläubige keine Verdammnis geben. Leiden nach dem Tod sind nicht nötig, um verbliebene Sünden zu sühnen; *alle* unsere Sünden sind von dem Blut Christi bedeckt. Es mangelt an keinem Verdienst, der noch erbracht werden müsste. Jeder Gläubige kann mit den Worten des Propheten Jesaja sagen: «Ich freue mich sehr in dem HERRN, und meine Seele ist fröhlich in meinem Gott; denn er hat mir Kleider des Heils angezogen, mit dem Mantel der Gerechtigkeit mich bekleidet, wie ein Bräutigam sich den priesterlichen Kopfschmuck anlegt und wie eine Braut sich mit ihrem Geschmeide schmückt» (Jes 61,10).

Manche behaupten, 1. Korinther 3 würde das Fegefeuer beschreiben, wo der Gläubige durch ein Feuergericht gehen müsse, um von der Schlacke der Sünde gereinigt zu werden. Aber lesen Sie diese Stelle noch einmal aufmerksam. Sie beschreibt das Gericht über die *Werke* der Gläubigen, um herauszufinden, ob sie «Holz, Heu, Stroh» oder «Gold, Silber, kostbare Steine» sind (V. 12). Es geht um das Ergebnis, ob unsere Werke dauerhaft bleiben oder verbrennen. Es sind die Werke und nicht die Gläubigen selbst, die in diesem reinigenden Feuer geprüft werden. Dieses Gericht wird in der Zukunft vor dem Richterstuhl Christi stattfinden. Es beschreibt nicht einen fortschreitenden Zustand im Fegefeuer, das Gläubige auf ihrem Weg in den Himmel durchlaufen müssen:

> So wird das Werk eines jeden offenbar werden; der Tag wird es zeigen, weil es durchs Feuer geoffenbart wird. Und welcher Art das Werk eines jeden ist, wird das Feuer erproben. Wenn jemandes Werk, das er darauf gebaut hat, bleibt, so wird er Lohn empfangen; wird aber jemandes Werk verbrennen, so wird er Schaden erleiden; *er selbst aber wird gerettet werden, doch so wie durchs Feuer hindurch* (V. 13–15).

Beachten Sie noch einmal, dass nur die Werke, nicht die Gläubigen selbst durch das Feuer gehen müssen. Und es geht dabei um das Lebensergebnis – nicht um die Zulassung für den Himmel.

In der Bibel weist alles darauf hin, dass Gläubige direkt nach ihrem Tod in den Himmel kommen. Lassen Sie uns einige Schlüsselstellen dazu untersuchen:

Psalm 16. Hier sehen wir, wie hoffnungsvoll der Psalmist sogar angesichts des Todes ist: «Denn du wirst meine Seele nicht dem Totenreich preisgeben und wirst nicht zulassen, dass dein Getreuer die Verwesung sieht. Du wirst mir den Weg des Lebens zeigen; vor deinem Angesicht sind Freuden in Fülle, liebliches Wesen zu deiner Rechten ewiglich!» (V. 10–11). Der Psalmist erwartete beim Verlassen dieser Welt, dass er in Gottes Gegenwart kommen und ewige und völlige Freude finden würde. Er hatte keine Angst vor reinigenden Leiden. Und auch der Vorstellung von einem Seelenschlaf liess er keinen Raum.

Psalm 23. Der letzte Vers dieses bekannten Psalms sagt: «Nur Güte und Gnade werden mir folgen mein Leben lang, und ich werde bleiben im Haus des HERRN immerdar.» David war sich sicher, dass er nach seinem Tod ewig im Haus des Herrn wohnen würde (was sich in diesem Kontext nur auf den Himmel beziehen kann). Beachten Sie, dass er sofort von «mein Leben lang» zu «werde bleiben im Haus des HERRN immerdar» übergeht. Die Hoffnung, die er hier zum Ausdruck bringt, ist exakt dieselbe, die auch Paulus hatte: «Aus dem Leib auszuwandern und daheim zu sein bei dem Herrn» (2Kor 5,8).

Lukas 16. Als der Bettler Lazarus starb, sagte Jesus, dass er «von den Engeln in Abrahams Schoss getragen wurde» (V. 22). Wie wir zuvor schon bemerkt haben, denken manche, der Ausdruck «Abrahams Schoss» würde einen Aufbewahrungsort bezeichnen, wo alttestamentliche Gläubige hingekommen sind, um auf den Himmel zu warten. Diese Auffassung scheint dem Text unnötig beigelegt zu sein. Aufgrund der Aussagen des Psalmisten gibt es keinen Grund, daran zu zweifeln, dass die alttestamentlichen Gläubigen direkt in den Himmel gekommen sind. Ich glaube, sowohl Abraham als auch Lazarus waren in der Gegenwart Gottes. Auf jeden Fall schliesst dieser Bericht sowohl den Seelenschlaf als auch das Fegefeuer aus.

Um Licht auf den Ausdruck «Abrahams Schoss» zu werfen, schauen wir uns einen vergleichbaren Ausdruck in Johannes 13 an. Der Apostel Johannes beschreibt das letzte Passahmahl im Obersaal. Er schreibt: «Einer seiner Jünger aber, den Jesus liebte, hatte bei Tisch seinen Platz an der Seite Jesu» (V. 23). Jesus und die Jünger lagen an einem niedrigen Tisch. Vers 25 sagt: «Da lehnt sich jener an die Brust Jesu» und fragt, wer der Verräter sein würde. Dieser Jünger (von dem wir wissen, dass es Johannes selbst war – Joh 21,20.24) hatte eine Stellung eingenommen, in der sich sein Kopf an der Seite Jesu befand. Die Tische in diesem Kulturkreis waren sehr niedrig und man musste sich bei einem gemeinsamen Essen liegend um sie platzieren.

Als Jesus sagte, Lazarus wurde in «Abrahams Schoss» getragen, deutete er an, dass der ehemalige Bettler anlässlich einer Freudenfeier an einer Festtafel neben Abraham, dem Vater der Gläubigen, lag. Mit anderen Worten, Lazarus hatte den Ehrenplatz für Gäste inne. Stellen Sie sich das Entsetzen der Pharisäer vor, als Jesus sagte, dass sich ein gewöhnlicher Bettler zu Tisch neben dem grössten aller jüdischen Väter niederliess!

Noch einmal, ich bin überzeugt, dass wir das als den Himmel verstehen sollen, nicht als irgendeine Art von Aufbewahrungsort, der weit entfernt vom Thron Gottes und in der Nähe der Hölle liegt. Die Schrift deutet an keiner Stelle an, dass die alttestamentlichen Gläubigen vorübergehend Quartier im Totenreich bezogen haben, um auf Christus zu warten, der sie später in die Herrlichkeit trägt. Das biblische Beweismaterial legt einen anderen Schluss nahe.

Matthäus 17. Bei der Verklärung Jesu erschienen ihm Mose und Elia (V. 3). Vergessen Sie nicht, dass Elia körperlich in den Himmel aufgefahren war (2Kö 2,1.11). Vom Himmel aus wurden Mose und Elia zum Berg der Verklärung gerufen, wo sie mit Jesus über «seinen Ausgang, den er in Jerusalem erfüllen sollte», sprachen (Lk 9,31). Tod und Auferstehung Christi hatten offensichtlich noch nicht stattgefunden. Wenn die alttestamentlichen Gläubigen also an einem Ort der Begrenzung aufbewahrt waren, hätte Mose von dort hergebracht worden sein müssen.

Es scheint klar, dass Mose nicht für Zeitalter in einem Zwischenbereich des Hades weggesperrt war. Er war mit Christus eng vertraut, hatte Teil an seiner Herrlichkeit und kannte seinen irdischen Dienst gut genug, um mit ihm über die Einzelheiten dessen zu reden, was vor ihm lag. Das ist eine erstaunliche Stelle, ein klarer Einblick in die Art von enger Gemeinschaft, die auch wir mit Christus in der Ewigkeit haben werden.

Lukas 23. Dieser bekannte Text beschreibt den bewegenden Moment, als während der Kreuzigung einer der Räuber neben Jesus Busse tat. «Und er sprach zu Jesus: Herr, gedenke an mich, wenn du in deiner Königsherrschaft kommst! Und Jesus sprach zu ihm: Wahrlich, ich sage dir: Heute wirst du mit mir im Paradies sein!» (V. 42–43).

Das mit «Paradies» übersetzte Wort im griechischen Originaltext ist genau dasselbe wie das Wort, welches der Apostel Paulus in 2. Korinther 12,3 für den dritten Himmel verwendet hat. *Paradies* ist ein Synonym für den Himmel. Es kann kein Hinweis auf das Fegefeuer sein. Und die Verheissung auf das Paradies *heute* schliesst nicht nur das Fegefeuer aus, sondern ebenso den Seelenschlaf.

Wenn es einen Kandidaten für das Fegefeuer gegeben hätte, dann mit Sicherheit diesen Räuber. Kurz vorher hatte er Christus noch zusammen mit dem unbussfertigen Räuber verspottet (Mk 15,32). Seine Busse war eine Veränderung in letzter Minute – als er buchstäblich in seinen letzten Zügen lag. Doch Jesus versprach ihm, ihn noch am selben Tag im Paradies wiederzusehen.

Biblische Einblicke in den Himmel

Die Schrift enthält viele Beschreibungen des Himmels. Einige von ihnen stehen in apokalyptischer Sprache voller Symbolismus und Rätsel. Apokalyptischer Symbolismus in der Schrift meint immer, dass etwas von grosser Bedeutung besprochen wird. Nehmen Sie nicht irrtümlicherweise an, dass eine symbolische Sprache den jeweiligen Gegenstand als nicht real beschreiben wollte. Wie wir bereits festgestellt haben, behauptet die Bibel, dass der Himmel ein realer Ort ist. Das gilt sogar für die apokalyptischsten Beschreibungen über den Himmel.

Hesekiels Rad

Eine der lebhaftesten Beschreibungen des Himmels in der ganzen Schrift stammt vom Propheten Hesekiel. Hesekiel wurde auf wundervolle Weise in einer Vision ins Zentrum des Himmels versetzt, und er beschreibt in anschaulichen Details, wie es im Himmel und im Thronsaal Gottes ist.

Hier nun das ganze erste Kapitel aus dem Buch Hesekiel:

> Und es geschah im dreissigsten Jahr, am fünften Tag des vierten Monats, als ich unter den Weggeführten am Fluss Kebar war, da öffnete sich der Himmel, und ich sah Gesichte Gottes. Am fünften Tag jenes Monats – es war das fünfte Jahr seit der Wegführung des Königs Jojachin – da erging das Wort des HERRN ausdrücklich an Hesekiel, den Sohn Busis, den Priester, im Land der Chaldäer am Fluss Kebar; und die Hand des HERRN kam dort über ihn.
>
> Und ich schaute, und siehe, ein Sturmwind kam von Norden her, eine grosse Wolke und loderndes Feuer, von einem Strahlenglanz umgeben; aus seiner Mitte aber glänzte es wie Goldschimmer, mitten aus dem Feuer. Und mitten aus diesem erschien die Gestalt von vier lebendigen Wesen, und dies war ihr Aussehen: Sie hatten Menschengestalt. Und jedes von ihnen hatte vier Gesichter, und jedes von ihnen hatte vier Flügel. Ihre Füsse standen gerade, und ihre Fusssohlen glichen der Fusssohle eines Kalbes, und sie funkelten wie der Schimmer von blankem Erz. Unter ihren Flügeln befanden sich Menschenhände an ihren vier Seiten, und alle vier Seiten hatten ihre Gesichter und ihre Flügel. Ihre Flügel waren miteinander verbunden; wenn

sie gingen, wandten sie sich nicht um; jedes ging gerade vor sich hin. Ihre Gesichter aber waren so gestaltet: vorn das Gesicht eines Menschen; auf der rechten Seite, bei allen vieren, das Gesicht eines Löwen; zur Linken, bei allen vieren, das Gesicht eines Stieres; hinten aber hatten alle vier das Gesicht eines Adlers. Ihre Gesichter aber und ihre Flügel waren nach oben ausgebreitet; je zwei Flügel waren miteinander verbunden, und zwei bedeckten ihre Leiber. Und jedes ging gerade vor sich hin; wo der Geist hingehen wollte, da gingen sie hin; sie wandten sich nicht um, wenn sie gingen. Und dies war die Gestalt der lebendigen Wesen: Ihr Aussehen war wie brennende Feuerkohlen, wie das Aussehen von Fackeln; und die Feuerkohle fuhr zwischen den lebendigen Wesen hin und her; und das Feuer hatte einen strahlenden Glanz, und von dem Feuer gingen Blitze aus. Die lebendigen Wesen aber liefen hin und her, sodass es aussah wie Blitze.

Als ich nun die lebendigen Wesen betrachtete, siehe, da war je ein Rad auf der Erde neben jedem der lebendigen Wesen, bei ihren vier Gesichtern. Das Aussehen der Räder und ihre Gestaltung war wie der Schimmer eines Chrysoliths, und alle vier hatten die gleiche Gestalt. Sie sahen aber so aus und waren so gemacht, als wäre ein Rad mitten in dem anderen Rad. Wenn sie gingen, so liefen sie nach ihren vier Seiten hin; sie wandten sich nicht um, wenn sie gingen. Und ihre Felgen waren hoch und furchtgebietend; und ihre Felgen waren voller Augen ringsum bei allen vier. Und wenn die lebendigen Wesen gingen, so liefen auch die Räder neben ihnen, und wenn sich die lebendigen Wesen von der Erde erhoben, so erhoben sich auch die Räder. Wo der Geist hingehen wollte, da gingen sie hin, wohin der Geist gehen wollte; und die Räder erhoben sich vereint mit ihnen, denn der Geist des lebendigen Wesens war in den

Rädern. Wenn jene gingen, so gingen auch sie, und wenn jene stillstanden, standen auch sie still; und wenn jene sich von der Erde erhoben, so erhoben sich auch die Räder vereint mit ihnen; denn der Geist des lebendigen Wesens war in den Rädern.

Und über den Häuptern des lebendigen Wesens befand sich etwas, das einer [Himmels-]Ausdehnung glich, wie der Anblick eines Kristalls, ehrfurchterregend, ausgebreitet oben über ihren Häuptern. Und unter der [Himmels-]Ausdehnung waren ihre Flügel ausgestreckt, einer zum anderen hin: Jedes hatte zwei Flügel, womit sie ihre Leiber auf der einen Seite, und zwei, womit sie sie auf der anderen Seite bedeckten. Und ich hörte das Rauschen ihrer Flügel wie das Rauschen grosser Wasser und wie die Stimme des Allmächtigen; wenn sie gingen, so gab es ein Geräusch wie das Getümmel eines Heerlagers; wenn sie aber stillstanden, liessen sie ihre Flügel sinken. Und es kam eine Stimme oben von der [Himmels-]Ausdehnung her, die über ihren Häuptern war; wenn sie stillstanden, liessen sie ihre Flügel sinken.

Und oberhalb der [Himmels-]Ausdehnung, die über ihren Häuptern war, war das Gebilde eines Thrones, anzusehen wie ein Saphirstein. Oben auf dem Gebilde des Thrones aber sass eine Gestalt, anzusehen wie ein Mensch. Ich sah auch etwas wie Goldschimmer, wie das Aussehen eines Feuers inwendig ringsum; von der Erscheinung seiner Lenden nach oben hin und von der Erscheinung seiner Lenden nach unten hin sah ich wie das Aussehen eines Feuers, und ein Glanz war rings um ihn her. Wie der Bogen aussieht, der an einem Regentag in den Wolken erscheint, so war auch der Glanz ringsum anzusehen.

So war das Aussehen der Erscheinung der Herrlichkeit des HERRN. Als ich sie sah, fiel ich auf mein Angesicht; und ich hörte die Stimme von einem, der redete.

So beschreibt Hesekiel den Thron Gottes im Himmel. Wie er können auch wir nicht alles verstehen. Aber unter der Inspiration des Heiligen Geistes versuchte er wiederzugeben, was er sah: strahlendes, von Edelsteinen reflektiertes Licht und farbige Lichträder vermischt mit Engelwesen («die lebendigen Wesen»). Um den Thron des ewigen und herrlichen Gottes sah er den aufleuchtenden, funkelnden Glanz eines Regenbogens.

Wie sollen wir eine derart geheimnisvolle Sprache auslegen? Manche bemühen sich, in jeder Facette der Vision von Hesekiel eine Bedeutung zu finden. (Eine von mir zu Rate gezogene Quelle erklärt die Gesichter der Engelwesen so: der Löwe spricht von Majestät und Macht; der Mensch steht für Intelligenz und Willenskraft; der Stier repräsentiert geduldiges Dienen; und der Adler spricht von schnellem Gericht.) Wir dürfen uns aber nicht dazu hinreissen lassen, eine Bedeutung in die Symbole hineinzulesen, die uns nicht erklärt wird. Es ist keine geheime Botschaft, die es zu entschlüsseln gilt; vielmehr ist es ein grosses Bild, das die Souveränität, Majestät und Herrlichkeit Gottes und die unglaubliche Schönheit, Symmetrie und Vollkommenheit seines Himmels zeigen soll. Obschon es unmöglich ist, die Einzelheiten mit absoluter Sicherheit auszulegen, *können* wir doch verstehen, dass es Hesekiels Anliegen war, uns die Herrlichkeit des Himmels vor Augen zu führen. Die sich aufeinander abgestimmt bewegenden Räder, die aufleuchtenden Blitze, die funkelnden Edelsteine und das strahlende Licht – das alles stellt Gottes Herrlichkeit dar.

Auch wenn Hesekiels Bild vom Himmel über unser Fassungsvermögen hinausgeht, können wir den Hauptgedanken ergreifen: der Himmel ist ein Ort von unbeschreiblicher Herrlichkeit.

Die Apokalypse des Johannes

Wir kommen jetzt wieder zu Johannes' ausführlicher Vision vom Himmel, wie er sie uns in der Offenbarung beschrieben hat. Wie in Kapitel 3 erwähnt, berichtet das Buch der Offenbarung, wie Gottes Zorn am Ende auf die Erde ausgegossen wird. Das Böse wird für immer besiegt und aus dem Universum verbannt werden. Es ist eine anschauliche und beunruhigende Vision, nicht in erster Linie eine Lektion über den Himmel.

Dennoch erfahren wir aus seiner Vision eine Menge über den Himmel. Das griechische Wort, das mit «Himmel» übersetzt ist, taucht in der Offenbarung mehr als fünfzig Mal auf. Zweimal wird Gott der «Gott des Himmels» genannt (11,13; 16,11) – ein Ausdruck, der im Alten Testament 22 Mal verwendet wird. Das ganze Buch der Offenbarung ist aus der Perspektive des Himmels geschrieben, auch wenn es grösstenteils von Ereignissen auf der Erde handelt.

Es finden sich auffallend viele Parallelen zwischen der Vision des Johannes und der von Hesekiel. Johannes liefert einen vollständigeren Bericht, aber er harmoniert wunderbar mit dem von Hesekiel. Der Thron Gottes spielt eine grosse Rolle in beiden Berichten.

In Offenbarung 4, wo Johannes beschreibt, wie er in den Himmel entrückt wurde, erwähnt er als erstes den Thron Gottes: «Nach diesem schaute ich, und siehe, eine Tür war geöffnet im Himmel; und die erste Stimme, die ich gleich einer Posaune mit mir reden gehört hatte, sprach: Komm hier herauf, und ich will dir zeigen, was nach diesem geschehen muss! Und sogleich war ich im Geist; und siehe, ein Thron stand im Himmel, und auf dem Thron sass einer» (V. 1–2).

Hesekiel beendet seine Vision vom Himmel mit einer Schilderung des Throns und der unbeschreiblichen Herrlichkeit, die von ihm ausstrahlt. Johannes *beginnt* mit demselben Thron. Wiederholt erwähnt er in dieser Stelle den Thron, der das Zentrum des ganzen Himmels und der Gegenwart Gottes darstellt. Vom Thron Gottes geht die ganze Herrlichkeit des Himmels aus.

Vers 3 sagt: «Und der darauf sass, war in seinem Aussehen einem Jaspis- und einem Sardisstein gleich.» Jaspis ist ein undurchsichtiger, kristalliner Quarz unterschiedlicher Farbigkeit, vor allem mit Grünschattierungen. (Aber der Jaspis des Altertums könnte ein durchsichtiger Stein gewesen sein.) Das mit «Sardisstein» übersetzte Wort ist *sardion* – «Sarder» in manchen Übersetzungen. Das ist ein roter, rubinähnlicher Stein. Einige meinen, der rote Sardis könnte von Gott als dem Erlöser sprechen, demjenigen, der ein Blutopfer zur Verfügung stellte – auf diese Weise würde die Herrlichkeit des erlösenden Wesens Gottes betont. Jaspis und Sardis waren der erste und der letzte der zwölf Steine auf dem Brustschild des Hohenpriesters (2Mo 28,17.20; vgl. Elberfelder 2003).

Man kann unmöglich die Tatsache ignorieren, dass sowohl Hesekiel als auch Johannes eine Szene von atemberaubender Erhabenheit und überwältigender Schönheit beschreiben – eine Herrlichkeit, die die Grenzen der menschlichen Sprache bei weitem überschreitet. Wie Hesekiel zeichnet auch Johannes ein grosses Bild, das den Himmel als einen strahlenden, farbenprächtigen Bereich von unbeschreiblicher Pracht und Wonne darstellt. Noch einmal, lassen Sie sich nicht dazu verleiten, in die Symbole eine Bedeutung hineinzulesen, sodass wir das Offensichtliche übersehen.

Sprache versagt, wenn Menschen die Herrlichkeit Gottes zu beschreiben versuchen, deshalb zieht Johannes diese Vergleiche zu kostbaren Edelsteinen heran, um uns die atemberaubende Schönheit der himmlischen Herrlichkeit nahezubringen. Die von ihm erwähnten Edelsteine waren die fantastischsten und wunderbarsten Bilder, die er sich vorstellen konnte, daher greift er auf sie zurück, um seine Botschaft zu vermitteln. Vergessen Sie aber nicht, dass er eine Herrlichkeit beschreibt, die die jedes Edelsteines, den wir aus der Erde ausgraben können, weit übertrifft. Wenn Sie sich die Szene kaum bildlich vorstellen können, ist das in Ordnung. Johannes zeichnet absichtlich ein so herrliches Bild, das unsere Vorstellungskraft übersteigt.

Ähnlich wie Hesekiel sagt Johannes weiter: «Ein Regenbogen war rings um den Thron, der glich in seinem Aussehen einem Smaragd. ... Und von dem Thron gingen Blitze und Donner und Stimmen aus» (V. 3.5). Auch hier soll die Bildersprache Furcht und Ehrfurcht hervorrufen. Sie bringt unermessliche Herrlichkeit, Macht und Majestät zum Ausdruck.

Blitze und Donner erinnern an eine andere Szene in der Schrift: an den Berg Sinai, wo Gott herabkam, um das Gesetz zu geben. Die Israeliten sahen die Herrlichkeit Gottes in Form von Donner und Blitzen (2Mo 19,16). Diese Sprache versucht das Unbeschreibliche zu beschreiben. Sie vermittelt eine heilige Ehrfurcht, die über jedes irdische Erstaunen hinausreicht.

Johannes setzt seine Beschreibung von der Umgebung des Thrones fort und gibt uns ein weiteres Detail, auf das wir achtgeben sollten: «Sieben Feuerfackeln brennen vor dem Thron, welche die sieben Geister Gottes sind» (Offb 4,5).

Dieser Vers sorgt bei vielen Leuten für Verwirrung. Er meint nicht, dass es sieben Heilige Geister gibt. Das macht der Apostel Paulus deutlich in 1. Korinther 12,4: «Es bestehen aber Unterschiede in den Gnadengaben, doch es ist derselbe Geist» (vgl. V. 11) und in Epheser 4,4: Es ist «ein Leib und ein Geist» (vgl. Eph 2,18). Es kann also kein Hinweis auf sieben unterschiedliche Geister Gottes sein. Das würde klar gegen das verstossen, was die Schrift an anderer Stelle über die Person des Heiligen Geistes lehrt.

Der Ausdruck «sieben Geister» ist typisch für apokalyptische Sprache und den Gebrauch von Bildern. Johannes verbindet ihn mit sieben Feuerfackeln, die an die Leuchter der Gemeinden in Offenbarung 2–3 erinnern. Und diese wiederum scheinen eine Beziehung zu den sieben Leuchtern in der ursprünglichen Stiftshütte zu haben (s. 2Mo 25,31–37). Das waren eigentlich sieben Lampen auf einem *einzigen* Leuchter aus Gold. Die sieben Lampen vermitteln somit das Bild der siebenarmigen Menora. Und der Bezug zu den «sieben Geistern» sollte als eine Anspielung auf den *einen* Geist Gottes ausgelegt werden, der hier durch ein siebenfaches Symbol repräsentiert wird.

In welcher Hinsicht kann von «sieben» in Bezug auf den Geist Gottes gesprochen werden? Das könnte eine Anspielung auf die

Souveränität des Geistes über die sieben Gemeinden in den Kapiteln 2–3 sein. Dieser Ausdruck kommt in der ganzen Schrift nur hier und in Offenbarung 1,4; 3,1 und 5,6 vor. Bei den ersten beiden Malen hat er einen speziellen Bezug zu den sieben Gemeinden.

Es könnte auch eine Anspielung auf Jesaja 11,2 sein, wo dem Heiligen Geist eine siebenfache Beschreibung zukommt: «... der Geist [1] des HERRN, der Geist [2] der Weisheit und [3] des Verstandes, der Geist [4] des Rats und [5] der Kraft, der Geist [6] der Erkenntnis und [7] der Furcht des HERRN.» Was auch immer der Ausdruck in Offenbarung 4,5 bedeuten mag, er besagt nicht, dass es mehr als «einen Geist» gibt, durch den wir in den Leib Christi hineingetauft wurden (1Kor 12,13). Das würde dem Gesamtinhalt der Schrift widersprechen (vgl. auch Eph 2,18; Joh 14,16–17).

Schauen Sie sich noch einmal Offenbarung 4 an. Vers 6 sagt: «Und vor dem Thron war ein gläsernes Meer, gleich Kristall.» Stellen Sie sich die Schönheit dieses Anblicks vor: ein glänzender Regenbogen und die aufleuchtenden Farben von Smaragd, Sardis und Jaspis spiegeln sich in einem Meer aus Kristall!

Noch einmal, alle diese Farben, Lichter und Kristalle spiegeln die Pracht und Majestät des Thrones Gottes wider. Das ist eine vertraute Bildersprache in der Schrift. In 2. Mose 24 lesen wir: «Da stiegen Mose und Aaron, Nadab und Abihu und 70 von den Ältesten Israels hinauf; und sie sahen den Gott Israels; und unter seinen Füssen war es wie ein Gebilde von Saphirplatten und so klar wie der Himmel selbst» (V. 9–10). Das aufleuchtende und funkelnde Licht der Herrlichkeit Gottes wird durch dieses kristallklare, glänzende und funkelnde Meer aus Glas reflektiert. Beachten Sie, dass dieses kristallne Meer in 2. Mose 24 als «ein Gebilde von Saphirplatten» beschrieben wird – womöglich aufgrund der reflektierenden Farbe. Aber beide Stellen sprechen von einer aussergewöhnlichen Klarheit. Hesekiel sagt, es ist «wie der Anblick eines Kristalls, ehrfurchterregend, ausgebreitet oben über ihren Häuptern [denen der Engel]» (1,22). Alle diese Passagen stellen den Himmel als einen

Bereich unvorstellbarer Schönheit dar, an dem jedes Element als Hintergrund angelegt ist, der die Herrlichkeit Gottes widerspiegelt und vergrössert.

Dass all diese Helligkeit und Klarheit so sehr betont wird, legt nahe, dass der Himmel kein Land der Schatten und des Nebels ist. Im biblischen Bericht findet sich kein Hinweis auf den langen, dunklen Tunnel, der so viele Geschichten von Nahtoderfahrungen auffallend kennzeichnet (s. Anhang 1). Stattdessen wird alles mit Begriffen wie Licht, Glanz und Klarheit beschrieben!

Auch wenn Johannes die anderen Bewohner des Himmels beschreibt, bleibt der Fokus weiterhin auf der Herrlichkeit Gottes. Die Throne der 24 Ältesten – die zweifelsfrei den ganzen Leib der erlösten Gemeinde repräsentieren – umgeben den Thron Gottes (Offb 4,4). Vers 6 fügt hinzu, dass sich um den Thron Gottes auch die vier lebendigen Wesen befinden – fraglos ein Hinweis auf Engelwesen, möglicherweise die Cherubim. Um den Thron Gottes scharen sich also Heerscharen Engel und die Gemeinde; den Thron nimmt Gott selbst ein in all der Herrlichkeit seiner majestätischen Macht und Heiligkeit.

Wie wir in Kapitel 3 bemerkt haben, wird der Thron Gottes allein im Buch der Offenbarung mehr als 40 Mal erwähnt. Alle Aktivitäten im Himmel gehen in die Richtung des Thrones, und die ganze Ausstattung des Himmel spiegelt die von ihm ausstrahlende Herrlichkeit wider.

Gibt es einen Tempel im Himmel oder nicht?

Im Altertum waren die beiden wichtigsten Gebäude einer jeden Hauptstadt der Palast und der Tempel. Sie repräsentierten staatsbürgerliche und geistliche Autorität. Im Himmel betont die zentrale Lage des Thrones Gottes, dass Gott souverän ist und würdig, angebetet zu werden. Der ganze Himmel ist sein Palast, und der ganze Himmel ist ebenso sein Tempel.

In Offenbarung 3,12 sagt Christus: «Wer überwindet, den will ich zu einer Säule im Tempel meines Gottes machen, und er wird nie mehr hinausgehen; und ich will auf ihn den Namen meines Gottes schreiben und den Namen der Stadt meines Gottes, des neuen Jerusalem, das vom Himmel herabkommt von meinem Gott aus, und meinen neuen Namen.» In den Schriften des Johannes ist mit dem Ausdruck «wer überwindet» jeder wahre Gläubige gemeint.[2] Jeder erlöste Mensch wird hier als eine Säule des Tempels dargestellt, auf den feierlich drei Namen geschrieben werden. In Offenbarung 7,15 erfährt Johannes von einem der 24 Ältesten etwas über die Heiligen, die aus der grossen Drangsal kommen: «Darum sind sie vor dem Thron Gottes und dienen ihm Tag und Nacht in seinem Tempel; und der auf dem Thron sitzt, wird sein Zelt aufschlagen über ihnen.»

Mit anderen Worten, diese Verse lehren, dass Christen Gott für immer in einem himmlischen Tempel dienen werden. Auch andere Stellen erwähnen einen Tempel im Himmel. So spricht Offenbarung 11,19 beispielsweise vom «Tempel Gottes im Himmel» und von der «Lade seines Bundes ... in seinem Tempel.» Später erwähnt Johannes den «Tempel des Zeltes des Zeugnisses im Himmel» (15,5). Diese Stellen machen deutlich, dass es im Himmel einen Tempel gibt.

In Offenbarung 21,22 schreibt Johannes aber über das neue Jerusalem: «Einen Tempel sah ich nicht in ihr.» Einige Ausleger, die versucht haben, Offenbarung 21,22 mit dem Übrigen der Offenbarung in Einklang zu bringen, behaupten, dass es gegenwärtig einen Tempel im Himmel gibt, aber wenn Gott den neuen Himmel und die neue Erde schafft, wird es dort keinen geben. Das scheint die offensichtlichste Bedeutung von Johannes' Beschreibung nicht zu treffen. Der Tempel im Himmel ist nicht ein Gebäude; es ist Gott der Allmächtige selbst. Offenbarung 7,15 deutet das an: «Der auf dem Thron sitzt, wird sein Zelt aufschlagen über ihnen.» Und Offenbarung 21,22–23 setzt den Gedanken fort: «Denn der Herr, Gott der Allmächtige, ist ihr Tempel, und das Lamm. Und die Stadt bedarf nicht der Sonne, noch des Mondes, dass sie in ihr scheinen; denn die Herrlichkeit Gottes erleuchtet sie, und ihre Leuchte ist das Lamm.»

Die Herrlichkeit Gottes erleuchtet den Himmel und legt die Grenzen seines Tempels fest. Man kann sagen, der ganze Himmel ist der Tempel, und die Herrlichkeit und Gegenwart des Herrn durchdringt ihn.

Ein Missverstehen dieser Verse hat leider zu der Vorstellung beigetragen, dass der Himmel ein langweiliger, monotoner Ort ist. Wer will schon eine Säule in einem Tempel sein, den man nicht verlassen kann (vgl. Offb 3,12)? Übersehen Sie aber nicht die Bedeutung dessen, was Johannes hier sagt. Der Punkt ist nicht, dass wir unbewegliche Stützpfosten in einem Gebäude werden, sondern in die Gegenwart des Herrn treten und *ihn* nie wieder verlassen. Bedenken Sie, *er* ist der Tempel, von dem wir Säulen sind. Dieses Bild drückt enorm viel aus und spiegelt die Verheissung Jesu wider: «Ich komme wieder und werde euch zu mir nehmen, damit auch ihr seid, wo ich bin» (Joh 14,3) – ebenso wie die grosse Hoffnung des Apostels Paulus: «So werden wir bei dem Herrn sein allezeit» (1Thes 4,17). Unser Platz wird für immer in der unmittelbaren Gegenwart Gottes sein.

Behalten Sie im Sinn, sowohl Hesekiel als auch der Apostel Johannes haben Probleme, das Unbeschreibliche zu beschreiben – und auch Sie und ich sind nicht in der Lage, das Undurchschaubare zu durchschauen. Selbst wenn Gott alle Details über den Himmel geoffenbart hätte, wären wir nicht imstande, sie zu begreifen. Der Himmel ist anders als alles, was wir kennen. Aber in Epheser 2 gibt uns Paulus einen Einblick in den Himmel aus einer etwas anderen Perspektive. An dieser Stelle schreibt er, dass wir hinsichtlich der Errettung völlig von Gott abhängig sind, und dass wir vorher tot in Übertretungen und Sünden (V. 1) und von Natur aus Kinder des Zorns waren (V. 3). Dann beschreibt er Gottes Gnade und Liebe zu uns, indem er uns von unseren Sünden errettet hat. Der Gedanke, dass Gott sich in seiner Gnade nach uns ausstreckte, um uns zu retten, als wir das Gegenteil verdienten, sollte uns mit Dankbarkeit und Demut erfüllen.

Beachten Sie anschliessend, was Paulus in Epheser 2,7 sagt: Gott hat uns errettet, «damit er in den kommenden Zeitaltern den überschwänglichen Reichtum seiner Gnade in Güte an uns erweise in Christus Jesus.» Dieser Vers befriedigt zwar nicht die Neugierde von Menschen, die wissen wollen, wie es im Himmel ist, aber achten Sie auf die anschauliche Beschreibung des Himmels: es ist ein Ort, an dem der Reichtum der Gnade Gottes heller erstrahlt als hier auf der Erde. Das ist es, was mich den Himmel am meisten ersehnen lässt.

Halten Sie einen Augenblick inne und denken Sie darüber nach. Alles Gute, was wir hier auf der Erde kennen, ist auf die Gnade Gottes zurückzuführen (s. Jak 1,17). Und wir, die wir Christus kennen, werden zu dieser bestimmten Zweckerfüllung in den Himmel kommen: damit Gott den unendlichen Reichtum seiner Gnade zeigen kann, indem er seine Güte über uns ausschüttet ohne Ende. Lässt das ihr Herz nicht die Herrlichkeit des Himmels den dürftigen Vergnügungen der Erde vorziehen?

---

1. Wilbur M. Smith, *The Biblical Doctrine of Heaven* (Chicago: Moody, 1968), S. 155.
2. Mehr zu diesem Thema findet sich in dem Abschnitt «Wer überwindet» in Kapitel 6.

KAPITEL 6

Das neue Jerusalem

Der ewige Himmel wird wesentlich anders – grösser – sein als der Himmel, in dem Gott jetzt wohnt. Wie wir kurz in Kapitel 4 gesehen haben, wird Gott die Himmel und die Erde neu erschaffen bei der Vollendung aller Dinge. Er wird seinen Himmel mit dieser Erde zu einem vollkommenen Wohnort verbinden, der für immer unser Zuhause sein wird. Mit anderen Worten, der Himmel, der Bereich, in dem Gott wohnt, wird erweitert und das gesamte geschaffene Universum umfassen, das auf eine Weise neu gestaltet wird, die zu der Herrlichkeit des Himmels passt. Der Apostel Petrus bezeichnete dies als die Hoffnung jedes erlösten Menschen: «Wir erwarten aber nach seiner Verheissung neue Himmel und eine neue Erde, in denen Gerechtigkeit wohnt» (2Petr 3,13).

Schon im Alten Testament hofften die Gerechten darauf. Wir wissen, dass das irdische Kanaan das verheissene Land des Volkes Israel war. Aber Hebräer 11 teilt uns mit, dass Abraham, dem die Verheissung ursprünglich gegeben wurde, sein Herz auf mehr richtete als nur auf eine irdische Landverheissung. «Durch Glauben hielt er sich in dem Land der Verheissung auf wie in einem fremden, und wohnte in Zelten mit Isaak und Jakob, den Miterben derselben Verheissung; denn er wartete auf die Stadt, welche die Grundfesten hat, deren Baumeister und Schöpfer Gott ist» (V. 9–10). Abrahams Augen waren auf ein ewiges verheissenes Land gerichtet, nicht bloss auf irdischen Landbesitz. Er führte hier das Leben eines Nomaden und war im Glauben bereit, seinen dauerhaften Wohnort in der ewigen Stadt Gottes in der zukünftigen Welt zu suchen. Dem biblischen Bericht zufolge war das einzige Stück Land, das

Abraham jemals besass, die kleine Grabstätte, die er kaufte, um Sarah dort zu beerdigen (1Mo 23,20). Schliesslich wurde dieser Ort zur letzten Ruhestätte für ihn und die anderen hebräischen Patriarchen. Der Himmel war das einzige Erbe, nach dem er sich wirklich sehnte.

Das Alte Testament prophezeite eine umfassende Erneuerung von Himmel und Erde, die dann zum ewigen Wohnort der Gläubigen werden sollten. Psalm 102,26–27 beschreibt, wie der Herr unser Universum verändert, als wäre es ein abgetragenes Kleidungsstück: «Du hast vorzeiten die Erde gegründet, und die Himmel sind das Werk deiner Hände. Sie werden vergehen, du aber bleibst; sie alle werden wie ein Kleid zerfallen, wie ein Gewand wirst du sie wechseln, und sie werden verschwinden.» (Interessanterweise zitiert Hebräer 1,10–12 diese Stelle und schreibt die Worte Gott dem Vater zu, der zum Sohn spricht. Das ist einer der wichtigen Beweise für die ewige Gottheit Jesu.)

Eine grosse kosmische Neugestaltung war schon immer der Plan Gottes, die er auch seinem Volk durch die alttestamentlichen Propheten verheissen hatte. In Jesaja 65,17–19 sagt Gott:

> Denn siehe, ich schaffe einen neuen Himmel
> und eine neue Erde,
> sodass man an die früheren nicht mehr gedenkt
> und sie nicht mehr in den Sinn kommen werden;
> sondern ihr sollt euch allezeit freuen und frohlocken
> über das, was ich erschaffe;
> denn siehe, ich erschaffe Jerusalem zum Jubel
> und sein Volk zur Freude.
> Und ich selbst werde frohlocken über Jerusalem
> und mich freuen über mein Volk,
> und es soll kein Klagelaut
> und kein Wehgeschrei mehr darin vernommen werden.

Gott sagt, er wird diesen Himmel und diese Erde auf eine Weise verändern, die einer völligen Neuschöpfung gleichkommt. Beachten Sie, dass das neue Jerusalem in diesem neuen Universum den Mittelpunkt von allem bilden wird. Der neue Himmel und die neue Erde werden so herrlich sein, dass sie die früheren zur Bedeutungslosigkeit herabstufen («sodass man an die früheren nicht mehr gedenkt und sie nicht mehr in den Sinn kommen werden» – V. 17). Im nächsten und gleichzeitig letzten Kapitel von Jesajas Prophezeiung verheisst der Herr, dass dieser neue Himmel und die neue Erde für immer bleiben werden, ebenso wie alle Heiligen Gottes: «Denn gleichwie der neue Himmel und die neue Erde, die ich mache, vor meinem Angesicht bleiben werden, spricht der HERR, so soll auch euer Same und euer Name bestehen bleiben» (66,22).

Offenbarung 21 füllt Jesajas Verheissung mit Details. Hier beschreibt der Apostel Johannes seine Vision von der letztendlichen Vollendung aller Dinge. Dieses Kapitel enthält die ausführlichste biblische Beschreibung des neuen Himmels und der neuen Erde – zusammen mit der heiligen Stadt, dem neuen Jerusalem. Was wir am Ende des Buches Jesaja im Keim sehen, wird am Ende der Offenbarung viel deutlicher.

Hier ist der Rahmen: Die Schlacht von Harmageddon ist gekämpft (Offb 19), die irdische, tausendjährige Herrschaft Christi ist zu Ende gekommen (20,7) und vor dem grossen weissen Thron hat Gott Satan und alle Gottlosen zum ewigen Aufenthalt in der Hölle verurteilt (20,11–15). Anschliessend wird das ganze Universum aufgelöst («der erste Himmel und die erste Erde waren vergangen, und das Meer gibt es nicht mehr» – 21,1). Alles, was wir kennen, wird vollkommen gemacht. Das Universum wird von allem Bösen gereinigt. Tod und Sünde, Trauer und Schmerz werden für immer entfernt werden. Der neue Himmel und die neue Erde, die den Platz der alten einnehmen, werden der herrliche Bereich sein, in dem wir in Ewigkeit leben werden.

Das alte Universum wird aufgelöst

Bevor wir uns die Beschreibung des Himmels in Offenbarung 21 ausführlicher anschauen, wollen wir uns zunächst mit dem Prozess befassen, durch den alle Dinge neu gemacht werden. Der Apostel Petrus geht in Details in einer bekannten Stelle, die eine genauere Untersuchung wert ist.

Petrus schreibt: «Dabei sollt ihr vor allem das erkennen, dass am Ende der Tage Spötter kommen werden, die nach ihren eigenen Lüsten wandeln und sagen: Wo ist die Verheissung seiner Wiederkunft? Denn seitdem die Väter entschlafen sind, bleibt alles so, wie es von Anfang der Schöpfung an gewesen ist!» (2Petr 3,3–4). Hier wird eine Zeit des Abfalls und geistlicher Abgestumpftheit vorausgesagt, in der Unglaube und Zweifel vorherrschen werden. Petrus beschrieb eine weit verbreitete Art von spöttischer Skepsis, die wir in unserer Zeit wahrnehmen können. Sie haben mit Sicherheit schon Zweifler gehört, die behaupten, dass Jesus, wenn er nach zwei Jahrtausenden noch nicht zurückgekehrt ist, nie wiederkommen wird! (Das ähnelt der Denkweise, dass ich nie sterben werde, nur weil es bisher noch nicht passiert ist.)

Die von Petrus beschriebene Skepsis hat einen besonderen Bezug zu einem verheerenden Gericht. Diese Spötter halten einen Glaubenssatz fest, der eine Ähnlichkeit aufweist zu dem, was Geologen *Uniformitarianismus* nennen – die Theorie, dass alle Naturphänomene seit der Entstehung der Erde unverändert in Kraft sind. (Uniformitarianismus ist der Glaubenssatz, der den verbreitetsten Zeitplänen der Evolutionstheorie zugrunde liegt.) Die Art des Uniformitarianismus' dieser Spötter ist jedoch metaphysisch. Sie meinen, Gott (wenn sie ihn überhaupt anerkennen) habe den Schauplatz verlassen. «Alles, was wir beobachten können, sind Naturphänomene», sagen sie. «Die Erde hat nicht aufgehört, sich zu drehen, es hat weiter geregnet und die Sonne hat geschienen, und der Wasserkreislauf ist in Kraft seit Beginn der Geschichtsaufzeichnung. Es besteht kein Grund zu der Annahme, dass alles sich nicht langsam immer weiterentwickeln kann, und gewiss kein Grund zu glauben, dass Gott durch irgendeine Art Gericht von kosmischen Ausmassen eingreifen wird.»

Aber das ist eine überhebliche, oberflächlich falsche Sicherheit. Petrus sagt weiter: «Dabei übersehen sie aber absichtlich, dass es schon vorzeiten Himmel gab und eine Erde aus dem Wasser heraus entstanden ist und inmitten der Wasser bestanden hat durch das Wort Gottes; und dass durch diese Wasser die damalige Erde infolge einer Wasserflut zugrunde ging» (V. 5–6). Wer meint, dass es auf der Erde noch nie ein katastrophenartiges Gericht gab, vergisst (im Grunde ist es ein *willentliches* Verwerfen der Offenbarung Gottes) die grosse Flut, als Gott die ganze Menschheit ertrinken liess und nur Noah und seine Familie verschonte.

Petrus spricht davon, dass die «Erde aus dem Wasser heraus entstanden ist und inmitten der Wasser bestanden hat» (V. 5). Viele glauben, vor der Flut umgab die Erde eine Wasserschicht oder ein Wasserdampf (vgl. 1Mo 1,7), der sie von den ultravioletten Strahlen der Sonne schützte. Aufgrund dieser Schutzeinrichtung gedieh pflanzliches Leben und Menschen und Tiere lebten hunderte von Jahren. (Das würde erklären, warum direkt nach der Flut das Lebensalter der in den biblischen Stammbäumen aufgeführten Personen rapide abnahm. Die Katastrophe veränderte die Lebenserwartung drastisch.) Die Schicht, die die Erde schützte, wurde offenbar das Mittel zu ihrem Gericht, als die Schicht aufbrach und die Erde überflutete.

Laut der Bibel war die Flut bis heute die letzte grosse Katastrophe kosmischen Ausmasses. Die Dinge sind fast genauso geblieben, wie sie immer waren, trotz der Tatsache, dass Jesus sagte, Gottes Gericht stünde sogar zu *seiner* Zeit nahe bevor (vgl. Mt 3,2.10–12).

Petrus sagt jedoch, niemand sollte Gottes Zögern als Gleichgültigkeit, Untreue oder Trägheit interpretieren. Zeit hat für den Herrn keine Bedeutung. Tausend Jahre sind für ihn nicht anders als ein einziger Tag. Was Jesus vor zweitausend Jahren als nahe bevorstehend bezeichnete, steht auch heute noch kurz bevor.

Doch wichtiger als das ist: Der einzige Grund, weshalb Gott sein letztes Gericht hinauszögert, ist seine Gnade: «Dieses eine aber sollt ihr nicht übersehen, Geliebte, dass ein Tag bei dem Herrn ist wie tausend Jahre, und tausend Jahre wie ein Tag! Der Herr zögert nicht die Verheissung hinaus, wie etliche es für ein Hinauszögern halten, sondern er ist langmütig gegen uns, weil er nicht will, dass jemand verlorengehe, sondern dass jedermann Raum zur Busse habe» (2Petr 3,8–9).

«Der HERR ist gütig gegen alle, und seine Barmherzigkeit waltet über allen seinen Werken» (Ps 145,9). Vergessen Sie nicht, dass Gott nach der Flut die Verheissung gab, die Erde nie wieder auf diese Weise zu vernichten (1Mo 9,12–16) – und er bestätigte seinen Bund mit einem Regenbogen. Seine Gnade und nicht sein Zorn ist gegenwärtig auf dem Schirm.

Allerdings wagen wir es nicht anzunehmen, dass seine Gnade den Tag seines Zorns ausschliesst. Auch sein Zorn wird kommen, wenn der Tag des Herrn entfesselt wird. Petrus erinnert uns: So wie «die damalige Erde infolge einer Wasserflut zugrunde ging», wird auch *diese* Welt eines Tages eine verheerende Zerstörung erleben, denn «die jetzigen Himmel aber und die Erde werden durch dasselbe Wort aufgespart und für das Feuer bewahrt bis zum Tag des Gerichts und des Verderbens der gottlosen Menschen» (2Petr 3,6–7).

Das nächste Mal wird es nicht Wasser, sondern Feuer sein – ein Feuer, wie es die Menschheit noch nicht gesehen hat: «Es wird aber der Tag des Herrn kommen wie ein Dieb in der Nacht; dann werden die Himmel mit Krachen vergehen, die Elemente aber vor Hitze sich auflösen und die Erde und die Werke darauf verbrennen» (V. 10). Die Atomwissenschaft hat uns gezeigt, dass eine derartige Zerstörung möglich ist. Durch Atomspaltung kann der Mensch unglaubliche Zerstörungskraft entfesseln – eine Kettenreaktion von Atomexplosionen könnte diese Erde buchstäblich in ihre Bestandteile auflösen. Ausserdem verfügt unsere Erde über ein enormes Feuerpotential. Wir leben auf der Kruste eines Feuerballs; das meiste des rund 13000 km betragenden Erddurchmessers besteht aus glühendheissem, geschmolzenem Material. Der Erdkern ist ein kochender, flüssiger Feuersee, der, wenn er zu nahe an die Erdkruste kommt, Vulkanausbrüche hervorruft.

Aber das von Petrus erwähnte Feuer ist keine Atombombe. Es ist ein Niederschmelzen universellen Ausmasses. Die Himmel vergehen mit grossem Lärm. Die Elemente schmelzen mit glühender Hitze. Alles, was wir kennen, wird augenblicklich verbrennen. Das ist der Höhepunkt eines eschatologischen Zeitraums, bekannt als «Tag des Herrn». Dieser Tag steht in der Schrift immer in Verbindung mit dem Ausgiessen des Zornes Gottes und Gericht. Die plötzliche Zerstörung des Universums ist der Abschluss von allem.

Petrus liefert uns eine ungemein praktische Anwendung: «Da nun dies alles aufgelöst wird, wie sehr solltet ihr euch auszeichnen durch heiligen Wandel und Gottesfurcht, indem ihr das Kommen des Tages Gottes erwartet und ihm entgegeneilt, an welchem die Himmel sich in Glut auflösen und die Elemente vor Hitze zerschmelzen werden!» (2Petr 3,11–12). Der springende Punkt ist augenscheinlich: Wenn alles in diesem Leben vergänglich ist, müssen wir unser Herz auf Dinge ausrichten, die nicht vergänglich sind. Wie Abraham, der Vater der Gläubigen, müssen wir unsere Hoffnung auf eine dauerhafte Stadt setzen – eine Stadt, deren Architekt und Erbauer Gott ist und die nie vergehen wird. Und so sagt Petrus abschliessend: «Wir erwarten aber nach seiner Verheissung neue Himmel und eine neue Erde, in denen Gerechtigkeit wohnt» (V. 13).

Doch selbst dieses grösste der Gerichte Gottes verfolgt eine gütige Absicht, denn erst dann wird das Universum aufhören, unter dem Fluch der Sünde zu seufzen (s. Röm 8,19–22).

Ein neuer Himmel und eine neue Erde

Wir gehen zurück zu Offenbarung 21 und der biblischen Beschreibung eines «neuen Himmels und einer neuen Erde», die entstehen werden, nachdem «der erste Himmel und die erste Erde vergangen» sind (V. 1). Das mit «neu» übersetzte griechische Wort (*kainos*) betont, dass die von Gott geschaffene Erde nicht nur «neu» im Gegensatz zu «alt» sein wird. Sie wird auch *anders* sein. In 2. Korinther 5,17 benutzt Paulus dasselbe griechische Wort zwei Mal: «Darum: Ist jemand in Christus, so ist er eine neue Schöpfung; das Alte ist vergangen; siehe, es ist alles neu geworden!» Das Wort bezeichnet eine veränderte Qualität. Wie unsere neue Schöpfung in Christus werden die neuen Himmel und die neue Erde verherrlicht sein, frei vom Fluch der Sünde und ewig.

Die Schrift teilt uns nicht mit, wie die neue Erde aussehen wird, aber wir haben Grund zu der Annahme, dass sie in vielerlei Hinsicht vertraut erscheinen wird. Jerusalem wird dort sein – wenn auch ein völlig neues Jerusalem. Johannes' Beschreibung konzentriert sich auf die heilige Stadt, die Strassen, Mauern und Tore hat. Er erwähnt auch einen hohen Berg, Wasser, einen Strom und Bäume. Doch das Beste von allem ist: Das Volk Gottes wird in ihr leben – echte Menschen, die wir kennen und mit denen wir ewig Gemeinschaft haben werden.

Alle Dinge werden neu

Die neue Erde wird aber auch völlig anders und ungewohnt sein. So sagt Johannes beispielsweise: «Das Meer gibt es nicht mehr» (V. 1). Das ist schon ein grosser Unterschied, da unsere gegenwärtige Erde grösstenteils von Wasser bedeckt wird. Einige Bibelgelehrte meinen, das würde die Aufhebung aller nationalen Grenzen betonen. Andere weisen darauf hin, dass das Meer Angst für die Bewohner der Antike symbolisierte, daher glauben sie, wenn kein Meer da ist, wird es auch keine Angst geben. Beide Annahmen mögen ein

Stück Wahrheit enthalten. Im neuen Himmel und der neuen Erde wird uns nichts Angst machen, und nichts wird Volksgruppen oder Nationen voneinander trennen. Das einzige Wasser im Himmel ist der «reine Strom vom Wasser des Lebens, glänzend wie Kristall, der ausging vom Thron Gottes und des Lammes» (Offb 22,1). Dieser kristallklare Fluss fliesst direkt durch die Hauptstrasse des Himmels (V. 2).

Offenbarung 21,3–7 beschreibt die herausragendsten Merkmale der neuen Himmel und der neuen Erde:

> Und ich hörte eine laute Stimme aus dem Himmel sagen: «Siehe, das Zelt Gottes bei den Menschen! Und er wird bei ihnen wohnen; und sie werden seine Völker sein, und Gott selbst wird bei ihnen sein, ihr Gott. Und Gott wird abwischen alle Tränen von ihren Augen, und der Tod wird nicht mehr sein, weder Leid noch Geschrei noch Schmerz wird mehr sein; denn das Erste ist vergangen.»
>
> Und der auf dem Thron sass, sprach: «Siehe, ich mache alles neu!» Und er sprach zu mir: «Schreibe; denn diese Worte sind wahrhaftig und gewiss!» Und er sprach zu mir: «Es ist geschehen! Ich bin das A und das O, der Anfang und das Ende. Ich will dem Dürstenden geben aus dem Quell des Wassers des Lebens umsonst! Wer überwindet, der wird alles erben, und ich werde sein Gott sein, und er wird mein Sohn sein.»

An dieser Stelle verheisst die Schrift, dass der Himmel ein Bereich vollkommener Glückseligkeit sein wird. Tränen, Schmerz, Leid und Geschrei werden keinen Platz in den neuen Himmeln und der neuen Erde haben. Es ist ein Ort, an dem das Volk Gottes ewig mit ihm zusammen leben wird, vollkommen frei von allen Folgen der Sünde und des Bösen. Gott wird beschrieben als persönlich jede Träne von den Augen der Erlösten abwischend.

Der Himmel ist ein Bereich, an dem der Tod vollständig besiegt ist (1Kor 15,26). Dort gibt es keine Krankheit, keinen Hunger, keine Sorgen und keine Tragödien. Nur vollendete Wonne und ewige Segnungen. Wir können uns das kaum vorstellen, weil wir in unserem Leben nie etwas kennengelernt haben, das frei vom Makel der Sünde und ihren verheerenden Folgen ist.

Wie kann der Himmel vollkommen sein,
wenn es einen Ort wie die Hölle gibt?

Viele Menschen fragen sich, wie sie die Ewigkeit ertragen können in dem Wissen, dass einige Personen, die sie auf der Erde geliebt haben, nicht dort sein werden. Was ist mit Eltern, deren widerspenstiger Sohn sich von Christus losgesagt hat und in Unmoral und Unglauben gestorben ist? Wie kann der Himmel für sie vollkommen sein? Was ist mit jemandem, dessen irdischer Vater in der Sünde gestorben ist und den Herrn nicht kannte? Wie kann eine solche Person die Schmerzen einer ewigen Trennung ertragen? Was ist mit der Witwe, die nach dem Tod ihres ungläubigen Ehemannes zu Christus gefunden hat? Wie kann der Himmel reine Glückseligkeit sein, wenn man keine Hoffnung hat, diese geliebten Menschen wiederzusehen?

Die Schrift gibt keine direkte Antwort auf diese Frage. Manche meinen, dass die Erinnerung an unsere irdischen Beziehungen schliesslich verblassen wird. Und die Schrift liefert einen Hinweis, dass dies tatsächlich der Fall sein könnte: In Jesaja 65, wo die neuen Himmel und die neue Erde beschrieben werden, sagt Gott: «Denn siehe, ich schaffe einen neuen Himmel und eine neue Erde, *sodass man an die früheren nicht mehr gedenkt und sie nicht mehr in den Sinn kommen werden*» (V. 17). Meines Erachtens kann das aber nicht bedeuten, dass wir alle Erinnerungen an diese Erde und unsere menschlichen Beziehungen hier verlieren werden. Schliesslich werden viele dieser Beziehungen in der Ewigkeit weitergeführt werden. Und wir werden uns ewig daran erinnern, wie Christus uns erlöst hat. Da unsere Errettung durch sein Werk *auf der Erde* vollbracht wurde, ist es unmöglich, dass wir uns an gar keine irdischen Ereignisse und Beziehungen mehr erinnern können.

Aber wir werden ein viel klareres Verständnis von den Dingen aus einer himmlischen Perspektive haben. Jetzt sehen wir alles wie in einem trüben Spiegel. Dann werden wir alles deutlich erkennen, so wie wir erkannt wurden (1Kor 13,12). Alle unsere irdischen Verbindungen werden von viel befriedigenderen Beziehungen und vollkommeneren herzlichen Zuneigungen abgelöst werden. So wie Gott verheisst, den Waisen ein Vater auf der Erde zu sein (Ps 68,6), wird er persönlich die Leere füllen, die alle zerbrochenen irdischen Beziehungen hinterlassen haben – und das auf vollkommene Weise, da unsere Gefühle und Wünsche nicht von den Folgen unserer Sünde beeinträchtigt werden. Wir werden Gottes vollkommene Gerechtigkeit besser erkennen und verstehen, und wir werden ihn für jedes Detail seines ewigen Planes verherrlichen – inklusive seines Umgangs mit den Gottlosen.

Die abschliessenden Verse der Prophezeiung Jesajas lassen erkennen, dass wir Gott letzten Endes für die Vernichtung der Gottlosen anbeten werden (Jes 66,23–24). Die Existenz der Hölle wird nicht im Geringsten die Herrlichkeit des Himmels trüben oder seine Glückseligkeit mindern.

Wie sich das auf die Herzen und Gedanken der Erlösten auswirken wird, teilt uns die Schrift nicht mit. Uns wird nur verheissen, dass Gott selbst unsere Tränen trocknen wird. Im Augenblick müssen wir nur wissen, dass wir seiner unendlichen Güte, Barmherzigkeit und Gnade bedingungslos vertrauen können.

Beachten Sie ausserdem, dass Gott, als er sagte, er würde alle Dinge neu machen, dem Apostel Johannes Folgendes auftrug: «Schreibe; denn diese Worte sind wahrhaftig und gewiss!» (Offb 21,5) – so als wollte er der Glaubwürdigkeit dieser grossen Verheissung ein Ausrufezeichen hinzufügen. Wir, die wir den Herrn wirklich kennen, wissen, dass wir ihm auch bezüglich unserer offenen

Fragen vertrauen können. *Alle* seine Worte sind wahr und treu. Wenn er also sagt, er würde alle Dinge neu machen, ist das eine Verheissung, an der wir festhalten können, auch wenn wir nicht genau wissen, wie er alle Probleme lösen wird. Der Himmel wird absolut vollkommen sein, obgleich wir jetzt nicht alles verstehen können.

Und noch eines ist völlig klar: Gott kann keine Schuld für mangelnde Gnade oder Güte gegeben werden, auch wenn Menschen ewig verloren gehen. Er kann für ihren Untergang nicht verantwortlich gemacht werden. Allen, die Durst haben, bietet er das Wasser des Lebens frei an (V. 6).

Wer überwindet

Die Erlösten besitzen noch eine weitere Verheissung. Gott sagt: «Wer überwindet, der wird alles erben, und ich werde sein Gott sein, und er wird mein Sohn sein» (Offb 21,7). Wer in diesem Leben über Sünde und Tod siegt, den wird Gott zu einer unvorstellbar privilegierten Stellung erheben – und ihm ein Erbe geben, das mit irdischen Massstäben nicht zu ermessen ist.

Der Ausdruck «wer überwindet» bezeichnet *jede* erlöste Person. Im Himmel gibt es keine Unterteilung in «Überwinder» und «besiegte Christen» – auch wenn manche das lehren. Eine erstaunlich populäre Sicht geht sogar so weit zu behaupten, dass die in Matthäus 8,12 erwähnte «äusserste Finsternis» (wo das «Heulen und Zähneknirschen sein wird») ein Bereich im Himmel ist für die Gläubigen, die *nicht* überwinden.[1] Diesem Standpunkt zufolge sind die Überwinder «eine separate Klasse von Christen, die durchhalten»[2]. Christen, die nicht überwinden, werden in die äusseren Bereiche des Himmels verbannt und haben nicht Teil an seiner vollen Glückseligkeit.

Diese Sicht ist jedoch völlig unbiblisch. Laut der Schrift gibt es keine echten Gläubigen, die nicht im Glauben ausharren – denn Gott selbst hat verheissen, uns zu bewahren. Wir werden «in der

Kraft Gottes bewahrt werden durch den Glauben zu dem Heil, das bereit ist, geoffenbart zu werden in der letzten Zeit» (1Petr 1,5). Und deshalb sind letztlich alle Christen Überwinder. Wer sich vom Glauben abwendet, beweist, dass er nie wirklich in Christus war (1Jo 2,19). Diese Lehre ist bekannt als das «Ausharren der Heiligen»[3].

«Wer überwindet», «ihr habt überwunden» und ähnliche Ausdrücke kommen in den Schriften des Johannes häufiger vor. Der Apostel Johannes benutzt den Status des «Überwinders» eindeutig als Synonym für Gläubige. Sowohl über geistlich junge Männer als auch geistliche Väter sagt er, dass sie «den Bösen überwunden» haben (1Jo 2,13–14). Er warnt alle Gläubigen vor dem Geist des Antichristen und schreibt dann: «Kinder, ihr seid aus Gott und habt jene überwunden, weil der, welcher in euch ist, grösser ist als der, welcher in der Welt ist» (4,4). Und um ganz deutlich zu machen, dass er *alle* Gläubigen als Überwinder ansieht, schreibt er: «Denn alles, was aus Gott geboren ist, überwindet die Welt; und unser Glaube ist der Sieg, der die Welt überwunden hat. Wer ist es, der die Welt überwindet, wenn nicht der, welcher glaubt, dass Jesus der Sohn Gottes ist?» (5,4–5). Somit gibt es keinen Gläubigen, der nicht auch zugleich ein Überwinder wäre. Die Identifizierung der Gläubigen mit Überwindern findet sich auch in den Briefen Christi an die Gemeinden (vgl. Offb 2,7.11.17.26; 3,5.12.21).

Wenn Kinder, dann auch Erben

Daher sollte klar sein, dass es eine Verheissung an alle Gläubigen ist, wenn Gott sagt: «Wer überwindet, der wird alles erben, und ich werde sein Gott sein, und er wird mein Sohn sein.» Er wird unser Gott sein, und wir seine Kinder. Der Himmel wird unser Zuhause sein, und wir werden dort nicht als Gäste verweilen, sondern alle Privilegien eines Familienmitglieds besitzen – als Kinder des Herrn des himmlischen Reiches.

Ein Studium der Bibelstellen, die von unserem Erbe sprechen, könnte ein Buch für sich füllen. Die Schrift lehrt, dass alle Gläubigen Kinder Gottes sind (Joh 1,12) – «wenn wir aber Kinder sind, so sind wir auch Erben, nämlich Erben Gottes und Miterben des Christus» (Röm 8,17).

Wenig überraschend sind jene, die eine Unterscheidung zwischen «Überwindern» und mittelmässigen Christen im Himmel machen, oftmals der Ansicht, dass nur die «Überwinder» Teil am Erbe des Reiches haben. Wer sich in der «äussersten Finsternis» befindet, wurde enterbt, aus dem Vaterhaus und dem Festsaal entfernt, zu einem zweitklassigen Dasein in der Ewigkeit verbannt – und nicht in Gottes unmittelbare Gegenwart gelassen.[4] Das ist eine seltsame und gänzlich unbiblische Vorstellung vom Himmel! Sie macht das Erbe der Christen zu einem Verdienst der Werke der Gläubigen.[5] Die Vorstellung, dass jemand in diese Art von geistlicher Vorhölle in den Himmel kommen könnte – ohne jegliches Erbe –, ist allem, was die Schrift über den Himmel zu sagen hat, absolut fremd.

Natürlich gibt es Bibelstellen, die andeuten, dass es verschiedene Stufen von Grösse im Himmel geben wird. Zum Beispiel das Gleichnis in Lukas 19,16–19 stellt Gott als einen Edelmann dar, der zwei seiner treuen Knechte mit der Kontrolle über zehn bzw. fünf Städte entlohnt. Auch Jesus sprach vom «Kleinsten im Reich der Himmel» (Mt 11,11) – was andeutet, dass es unterschiedliche Grade des Standes im Himmel gibt. Unser Herr lehrte mehrfach, dass Gläubige für ihre Treue Lohn empfangen – und dieser Lohn ist von Person zu Person verschieden (Mt 25,21–24).

Wie wird diese Belohnung festgelegt? Zu diesem Zweck werden unsere *Werke* einer Prüfung unterzogen. Wenn wir vor dem Richterstuhl Christi stehen, wird das ganze Gebäude unseres irdischen Lebens durch Feuer Gottes geprüft, um die Qualität unserer Taten zu bestimmen. Einige eindrucksvolle Bauwerke werden zusammenfallen zu Trümmern, weil sie nur für den schönen Schein gebaut worden sind – und nicht aus dauerhaften Materialien. Wie Film-Kulissen mögen diese «Gebäude» schön anzusehen sein und selbst bei genauerer Untersuchung echt *wirken*, aber das Feuer wird erweisen, woraus sie gemacht sind, und keine Rücksicht auf ihr Aussehen nehmen. Holz, Heu und Stroh werden verbrennen. Die Schrift verheisst: «Wenn jemandes Werk, das er darauf gebaut hat, bleibt, so wird er Lohn empfangen» (1Kor 3,14). Was geschieht mit der Person, deren Werke verbrennen? «So wird er Schaden erleiden; er selbst aber wird gerettet werden, doch so wie durchs Feuer hindurch» (V. 15). Dabei muss man an jemanden denken, der lebend aus einem brennenden Gebäude gerettet wird. Das Feuer mag ihm keinen Schaden zugefügt haben, aber der Geruch des Rauchs haftet ihm an – er ist der Vernichtung nur knapp entronnen.

Aber verbannen Sie eine solche Person nicht gleich an den Rand der äussersten Finsternis, wo das Heulen und Zähneknirschen sein wird. Wie der Räuber am Kreuz, wie der Arbeiter, der in der letzten Stunde eingestellt wurde, wird diese Person unendlich mehr empfangen, als sie verdient hat. Selbst diejenigen, die knapp den Flammen entkommen, bleiben Erben Gottes und Miterben Christi und werden die ewigen Segnungen des Himmels erfahren. Der Geringste im Reich der Himmel ist immer noch grösser als der Grösste auf der Erde (Mt 11,11). In diesem Reich sind die Letzten die Ersten und die Ersten die Letzten – was andeutet, dass hinsichtlich unseres *Erbes* keiner gegenüber dem anderen einen Vorzug hat. Und da wir unseren Lohn vor dem Thron des Lammes niederwerfen werden (s. Offb 4,10), kann es im ewigen Zustand keine besonders ausgeprägte Hierarchie unter den Erlösten geben. Es besteht keine Rechtfertigung für die Lehre, dass manche vom himmlischen Festmahl fernbleiben müssen und für immer in die Aussenbereiche des Reiches verbannt werden.[6]

Unser Erbe ist etwas völlig anderes als unsere Belohnung. Unser ewiges Erbe lässt sich nicht durch Werke verdienen, ebenso wenig wird es auf ihrer Grundlage zugeteilt. Der Apostel Paulus bringt unser Erbe mit unserer Sohnschaft in Verbindung (Röm 8,15–17). Ein *Erbe* ist per Definition keine Belohnung für einen Verdienst. Es ist ein Geburtsrecht.

Was das Erbe eines Kindes angeht, bestand zwischen römischem Gesetz und jüdischer Praktik zudem ein wesentlicher Unterschied. Nach dem jüdischen Gesetz empfing der älteste Sohn immer einen doppelten Erbanteil. Unter dem römischen System konnten alle Kinder einen gleichen Anteil empfangen. Als Paulus schrieb: «Wenn wir aber Kinder sind, so sind wir auch Erben, nämlich Erben Gottes und Miterben des Christus» (Röm 8,17), richtete er sich an eine römische Leserschaft. Der Kontext lässt erkennen, dass er die Gleichheit der Kinder Gottes und die Sicherheit des Erbes eines jeden Christen betonte.

Gegenüber den Galatern führte Paulus ein ähnliches Argument an: «*Wenn ihr aber Christus angehört*, so seid ihr Abrahams Same und nach der Verheissung Erben» (Gal 3,29). Ein Kapitel später griff er den Gedanken nochmals auf: «Weil ihr nun Söhne seid, hat Gott den Geist seines Sohnes in eure Herzen gesandt, der ruft: Abba, Vater! bist du also nicht mehr Knecht, sondern Sohn; *wenn aber Sohn, dann auch Erbe* Gottes durch Christus» (4,6–7). Das Erbe ist nicht eine Belohnung für einen treuen Diener (so wie der Lohn in den meisten Gleichnissen Jesu). Es ist das Geburtsrecht jedes Kindes des Vaters.

Die Schrift lehrt deutlich, dass alle Christen den vollen Erbanteil im Himmel empfangen werden. *Jeder* Gläubige «wird alles erben» (Offb 21,7). Somit wird das Erbe nicht auf der Grundlage von Würdigkeit aufgeteilt. Und wenn Gott sagt: «Ich werde sein Gott sein, und er wird mein Sohn sein», bringt er damit zum Ausdruck, dass der Himmel nicht nur unser Wohnort, sondern auch unser Besitz sein wird. Wir werden dort nicht als Gäste sein, sondern als vollwertige Familienmitglieder. Was für ein unbeschreibliches Vorrecht!

Die heilige Stadt

Wir wollen uns nun Offenbarung 21,2 anschauen, wo wir eine weitere bedeutende Sicht auf den Bereich des Himmels finden. Johannes schreibt: Ich «sah die heilige Stadt, das neue Jerusalem, von

Gott aus dem Himmel herabsteigen, zubereitet wie eine für ihren Mann geschmückte Braut.»

Zubereitet wie eine Braut

Johannes sieht, wie eine ganze Stadt in ihrer grossen Herrlichkeit vom Himmel herabkommt und zu einem Teil der neuen Erde wird. Himmel und Erde bilden nun eine Einheit. Der Himmel hat seine Hauptstadt auf die neue Erde versetzt. Achten Sie besonders auf die Schlüsselbegriffe in diesem Vers:

«*Zubereitet*» scheint den Schluss nahezulegen, dass das neue Jerusalem schon vor der Erschaffung der neuen Himmel und der neuen Erde fertiggestellt worden war. Johannes sagt nicht, dass er sah, wie die Stadt geschaffen wurde. Als er seine Augen auf sie richtete, war sie bereits vollständig vorhanden. Mit anderen Worten, sie wurde von einem anderen Ort auf die neue Erde gebracht. Wo ist dieser andere Ort?

«*Von Gott aus dem Himmel herabsteigen*» lässt darauf schliessen, dass die Stadt – bereits vollständig und sorgfältig ausgestattet – vom Himmel auf die neue Erde herabkam, zweifellos von dem Ort, den Paulus «den dritten Himmel» nannte. Noch einmal, das geschieht unmittelbar nach der Erschaffung des neuen Himmels und der neuen Erde. Das neue Jerusalem, die Hauptstadt des ewigen Reiches, kommt direkt vor Johannes' Augen vom Wohnsitz Gottes herab, wo sie schon «zubereitet» gewesen war. Wer hat sie «zubereitet»? Diese wunderbare himmlische Stadt ist offensichtlich genau das, wovon unser Herr sprach, als er seinen Jüngern sagte, er würde weggehen, um ihnen «eine Stätte» zu bereiten (Joh 14,3). Jetzt, wo die neuen Himmel und die neue Erde vorgestellt werden, ist die Stadt schliesslich fertig.

«*Wie eine für ihren Mann geschmückte Braut.*» Das spricht von der Herrlichkeit dieser unvorstellbaren Stadt. Stellen Sie sich nur vor, als unser Herr das materielle Universum zu Beginn der Zeit schuf, brauchte er sechs Tage. Aber an dieser Ausgestaltung des

Himmels hat er fast 2000 Jahre gearbeitet. Was für ein Wunder muss sie sein! Die überragende Herrlichkeit dieser Stadt ist zu gross, um sie in Worte zu fassen.

Ihr seid gekommen zu dem Berg Zion
Das neue Jerusalem ist die Stadt, die Abraham suchte, «deren Baumeister und Schöpfer Gott ist» (Hebr 11,10). Der Verfasser des Hebräerbriefes sagt zu allen Erlösten: «Ihr seid gekommen zu dem Berg Zion und zu der Stadt des lebendigen Gottes, dem himmlischen Jerusalem, und zu Zehntausenden von Engeln, zu der Festversammlung und zu der Gemeinde der Erstgeborenen, die im Himmel angeschrieben sind, und zu Gott, dem Richter über alle, und zu den Geistern der vollendeten Gerechten» (12,22–23).

Das ist ein faszinierender Vers über den Himmel. Der irdische *Berg Zion* lag nahe dem Tempelberg im alten Jerusalem. In Zion zu wohnen, bedeutet, direkt neben dem heiligen Wohnort des Herrn zu leben. Dieses himmlische Zion wird das ewige Zuhause aller Menschen sein, «*die im Himmel angeschrieben sind*» – aller Erlösten aus allen Zeitaltern. (Auch das zerstört die Vorstellung, dass einige der Erlösten an einen Ort ausserhalb des Zentrums des Himmels verbannt werden.) Hier werden die «*Geister der Gerechten*» schliesslich «*vollendet.*» Wir werden passend gemacht für das Leben inmitten einer solch unvorstellbaren Herrlichkeit (1Jo 3,2).

Das Kronjuwel des Himmels

Offenbarung 21,10–27 beschreibt in noch anschaulicheren Details Johannes' Vision von der heiligen Stadt, die vom Himmel herabkommt. Ein Engel führte Johannes in seiner Vision auf einen Berg auf der neuen Erde, von dem aus er beobachten konnte, wie Gottes Meisterwerk, die Hauptstadt des unendlichen Himmels, herabkam von Gott aus dem dritten Himmel und zum Kronjuwel der neuen Himmel und der neuen Erde wurde.

Beachten Sie, dass Johannes die Stadt beschreibt als «welche die Herrlichkeit Gottes hat. Und ihr Lichtglanz gleicht dem köstlichsten Edelstein, wie ein kristallheller Jaspis» (V. 11).

Wie wir bereits gesehen haben, zieht sich das Thema Licht und Herrlichkeit durch alles, was die Schrift über den ewigen Bereich zu sagen hat. Der Himmel selbst ist ein unendlicher, ewiger Ausdruck der Herrlichkeit Gottes. Wir können sagen, dass der Inbegriff des Himmels Gottes Herrlichkeit ist, die in seiner Mitte deutlich sichtbar wird. Jesaja 60,19 sagt: «Die Sonne wird nicht mehr dein Licht sein am Tag, noch der Mond dir als Leuchte scheinen, sondern der HERR wird dir zum ewigen Licht werden, und dein Gott zu deinem Glanz.» Offenbarung 21,23 enthält einen ähnlichen Gedanken: «Und die Stadt bedarf nicht der Sonne, noch des Mondes, dass sie in ihr scheinen; denn die Herrlichkeit Gottes erleuchtet sie, und ihre Leuchte ist das Lamm.» Gott selbst wird den ganzen endlosen Himmel mit Licht erfüllen, anfangend mit diesem funkelnden himmlischen Juwel, dem neuen Jerusalem.

Als ich aufwuchs, fuhr ich gerne Rollschuh in Pasadena. In der Mitte der Rollschuhbahn hing eine Kugel, die mit kleinen Spiegeln überdeckt war. Wenn die Lichter auf sie trafen, leuchtete und funkelte die ganze Bahn vor Licht. Mir ist bewusst, das ist nur ein schwacher Vergleich. Aber wie diese Spiegel das Licht reflektierten, verstärkten und streuten, kann in gewisser Weise verdeutlichen, was Johannes mit seiner Beschreibung von Lichtern und Edelsteinen zu vermitteln versucht. Er sah die ewige Stadt, wie sie vom Himmel herabkam, und sie erinnerte an einen funkelnden, kristallnen, diamantähnlichen Stein, der die Herrlichkeit des Wesens Gottes ausstrahlte. Und das strahlende Licht der Herrlichkeit Gottes bedeckte das grenzenlose neue Universum buchstäblich mit atemberaubender Schönheit.

Herrliche Mauern und Tore

Vers 12 sagt, dass die Stadt «eine grosse und hohe Mauer» hat.

Warum hat die himmlische Stadt eine Mauer? Mauern dienen der Verteidigung gegen Feinde. Aber im Himmel wird es keine Feinde geben; alle Feinde Gottes werden dann schon in den Feuersee geworfen sein (Offb 20,14–15). Diese Mauer dient also keinem besonderen Zweck. Wie alles andere im Himmel soll sie die Herrlichkeit Gottes zeigen. Zudem symbolisiert sie die unantastbare Sicherheit des Himmels.

Über dieselben Mauern sagt Offenbarung 22,14–15: «Glückselig sind, die seine Gebote tun, damit sie Anrecht haben an dem Baum des Lebens und durch die Tore in die Stadt eingehen können. Draussen aber sind die Hunde und die Zauberer und die Unzüchtigen und die Mörder und die Götzendiener und jeder, der die Lüge liebt und tut.» Das bedeutet nicht, dass Hunde, Zauberer und Lügner direkt ausserhalb der Stadttore ihr Lager aufgeschlagen haben. Noch einmal, alle, auf die diese Beschreibung zutrifft, sind bereits für ewig in die Hölle verbannt worden (Offb 21,8; 20,15).

Die Mauern und Tore sind nur ein stummes Zeugnis dafür, dass einige hineingehen können und andere nicht. Welche nicht hineingelangen, sind nicht eine Art Christen zweiter Klasse. Es sind die Ungläubigen, die schon der ewigen Verdammnis übergeben wurden.

Johannes gibt uns eine interessante Beschreibung der Mauer und ihrer Tore:

> Und sie hat eine grosse und hohe Mauer und zwölf Tore, und an den Toren zwölf Engel, und Namen angeschrieben, nämlich die der zwölf Stämme der Söhne Israels. Von Osten her gesehen drei Tore, von Norden drei Tore, von Süden drei Tore, von Westen drei Tore. Und die Mauer der Stadt hatte zwölf Grundsteine, und in ihnen waren die Namen der zwölf Apostel des Lammes (21,12–14).

Die Tore sind benannt nach den Stämmen Israels und die Grundsteine nach den zwölf Aposteln. Das wird der Wohnort für das ganze erlöste Volk Gottes aus jeder Epoche der Menschheitsgeschichte sein. Israel und die Gemeinde werden im ewigen Bereich zusammengebracht, um ein Volk Gottes zu bilden für alle Ewigkeit.

Die Existenz von Toren deutet an, dass man in die Stadt hineingehen und sie wieder verlassen kann. Sie sollten nicht denken, dass uns die Stadt einschliesst. Sie wird unser Zuhause sein, aber wir werden nicht in ihr eingesperrt sein. Wir werden uns im ganzen unendlichen Universum bewegen können, und wenn wir das tun, werden wir durch diese Tore ein und ausgehen.

Himmlische Masse

In Offenbarung 21,15–16 schreibt Johannes: «Und der mit mir redete, hatte ein goldenes Rohr [wahrscheinlich mit einer Länge von etwa drei Metern], um die Stadt und ihre Tore und ihre Mauer zu messen. Und die Stadt bildet ein Viereck und ihre Länge ist gleich ihrer Breite. Und er mass die Stadt mit dem Rohr, auf 12 000 Stadien; die Länge und die Breite und die Höhe derselben sind gleich.» Die Stadt ist ein völlig symmetrischer, massiver Würfel von über 2200 km Kantenlänge. Manche meinen, dies könnte eine Pyramide beschreiben. Obwohl dies eine mögliche Interpretation dieser Massangaben ist, ist es doch unwahrscheinlich, dass die Schrift es nicht ausdrücklich erwähnt, wenn sie das vermitteln wollte. Ich halte es für die Beschreibung eines Würfels.

Welche Bedeutung hat eine würfelförmige Stadt? Erinnern Sie sich, dass das Allerheiligste im salomonischen Tempel ein Würfel von 20 Ellen Kantenlänge war (1Kö 6,20). Das neue Jerusalem ist das Allerheiligste der Ewigkeit. Sie *ist* das Heiligtum von Gott selbst. Sie ist sein Haus, und unsere Wohnung ist Teil des Vaterhauses (s. Ps 23,6; Joh 14,2). Gott hat den Kern der himmlischen Stiftshütte – das Allerheiligste – auf die Erde gebracht.

Eine Höhe von über 2200 km ist natürlich schwer vorstellbar. Ein 2200 km hohes Bauwerk auf der gegenwärtigen Erde würde weit über die Erdatmosphäre hinausreichen (die nur ein paar hundert

Kilometer hoch reicht). Aber vergessen Sie nicht, dass der neue Himmel und die neue Erde miteinander verbunden sein werden und es eine Atmosphäre im heutigen Sinn nicht mehr geben wird.

Sind diese grossen Höhen und Entfernungen nur symbolisch zu verstehen? Ich denke nein. Johannes beschreibt, wie der Engel die Stadtmauer abmass: «Und er mass ihre Mauer: 144 Ellen nach dem Mass eines Menschen, das der Engel hat» (V. 17). Die Tatsache, dass derart präzise Massangaben genannt werden, scheint nahezulegen, dass ein realer Ort mit realen irdischen Dimensionen beschrieben ist. Der Ausdruck «nach dem Mass eines Menschen» kann wohl kaum etwas anderes bedeuten.

Diesen Massangaben zufolge bedeckt das neue Jerusalem eine Fläche von etwa 5 Millionen Quadratkilometern. Im Vergleich dazu hat der Grossraum London nur 1572 Quadratkilometer und ist mit ca. 5.000 Einwohnern pro Quadratkilometer bevölkert. Von diesem Vergleich ausgehend könnte das neue Jerusalem Lebensraum für über hundert Milliarden Menschen bieten! Und das berücksichtigt noch nicht einmal, die gewaltige Höhe der Stadt! Der Himmel wird gross genug sein für die «wenigen», die den schmalen Weg finden (Mt 7,13–14). Und in der ewigen Herrlichkeit werden wir feststellen, dass die «wenigen» in Wirklichkeit «eine grosse Schar [sind], die niemand zählen konnte, aus allen Nationen und Stämmen und Völkern und Sprachen» (Offb 7,9). Der Himmel wird ihnen allen reichlich Raum bieten.

Wie weit reichen 2200 Kilometer? Das ist ungefähr die Distanz zwischen den Bundesstaaten Maine und Florida. Stellen Sie sich ein solches Gebiet im Quadrat vor und dann im Würfel, mit mehreren Ebenen und Millionen von sich kreuzenden, goldenen Boulevards. Das neue Jerusalem ist ein Ort von übernatürlicher Majestät und Schönheit!

Die Baumaterialien

In Offenbarung 21,18 erfahren wir, dass die Mauern aus Jaspis sind.

Das ist ein lichtdurchlässiger, halbundurchsichtiger Stein unterschiedlicher Farbigkeit. Einige meinen, zu biblischen Zeiten wäre «Jaspis» der Name für einen durchsichtigen, diamantähnlichen Halbedelstein gewesen. Auf jeden Fall lässt der Jaspis die vom Zentrum der Stadt ausstrahlende Herrlichkeit Gottes durchscheinen. Die Stadt selbst ist «aus reinem Gold, wie reines Glas» (Offb 21,18). Natürlich ist das Gold, das wir kennen, nicht transparent. Der Ausdruck könnte sich auf poliertes, glänzendes Gold beziehen, das so reflektiert wie ein klarer Spiegel. Wahrscheinlicher ist jedoch, dass hier eine so reine Art des kostbaren Metalls beschrieben wird, die lichtdurchlässig ist. Sowohl Hesekiel als auch Johannes beschrieben einen Grossteil des Himmels als so transparent wie kostbare Edelsteine. Die Strahlkraft der Herrlichkeit Gottes reflektiert die Schönheit seiner Gegenwart durch jede Facette eines Diamanten. Genau das konnte Johannes sehen. Sie muss mit übernatürlicher Brillanz und himmlischem Glanz gestrahlt haben, aber mit einer goldenen Note – so erkannte er es als reines Gold.

In den Versen 19–20 heisst es: «Und die Grundsteine der Stadtmauer waren mit allerlei Edelsteinen geschmückt; der erste Grundstein ein Jaspis, der zweite ein Saphir, der dritte ein Chalcedon, der vierte ein Smaragd, der fünfte ein Sardonyx, der sechste ein Sardis, der siebte ein Chrysolith, der achte ein Beryll, der neunte ein Topas, der zehnte ein Chrysopras, der elfte ein Hyazinth, der zwölfte ein Amethyst.» Das sind alles farbige Edelsteine – unterschiedliche Grüntöne, himmelblau, rot, gold, violett und andere strahlende Schattierungen. Zusammen mit dem glasähnlichen Gold und den durchsichtigen Mauern entsteht hier ein Bild von unglaublicher und unbeschreiblicher Schönheit. Gott hat eine Liebe zu schönen Dingen in uns hineingelegt – und die unübertreffliche Schönheit des Himmels wird diese Liebe für immer befriedigen.

Dann fügt Johannes hinzu: «Und die zwölf Tore waren zwölf Perlen, jedes der Tore aus einer Perle; und die Strassen der Stadt waren aus reinem Gold, wie durchsichtiges Glas» (V. 21). Es ist schwer vorstellbar, dass so grosse Tore aus nur einer einzigen Perle bestehen. Aber so beschreibt Johannes sie. Diese Perlen werden nicht aus einer Art Riesenmuschel stammen, sondern vollkommene Perlen sein, geschaffen von Gottes eigener Hand.

Was im Himmel fehlt

Man ist versucht zu sagen, dass im Himmel nichts fehlen wird, aber das ist glücklicherweise nicht der Fall. Der Apostel Johannes führt eine Reihe von Dingen auf, die es im Himmel absolut nicht geben wird. Einige davon mögen Sie überraschen:

Kein Tempel

In Kapitel 5 haben wir bereits festgehalten, dass es im Himmel keinen physischen Tempel geben wird. Johannes schreibt: «Und einen Tempel sah ich nicht in ihr; denn der Herr, Gott der Allmächtige, ist ihr Tempel, und das Lamm» (V. 22). In gewisser Weise gibt es keinen Tempel im Himmel. In anderer Hinsicht *ist* aber Gott selbst der Tempel.

In welcher Hinsicht ist Gott der «Tempel» des Himmels? In einen Tempel geht man, um anzubeten. Johannes deutet an, dass wir im Himmel in der Gegenwart Gottes anbeten werden. Er ist der Anbetungsort und das Heiligtum für die Anbeter im Himmel. Er «wird sein Zelt aufschlagen über ihnen» (Offb 7,15). Sie dienen ihm Tag und Nacht. Die Anbetung hört nie auf.

Leider neigen einige Leute zu der Ansicht, dass Anbetung etwas Steifes und Formales ist, vielleicht fühlen sie sich dabei sogar ein bisschen unwohl. Verwendet man das Wort *Anbetung* gegenüber einem Jungen in der Sonntagsschule aus meiner Generation, wird er wahrscheinlich an etwas denken, das ihn beengt und ihm irgendwie unangenehm ist – eine angestaubte Zeremonie, bei der er stillsitzen und ruhig sein muss. Andere Leute denken (heutzutage mehr und mehr) bei Anbetung an eine völlig *un*gezwungene

Selbstdarstellung mit stürmischem musikalischem Höhepunkt und vielen leidenschaftlichen Gesten. Keine der beiden Vorstellungen kommt der wahren biblischen Art von Anbetung nahe.

Vor einigen Jahren habe ich in einer buchfüllenden Studie geforscht über die biblische Art von Anbetung und festgestellt, dass der wahre Kern der Anbetung weder in der Liturgie noch in zügelloser Leidenschaft zu finden ist. Ebenso wenig ist Anbetung eine Tätigkeit, die auf einen wöchentlichen Termin oder auf einen musikalischen Beitrag in unserem Gottesdienst begrenzt werden kann. Echte Anbetung (laut Bibel) umfasst das ganze Leben. Deshalb konnte Paulus den Korinthern schreiben: «Ob ihr nun esst oder trinkt oder sonst etwas tut – tut alles zur Ehre Gottes!» (1Kor 10,31). «Und was immer ihr tut in Wort oder Werk, das tut alles im Namen des Herrn Jesus und dankt Gott, dem Vater, durch ihn» (Kol 3,17). Im Leben ist nichts *nötig* oder *rechtmässig*, das nicht zur Verherrlichung Gottes getan werden kann. Und da Anbetung bedeutet, Gott zu verherrlichen, wird nichts von uns verlangt, das wir nicht als einen Akt der Anbetung tun können. Wären wir vollkommene Geschöpfe, sündlos in jeder Hinsicht, wäre unser Leben eine einzige ununterbrochene Anbetung.

Genau das wird Himmel sein! Um noch einmal die bekannten Worte aus der ersten Frage des Kleinen Westminster-Katechismus zu bemühen: Wir werden *Gott für immer verherrlichen und uns an ihm erfreuen.* Weit entfernt von angestaubt und unangenehm wird uns die Anbetung im Himmel reines Vergnügen bereiten. Sie wird ungehinderte und unverfälschte Freude an Gott sein, nie belastet von irgendwelchen Schuld- oder Unsicherheitsgefühlen oder von Müdigkeit. Kein irdisches Vergnügen lässt sich mit der vollkommenen Freude vergleichen, die uns die Anbetung im Himmel bereiten wird. Alle Freuden, die wir mit irdischer Liebe, irdischer Schönheit und anderen irdischen Segnungen verbinden, sind nichts im Vergleich mit der reinen Glückseligkeit himmlischer Anbetung vor dem Angesicht dessen, von dem alle wahren Segnungen ausfliessen.

Nur wer ihn kennt, kann ansatzweise die unverfälschte Freude begreifen, die das sein wird.

Und das Vorrecht einer solch vollkommenen Anbetung gehört zum Erbe der Gläubigen. Der Psalmist schrieb: «Wen habe ich im Himmel ausser dir? Und neben dir begehre ich nichts auf Erden! Wenn mir auch Leib und Seele vergehen, so bleibt doch Gott ewiglich meines Herzens Fels und mein Teil» (Ps 73,25–26).

Ist das nicht die Erfüllung unserer tiefsten Wünsche? Wie der Psalmist schrieb: «Eines erbitte ich von dem HERRN, nach diesem will ich trachten: dass ich bleiben darf im Haus des HERRN mein ganzes Leben lang, um die Lieblichkeit des HERRN zu schauen und ihn zu suchen in seinem Tempel» (Ps 27,4). Genau das wird im Himmel unser Erbe sein, und wir werden für immer im Haus des Herrn bleiben (Ps 23,6) – ein herrlicherer Tempel als wir ihn uns je vorstellen könnten.

Keine Lichtquelle

Ein Tempelgebäude ist nicht alles, was wir im Himmel vermissen werden. Wie wir in diesem Kapitel bereits festgestellt haben, werden kosmische Lichtquellen nicht erforderlich sein. Offenbarung 21,23 sagt: «Und die Stadt bedarf nicht der Sonne, noch des Mondes, dass sie in ihr scheinen; denn die Herrlichkeit Gottes erleuchtet sie, und ihre Leuchte ist das Lamm.»

Die Herrlichkeit des Himmels erstrahlt heller als jedes Licht, das wir zurzeit kennen oder uns vorstellen können. Jesaja schrieb: «Da wird der Mond erröten und die Sonne schamrot werden; denn der HERR der Heerscharen herrscht dann als König auf dem Berg Zion und in Jerusalem, und vor seinen Ältesten ist Herrlichkeit» (24,23). Neben der Herrlichkeit Gottes erscheinen das Licht der Sonne und des Mondes wie armselig flackernde Kerzen. Offenbarung 21,24 fügt hinzu: «Und die Heidenvölker, die gerettet werden, werden in ihrem Licht wandeln, und die Könige der Erde werden ihre Herrlichkeit und Ehre in sie bringen.» Johannes sagt, dass sogar die Könige der

Erde ihre Herrlichkeit abtreten werden angesichts der Herrlichkeit des Himmels. Alle Nationen werden im Licht der Gegenwart Gottes leben, und alle Menschen, ungeachtet ihrer Stellung, werden sich niederbeugen vor seiner Herrlichkeit.

Ich habe einmal einen Brief von einem Atheisten bekommen, der meinte, wenn wir die Schrift für bare Münze nehmen würden, wäre der Himmel heisser als die Hölle. «Die Temperatur in der Hölle muss bei oder unter dem Siedepunkt von Schwefel liegen – ungefähr 177 Grad Celsius», schrieb er. «Und Jesaja 30,26 sagt, dass ‹das Licht der Sonne aber siebenmal stärker sein wird, wie das Licht von sieben Tagen, an dem Tag, da der HERR den Bruch seines Volkes verbinden und die ihm geschlagene Wunde heilen wird.› Jeder kompetente Physiker wird Ihnen sagen, dass eine Lichtquelle, die sieben Mal so hell ist wie die Sonne, die Erdoberfläche mehr als 177 Grad Celsius heiss werden liesse. Wenn die Bibel tatsächlich stimmt, wird der Himmel viel heisser sein als die Hölle.»

Aber dieses Argument nimmt die Schrift nicht wirklich für bare Münze. Zum einen beschreibt Jesaja 30,26 Gottes Gericht über die Erde, nicht den himmlischen Zustand. Zum anderen ist die Kernaussage von Offenbarung 21,23, dass es im Himmel keine «Lichtquelle» gibt. Das Licht dort ist kein ausstrahlendes Licht, das nach der Celsius-Temperaturskala gemessen werden könnte. Das einzige Licht ist die Herrlichkeit Gottes. Sie durchdringt den ganzen Himmel; sie scheint nicht von irgendeiner «Quelle» aus. Es ist ein Licht *anders* als jedes andere, auf der Erde bekannte Licht. Es ist das Licht dessen, der «Licht ist und in ihm ist gar keine Finsternis» (1Jo 1,5). Es besteht kein Grund zu der Annahme, dass der Lichtschein der Herrlichkeit Gottes Hitze abgibt.

Noch einmal, bei einer solchen Beschreibung stösst die menschliche Sprache an ihre Grenze; sie versucht etwas zu vermitteln, das wir uns unmöglich vorstellen können. Klar wird aber, dass die Herrlichkeit des Himmels unvorstellbar strahlend sein wird.

Vor Jahren schrieb der lutherische Gelehrte J. A. Seiss diese wunderschönen Worte über das Licht des himmlischen Jerusalem:

> Dieses Strahlen entsteht nicht durch das Verbrennen von Materie – nicht durch die Verbrennung von Treibstoff, der ersetzt werden muss, wenn der Vorrat verbraucht ist –, denn es ist das nicht erschaffene Licht dessen, der Licht ist. Das Lamm, die ewige Leuchte, teilt es aus an das Zuhause, die Herzen und den Verstand seiner verherrlichten Heiligen. Als Paulus und Silas verwundet und gefesselt im Gefängniskerker von Philippi lagen, hatten sie noch das heilige Licht, das es ihnen erlaubte, die Wächter mit fröhlichen Liedern zu erfreuen. Auf dem Weg nach Damaskus umleuchtete Paulus ein Licht, das heller war als die Mittagssonne. Es erhellte sein ganzes Wesen mit neuen Einsichten und Verständnis und schenkte seiner Seele und seinem Körper auch danach Licht im Herrn. Nachdem Mose mit Gott auf dem Berg gesprochen hatte, stieg er mit einem so leuchtenden Gesicht hinab, dass es seine Brüder nicht aushielten, ihn anzusehen. Seine Gemeinschaft mit dem Licht war so eng gewesen, dass er vom Licht geprägt wurde, und er kam als eine Leuchte Gottes ins Lager zurück und reflektierte die Herrlichkeit Gottes.
>
> Auf dem Berg der Verklärung strahlten Körper und Gewand Jesu dasselbe Licht aus. Und in Anspielung auf die Zeit, wenn diese Stadt sichtbar wird, sagt Jesaja: «Da wird der Mond erröten und die Sonne schamrot werden.» Erröten wegen der strahlenden Herrlichkeit im neuen Jerusalem, das kein anderes Licht mehr nötig hat, weil die Herrlichkeit Gottes sie erleuchtet und das Lamm ihr Licht sein wird.[7]

Kein Sicherheitssystem

Der Apostel Johannes schreibt weiter: «Und ihre Tore sollen niemals geschlossen werden den ganzen Tag; denn dort wird keine

Nacht sein» (V. 25). In der Antike wurden die Stadttore zur Nacht geschlossen, um die Menschen vor Räubern, Banditen und eindringenden Armeen zu beschützen. Tore, die immer offen sind, zeugen von vollkommener Sicherheit und Schutz. Die Sicherheit des Himmels wird von nichts bedroht, daher müssen seine Tore auch nicht geschlossen werden.

Vers 26 wiederholt den Gedankengang aus Vers 24 – dass die Könige ihre Herrlichkeit zum Thron Gottes bringen werden: «Und man wird die Herrlichkeit und die Ehre der Völker in sie bringen.» Mit anderen Worten, Gottes Herrlichkeit und Autorität werden keine Gegner haben. Der kosmische Konflikt der Zeitalter wird schliesslich für immer beendet sein, und Gott und sein Volk werden in absoluter Sicherheit wohnen.

Johannes sagt: «Und es wird niemals jemand in sie hineingehen, der verunreinigt, noch jemand, der Gräuel und Lüge verübt, sondern nur die, welche geschrieben stehen im Buch des Lebens des Lammes» (V. 27; vgl. 22,15). Nur die Auserwählten Gottes – die Menschen, die ihr Vertrauen auf Christus gesetzt haben – werden in diese grosse Stadt hineingehen. Satan und seine bösen Handlanger werden dann bereits für immer vom Schauplatz verbannt sein.

Keine Bedürfnisse

In Offenbarung 22,1–2 zeigt der Engel Johannes «einen reinen Strom vom Wasser des Lebens, glänzend wie Kristall, der ausging vom Thron Gottes und des Lammes. In der Mitte zwischen ihrer Strasse und dem Strom, von dieser und von jener Seite aus, war der Baum des Lebens, der zwölfmal Früchte trägt und jeden Monat seine Frucht gibt, jeweils eine; und die Blätter des Baumes dienen zur Heilung der Völker.» Dieser kristallklare, himmlische Fluss fliesst aus dem Thron heraus und mitten durch das neue Jerusalem. Stellen Sie sich vor, was ein Fluss für jemanden bedeutete, der an einem kargen Ort lebte wie der Wüste Sinai. Es war ein willkommener Ort der Annehmlichkeit und Ruhe, der Erfrischung und

Stärkung. Ein Fluss bedeutete kühles Wasser für eine Kehle, die die Wüstenhitze ausgedörrt hatte. Und stellen Sie sich vor, wie sich eine in der Wüste lebende Person über einen Baum mit Früchten freute! Das neue Jerusalem wird der Inbegriff von allem sein, was von Wert ist – eine Stadt, ein Fluss und Bäume.

Psalm 46,5–6 spricht von demselben Fluss: «Ein Strom mit seinen Bächen erfreut die Stadt Gottes, das Heiligtum der Wohnungen des Höchsten. Gott ist in ihrer Mitte, sie wird nicht wanken.»

Auch in Eden gab es einen wunderbaren Fluss, der den Garten bewässerte (1Mo 2,10). In Eden stand der «Baum des Lebens mitten im Garten» (1Mo 2,9). Der Himmel scheint die Vervollkommnung von all dem zu sein, was im Garten Eden vorgegeben war.

Mit dem «Baum des Lebens» könnten ein, zwei oder drei Bäume gemeint sein. Der griechische Ausdruck besitzt keinen bestimmten Artikel, weshalb man auch übersetzen könnte: «In der Mitte zwischen ihrer Strasse und dem Strom, von dieser und von jener Seite aus, war ein Baum des Lebens.» Das würde drei Bäume bedeuten, einen auf der Strasse und jeweils einen auf jeder Seite des Flusses. Eine (noch wahrscheinlichere) Alternative wäre: «In der Mitte zwischen ihrer Strasse» könnte die Position des Flusses angeben, «und dem Strom, von dieser und von jener Seite aus, war ein Baum des Lebens» (Offb 22,2).

Auf jeden Fall ist die Frucht des Baumes des Lebens unbeschreiblich schön. Er trägt zwölf Fruchtsorten, eine jeden Monat – wie ein «Frucht des Monats»-Baum. Das Vorrecht, von diesem Baum zu essen, steht allen Überwindern zu (Offb 2,7).

Im Himmel werden wir zum Genuss essen, nicht um uns zu stärken. Nichtsdestotrotz hat der Baum eine wohltuende, positive Wirkung auf alle, die von ihm essen. Sogar seine Blätter «dienen zur Heilung der Völker» (V. 2). Das mit «Heilung» übersetzte griechische Wort ist *therapeia*, von dem sich unser deutsches Fremdwort *therapeutisch* herleitet. Johannes sagt, dass die Blätter des Baumes des Lebens das Leben im Himmel irgendwie bereichern – wenn auch nur durch die pure Freude am Essen. Auch das Wasser des Lebens ist zum reinen Vergnügen am Trinken da. Nahrung ist im Himmel nicht *nötig*, aber dennoch werden wir unglaubliche Gaumenfreuden geniessen dürfen. Das betont den Plan Gottes für uns, dass wir uns ewig an ihm *erfreuen* werden. Vieles im Himmel ist zur reinen Freude gedacht – sowohl zur Freude Gottes als auch seines Volkes.

Kein Fluch

Wenn ein Aspekt des Himmels mein Herz mit besonderer Vorfreude erfüllt, dann ist es dieser:

> Und es wird keinen Fluch mehr geben; und der Thron Gottes und des Lammes wird in ihr sein, und seine Knechte werden ihm dienen; und sie werden sein Angesicht sehen, und sein Name wird auf ihren Stirnen sein. Und es wird dort keine Nacht mehr geben, und sie bedürfen nicht eines Leuchters, noch des Lichtes der Sonne, denn Gott, der Herr, erleuchtet sie; und sie werden herrschen von Ewigkeit zu Ewigkeit. (Offb 22,3–5)

Der Fluch mit all seinen schmerzlichen und verabscheuenswerten Folgen wird für immer aufgehoben sein. Schmerzen, mühevolle Arbeit, Schweiss, Dornen, Krankheiten, Leid und Sünde werden keinen Platz im Himmel haben.

Wie der Apostel Paulus schrieb: «Was kein Auge gesehen und kein Ohr gehört und keinem Menschen ins Herz gekommen ist, was Gott denen bereitet hat, die ihn lieben» (1Kor 2,9). Die Freuden des Himmels übersteigen unsere kühnsten Vorstellungen. Aber Gläubige können schon hier einen Vorgeschmack bekommen: «Uns aber hat es Gott geoffenbart durch seinen Geist» (V. 10). Wir «haben die himmlische Gabe geschmeckt» (Hebr 6,4). Und da wir einen Vorgeschmack auf den Himmel erhalten haben, sollten wir unser Herz fest auf ihn ausrichten.

Leider meinen viele Christen, eine enge Gemeinschaft mit Gott und die Freude am Himmel wären erst möglich, wenn wir dort sind. Wahr ist jedoch, dass für Christen das ewige Leben ein gegenwärtiger Besitz ist und nicht bloss eine zukünftige Hoffnung. Wir sollen so leben, als wäre unser Herz bereits im Himmel. Wir können jetzt schon mit Gott sprechen und Gemeinschaft haben – nicht von Angesicht zu Angesicht, aber durch das Gebet und das Studium seines Wortes.

Der Unterschied im Himmel ist, dass wir dann bei ihm sein und ihn sehen werden (1Kor 13,12). In 1. Thessalonicher 4,17 lesen wir, dass wir von der Zeit, nachdem wir entrückt worden sind «allezeit bei dem Herrn sein werden». «Er selbst hat gesagt: ‹Ich will dich nicht aufgeben und dich niemals verlassen!›» (Hebr 13,5).

Wenn der Apostel Johannes also sagt, dass wir im Himmel sein Angesicht sehen werden (Offb 22,4), bedeutet das, dass unsere Vertrautheit und Gemeinschaft mit dem Herrn zur Vollendung gebracht wird. Wenn wir seinen Namen auf unserer Stirn tragen, spricht das davon, dass wir ihm gehören und wir für immer ihm dienen werden.

Das sind die vollkommenen Segnungen des ewigen Zustands: Wir werden für immer in der Gegenwart des ewigen und heiligen Gottes sein. Wir werden eine vertraute, ununterbrochene Gemeinschaft mit Christus haben. Wir werden Miterben Christi sein. Wir werden mit Christus herrschen und regieren. Uns werden die vollen Reichtümer des Himmels gehören, an denen wir uns erfreuen können, wie es uns gefällt.

Alle diese Aussagen wären gotteslästerlich, hätte nicht Gott selbst uns diese Dinge verheissen.

---

1. Joseph Dillow, *The Reign of the Servant Kings* (Miami Springs, FL: Schoettle, 1992), S. 347.
2. Ebd., S. 481.
3. S. John MacArthur, *Faith Works* (Dallas: Word, 1992), S. 175–192.
4. Dillow, *Reign of the Servant Kings*, S. 348.

5. Ebd., S. 48–49.
6. In Matthäus 8,12 heisst es: «Aber *die Kinder des Reiches* werden in die äusserste Finsternis hinausgeworfen werden; dort wird Heulen und Zähneknirschen sein.» «Die Kinder des Reiches» bezieht sich nicht auf Christen, sondern auf ungläubige Israeliten. Ihre Beziehung zum «Reich» ist nur die physische Abstammungslinie – ein irdisches Band, das nicht ausreicht, um sie geistlich passend für den Himmel zu machen. Daher warnt Jesus sie liebevoll, dass sie zusammen mit dem Rest der ungläubigen Welt gerichtet werden, wenn sie nicht Busse tun.
7. J. A. Seiss, *The Apocalypse: Lectures on the Book of Revelation* (1865; Nachdruck, Grand Rapids, MI: Zondervan, 1970), S. 499.

KAPITEL 7

Was *wir* im Himmel sein werden

Vollkommenheit.

Die meisten von uns verstehen die Idee, aber haben Schwierigkeiten, sich etwas wirklich Vollkommenes vorzustellen. Alles, was wir auf der Erde kennen, ist mit Fehlern behaftet und unvollkommen.

Und wer den Herrn kennt und liebt, ist sich seiner eigenen Unzulänglichkeiten meistens schmerzlich bewusst. Ich spreche nicht von unseren körperlichen Schwächen – obschon wir diese nur allzu deutlich spüren. Die Mängel, die uns die meisten Schwierigkeiten bereiten, sind weniger offensichtlich. Das eigentliche Problem ist eine Sündhaftigkeit, die direkt aus dem Herzen kommt (Mk ,21–23).

Natürlich neigen wir dazu, mit unseren eigenen Fehlern toleranter umzugehen als mit denen der anderen. Wir versuchen, sie vor uns selbst zu verbergen, aber in unserem Herzen wissen wir nur allzu gut, dass wir auf erschreckende und sündige Weise unvollkommen sind. Welcher Christ könnte nicht mit Paulus sagen: «Ich elender Mensch! Wer wird mich erlösen von diesem Todesleib?» (Röm 7,24).

Damit sind wir nicht alleine. Das ganze Universum leidet unter den Folgen der menschlichen Sünde. Paulus schreibt auch: «Denn wir wissen, dass die ganze Schöpfung mitseufzt und mit in Wehen liegt bis jetzt» (Röm 8,22). Aus diesem Grund ist *alles*, was wir auf der Erde erfahren können, Unvollkommenheit. Die ganze Schöpfung leidet unter den grausamen Konsequenzen des Sündenfluchs und wartet auf die Vervollständigung aller Dinge, wenn der Fluch schließlich weggenommen wird.

Dann wird alles vollkommen sein. Schmerzen, Kummer und das Seufzen der Schöpfung wird es schliesslich nicht mehr geben. «Und die Erlösten des HERRN werden zurückkehren und nach Zion kommen mit Jauchzen. Ewige Freude wird über ihrem Haupt sein; Wonne und Freude werden sie erlangen, aber Kummer und Seufzen werden entfliehen!» (Jes 35,10).

Nicht nur das, auch *wir* werden auf herrliche Weise vollkommen gemacht sein. Der ganze Mensch – Körper und Seele – wird vollständig neu und makellos sein. Wie der Apostel Johannes schrieb: «Geliebte, wir sind jetzt Kinder Gottes, und noch ist nicht offenbar geworden, was wir sein werden; wir wissen aber, dass wir ihm gleichgestaltet sein werden, wenn er offenbar werden wird; denn wir werden ihn sehen, wie er ist» (1Jo 3,2).

Heute können wir uns das noch nicht vorstellen – «noch ist nicht offenbar geworden, was wir sein werden» –, aber dann werden wir ganz und gar wie Christus sein. Zu diesem Ziel hat Gott uns in der zurückliegenden Ewigkeit auserwählt, «dem Ebenbild seines Sohnes gleichgestaltet zu werden, damit er der Erstgeborene sei unter vielen Brüdern» (Röm 8,29). «Wie er uns in ihm auserwählt hat vor Grundlegung der Welt, damit wir heilig und tadellos vor ihm seien in Liebe» (Eph 1,4). Er hat sein gutes Werk in uns schon begonnen, und er wird es treu «vollenden bis auf den Tag Jesu Christi» (Phil 1,6). Und wenn wir Christus sehen, werden wir augenblicklich und umfänglich ganz und gar vollkommen gemacht, weil wir ihn sehen, wie er ist.

Der Himmel ist ein vollkommener Ort für Menschen, die vollkommen gemacht sind. Vollkommenheit ist das Ziel des heiligenden Werkes Gottes in uns. Er begnügt sich nicht mit ein paar Verbesserungen unseres Wesens; er verwandelt uns in das Bild seines Sohnes. Er macht uns passend, für immer in seiner Gegenwart zu leben. Die absolute Vollkommenheit des Himmels ist die Vollendung unserer Errettung. Das ist die Zweckbestimmung, zu der er uns vor Grundlegung der Welt erwählt hat.

Von innen nach aussen verändert

Gott beginnt den Prozess, uns vollkommen zu machen, in dem Augenblick, in dem wir uns vom Unglauben zum Glauben an Christus bekehren. Der Heilige Geist erneuert uns. Er gibt uns ein neues Herz mit neuen und heiligen Wünschen (Hes 36,26). Er verwandelt unseren widerspenstigen Willen. Er öffnet unser Herz, damit wir die Wahrheit annehmen, statt sie abzulehnen. Er schenkt uns die Fähigkeit zu glauben, statt zu zweifeln. Er gibt uns Hunger nach Gerechtigkeit und das Verlangen nach ihm. Auf diese Weise verändert die Wiedergeburt den inneren Mensch. Ab diesem Punkt benutzt Gott alles in unserem Leben – Gutes wie Schlechtes –, um uns Christus ähnlicher zu machen (Röm 8,28–30).

In Bezug auf unsere moralische und rechtliche Stellung werden Gläubige augenblicklich als vollkommen angesehen – nicht auf der Grundlage, wer wir sind oder was wir getan haben, sondern aufgrund dessen, was Christus für uns getan hat. In dem Moment, in dem wir zum Glauben kommen, werden wir vollständig gerechtfertigt. Alle unsere Sünden werden uns vergeben. Wir werden mit vollkommener Gerechtigkeit bekleidet (Jes 61,10; Röm 4,5). Das verleiht uns sofort eine Stellung vor Gott, aufgrund derer wir keine Angst haben müssen, von ihm verdammt zu werden (Röm 5,1; 8,1). Von genau dieser privilegierten Stellung spricht die Bibel, wenn sie sagt, dass Gott «uns gesegnet hat mit jedem geistlichen Segen in den himmlischen Regionen in Christus» (Eph 1,3). Und wenn Paulus schreibt, dass Gott «uns mitauferweckt und mitversetzt hat in die himmlischen Regionen in Christus Jesus» (Eph 2,6), meint er eben diese Gunst vor Gott, die wir allein aus Gnade erhalten haben. Natürlich sitzen wir nicht buchstäblich und physisch mit Christus im Himmel. Wir sind nicht auf mystische Weise dort präsent durch eine Art geistliche Telepathie. Aber Gott hat uns vor seinem ewigen Gerichtshof das volle Recht auf den Himmel gewährt. Diese hohe rechtliche Stellung geniessen wir schon jetzt.

Aber Gott hört hier noch nicht auf. Nachdem er uns rechtmässig für gerecht erklärt hat (die Schrift nennt das *Rechtfertigung*), hört Gott nicht auf, uns in das Bild seines Sohnes zu verwandeln (das ist *Heiligung*). Obwohl unsere rechtliche Stellung bereits vollkommen ist, macht Gott auch *uns* vollkommen. Der Himmel ist ein Ort vollkommener Heiligkeit, und wir könnten dort nicht leben, wenn nicht auch wir heilig gemacht würden. In gewisser Weise ist der Segen der Rechtfertigung Gottes Garantie, dass er uns letzten Endes in das Bild seines Sohnes umgestalten wird. «Die er aber gerechtfertigt hat, die hat er auch verherrlicht» (Röm 8,30).

Das Samenkorn der Christusähnlichkeit wird direkt bei unserer Bekehrung gesät. Kolosser 2,9–10 sagt, in Christus «wohnt die ganze Fülle der Gottheit leibhaftig; und ihr seid zur Fülle gebracht in ihm» – erfüllt mit der ganzen Fülle Gottes. Petrus fügt hinzu, dass Gott Gläubigen «alles geschenkt hat, was zum Leben und zum Wandel in Gottesfurcht dient» (2Petr 1,3). Wenn Sie ein Christ sind, wohnt das Leben Gottes in Ihrer Seele, und mit ihm alles, was Sie für den Himmel brauchen. Das Prinzip des ewigen Lebens befindet sich schon in Ihnen, was bedeutet, dass das Anrecht auf den Himmel Ihr gegenwärtiger Besitz *ist*. Sie sind bereits vom Tod ins Leben übergegangen (Joh 5,24). Sie sind ein neuer Mensch (2Kor 5,17). Während Sie früher an die Sünde versklavt waren, sind Sie jetzt ein Sklave der Gerechtigkeit (Röm 6,18; vgl. Elberfelder 2003). Statt den Lohn der Sünde (den Tod) zu empfangen, haben Sie Gottes Gabe des ewigen Lebens erhalten (Röm 6,23). Und ewiges Leben meint Leben *im Überfluss* (Joh 10,10). Es ist wie ein artesischer Brunnen voll geistlicher Kraft in uns, die ausreicht und uns befähigt zu dem Leben, zu dem wir berufen sind (Joh 7,38). Das meinte Paulus, als er schrieb: «Ist jemand in Christus, so ist er eine neue Schöpfung; das Alte ist vergangen; siehe, es ist alles neu geworden!» (2Kor 5,17).

Aber lassen Sie uns ehrlich sein. Selbst bei den engagiertesten Christen hat man nicht durchgehend den Eindruck, als wäre «alles neu geworden». Wir *fühlen* uns nicht immer wie eine «neue Schöpfung». Normalerweise sind wir uns durchdringender der Sünde bewusst, die aus unserem Innern hervorsickert, als den Strömen lebendigen Wassers, von denen Christus sprach. Obwohl «wir die Erstlingsgabe des Geistes haben, erwarten auch wir seufzend die Sohnesstellung, die Erlösung unseres Leibes» (Röm 8,23). Und wir seufzen unser ganzes Leben lang. Vergessen Sie nicht, dass es ein gereifter Apostel war, kein unsicherer Neubekehrter, der in Römer 7,24 ausrief: «Ich elender Mensch! Wer wird mich erlösen von diesem Todesleib?»

Das Problem ist: Wie Lazarus kamen wir aus dem Grab, noch umwickelt mit Grabtüchern. Wir sind in unserem menschlichen Fleisch gefangen. Im biblischen Sinn meint «Fleisch» nicht nur unseren physischen Körper, sondern auch die sündigen Gedanken und Gewohnheiten, die in uns sind, bis unser Körper schliesslich verherrlicht ist. Wenn Paulus von «Fleisch» und «Geist» spricht, ist das keine Gegenüberstellung von materiellem Körper und immateriellem Geist, also ein Dualismus wie in den Lehren von Gnostikern oder New-Age-Anhängern. Mit dem Wort *Fleisch* bezeichnet er eine Neigung zur Sünde – ein Sündenprinzip –, das auch in erlösten Menschen bestehen bleibt.

In Römer 7 macht Paulus das Problem aus eigener Erfahrung deutlich. Er schreibt:

> Denn was ich vollbringe, billige ich nicht; denn ich tue nicht, was ich will, sondern was ich hasse, das übe ich aus. Wenn ich aber das tue, was ich nicht will, so stimme ich dem Gesetz zu, dass es gut ist. Jetzt aber vollbringe nicht mehr ich dasselbe, sondern die Sünde, die in mir wohnt. Denn ich weiss, dass in mir, das heisst in meinem Fleisch, nichts Gutes wohnt; das Wollen ist zwar bei mir vorhanden,

> aber das Vollbringen des Guten gelingt mir nicht. Denn ich tue nicht das Gute, das ich will, sondern das Böse, das ich nicht will, das verübe ich. Wenn ich aber das tue, was ich nicht will, so vollbringe nicht mehr ich es, sondern die Sünde, die in mir wohnt.
>
> Ich finde also das Gesetz vor, wonach mir, der ich das Gute tun will, das Böse anhängt. (V. 15–21)

Wenn es Ihnen schwerfällt zu verstehen, wie der Apostel Paulus den Begriff *Fleisch* gebraucht, können sie den letzten Satz als seine Definition ansehen: *Das Fleisch* ist «das Gesetz, wonach mir, der ich das Gute tun will, das Böse anhängt» (V. 21). Paulus sagt weiter, dass dieses Gesetz in ihm verwurzelt ist – «in meinen Gliedern» (V. 23) und gegen seinen Wunsch «streitet», der Gerechtigkeit des Gesetzes gehorsam zu sein, und «mich gefangen nimmt unter das Gesetz der Sünde, das in meinen Gliedern ist.» Das in uns wohnende Prinzip der Sünde schliesst alle bösen Gewohnheiten und Denkmuster ein, die wir uns vor unserer Wiedergeburt angeeignet haben. Diese fleischlichen Einflüsse müssen noch beseitigt werden, und sie werden uns unser ganzes Leben lang ernsthaft zu schaffen machen. Christen verbringen ihr Leben damit, die Taten des Fleisches zu töten (Röm 8,13), aber das Sündenprinzip wird erst mit unserer Verherrlichung vollständig ausgelöscht sein.

Als Gläubige *sind* wir neue Geschöpfe – wiedergeborene Seelen –, ausgestattet mit allem, was zum Leben und zur Gottesfurcht nötig ist, aber wegen der hartnäckig anhaltenden Gegenwart der Sünde in uns können wir unsere neue Stellung in Christus nicht im vollen Umfang geniessen.

Wie Paulus haben wir «Lust an dem Gesetz Gottes nach dem inneren Menschen» (Röm 7,22). Nur das Prinzip des ewigen Lebens in uns kann eine solche Liebe zum Gesetz Gottes erklären. Doch gleichzeitig schränkt und schnürt uns das Fleisch ein wie fest gebundene Grabtücher eine Person, die gerade aus dem Grab kommt. Dieses fleischliche Prinzip ist im Krieg gegen das Prinzip des neuen Lebens in Christus. So fühlen wir uns als Gefangene unter dem Gesetz der Sünde in unseren Gliedern (V. 23).

Wie ist das möglich? Schliesslich schrieb Paulus vorher im selben Brief, dass unsere Fesselung an die Sünde gebrochen ist. Wir sind «von der Sünde frei»gemacht (6,22). Wie kann es sein, dass er nur ein knappes Kapitel später sagt: «Ich sehe aber ein anderes Gesetz ... das ... mich gefangen nimmt unter das Gesetz der Sünde, das in meinen Gliedern ist» (7,23)?

Ein Gefangener zu sein, ist jedoch nicht dasselbe, wie versklavt zu sein. Als nicht erlöste Sünder waren wir Vollzeit-Sklaven der Sünde – willige Knechte. Als noch nicht verherrlichte Christen sind wir unfreiwillige «Gefangene» eines bereits besiegten Feindes. Auch wenn uns die Sünde Probleme bereiten kann, besitzt sie uns nicht mehr und kann uns letzten Endes nicht zerstören. Die Autorität und Herrschaft der Sünde ist gebrochen. Sie «hängt» dem Leben des Gläubigen zwar an (7,21), ist aber nicht länger unser Meister. Nun sind wir dem Prinzip der Gerechtigkeit verpflichtet (V. 22). In diesem Sinne «ist alles neu geworden» (2Kor 5,17). Auch wenn wir noch in alte sündige Denk- und Verhaltensmuster zurückfallen, bestimmen diese Dinge nicht mehr, wer wir sind. Sünde ist nun etwas Anomales, ein Eindringling, nicht Inbegriff und Wesen unseres Charakters.

Gott verändert uns von innen nach aussen. Er hat den unverweslichen Samen des ewigen Lebens tief in die Seele des Gläubigen hineingelegt. Wir haben ein neues Verlangen und eine neue Kraft, Gott zu gefallen. Wir besitzen ein neues Herz und eine völlig neue Liebe zu Gott. Und all diese Faktoren tragen zu unserem Wachstum in der Gnade bei.

Paulus macht eine faszinierende Aussage darüber, wie Gläubige von innen nach aussen verändert werden. In 2. Korinther 3 vergleicht er die Auswirkungen unserer Errettung mit dem, was mit Mose passierte, als er am Berg Sinai Gottes Herrlichkeit begegnete. Als Mose nach der Gesetzgebung vom Berg herabkam, war das Leuchten auf seinem Angesicht so erschreckend, dass er eine Decke über sein Gesicht legen musste (2Mo 34,29–33). Das aber war eine relativ schwache und vergängliche Herrlichkeit (2Kor 3,7). Zudem war es nur eine *Reflektion* der Herrlichkeit Gottes.

Im Gegensatz dazu ist die «Herrlichkeit, die an uns geoffenbart werden soll» (Röm 8,18), eine ständig wachsende Herrlichkeit, die nicht reflektiert wird, sondern direkt von innen kommt. Paulus schreibt: «Wir alle aber, indem wir mit unverhülltem Angesicht die Herrlichkeit des Herrn anschauen wie in einem Spiegel, werden verwandelt in dasselbe Bild von Herrlichkeit zu Herrlichkeit, nämlich vom Geist des Herrn» (2Kor 3,18). Anders ausgedrückt, der in uns wohnende Geist Gottes bringt uns persönlich von einer Stufe der Herrlichkeit zur nächsten.

Das mit «anschauen» übersetzte griechische Wort bedeutet «ein Spiegelbild ansehen.» Das wird in der deutschen Übersetzung durch den Ausdruck deutlich: «anschauen wie in einem Spiegel». Im Unterschied zu den Israeliten brauchen wir keine Decke, um uns vor der Reflektion der Herrlichkeit Gottes zu schützen. («Nicht wie Mose, der eine Decke auf sein Angesicht legte, damit die Kinder Israels nicht auf das Ende dessen sähen, was weggetan werden sollte» – V. 13.) Wir erhalten einen ungehinderten Blick auf die ungetrübte Herrlichkeit Gottes: «Denn Gott, der dem Licht gebot, aus der Finsternis hervorzuleuchten, er hat es auch *in unseren Herzen licht werden lassen*, damit wir erleuchtet werden mit der Erkenntnis der Herrlichkeit Gottes *im Angesicht Jesu Christi*» (4,6).

Natürlich sehen wir nicht direkt in das Gesicht Christi. Die Herrlichkeit, die wir sehen, ist ein Spiegelbild von «Christus in [uns], die Hoffnung der Herrlichkeit» (Kol 1,27). Wenn wir unser Herz und unsere Wünsche auf seine Herrlichkeit ausrichten, erstrahlt das Leuchten der Christusähnlichkeit heller in uns. Eines Tages werden wir ihn wirklich sehen – nicht nur als eine schwache Reflektion. Wir werden buchstäblich in seiner Gegenwart stehen: «Denn wir sehen jetzt mittels eines Spiegels wie im Rätsel, dann aber von Angesicht zu Angesicht» (1Kor 13,12). Und wenn wir die Person Christi von Angesicht zu Angesicht sehen, werden wir augenblicklich in sein Bild verwandelt. «Wir werden ihm gleichgestaltet sein, wenn er offenbar werden wird; denn wir werden ihn sehen, wie er ist» (1Jo 3,2).

Bis es soweit ist, verändert uns seine Herrlichkeit von innen nach aussen. Deshalb verschwindet die Herrlichkeit nicht (anders als das reflektierte Strahlen auf dem Gesicht Moses); sie wächst «von Herrlichkeit zu Herrlichkeit».

Obschon die Sünde unsere Seele und unseren Geist stark beeinträchtigt hat – und unsere Gedanken, Gefühle und unser Wille von ihr gezeichnet sind –, haben wir, die wir Christus kennen, bereits einen Vorgeschmack auf die Erlösung bekommen. Wenn wir unser Herz auf den Himmel ausrichten und die verbliebene Sünde in unseren Gliedern abtöten, können wir jeden Tag die verändernde Kraft der Herrlichkeit Christi erleben. Und wir sehnen uns nach dem Tag, an dem wir vollständig erlöst sein werden. Wir sehnen uns nach dem Ort, an dem der Same der Vollkommenheit, der in uns hineingepflanzt wurde, zur vollen Blüte kommt und wir vollständig erlöst und schliesslich vollkommen sein werden (Hebr 12,23). Exakt das ist vollumfänglich Himmel.

Eine erlöste Seele

Im Himmel werden wir schliesslich alle Spuren des gefallenen menschlichen Zustands verlieren. Niemand wird jemals in den Himmel kommen oder dort wohnen, der nicht absolut vollkommen ist. Das wird in der Schrift oft durch das Bild von weissen Kleidern symbolisiert, die die Erlösten im Himmel tragen. Offenbarung 6,11 sagt über die Märtyrer aus der Drangsalszeit: «Und jedem von ihnen wurden weisse Kleider gegeben, und es wurde ihnen gesagt, dass sie noch eine kleine Zeit ruhen sollten, bis auch ihre Mitknechte und ihre Brüder vollendet wären, die auch wie sie getötet werden sollten.» Die weissen Kleider symbolisieren Heiligkeit, Reinheit und absolute Vollkommenheit. In Offenbarung 7,14 sagt einer der Ältesten: «Das sind die, welche aus der grossen Drangsal kommen; und sie haben ihre Kleider gewaschen, und sie haben ihre Kleider weiss gemacht in dem Blut des Lammes.» Die Bibel betont wiederholt die Vollkommenheit der Menschen, die in den Himmel kommen.

Die Schrift sagt, ohne Heiligung «wird niemand den Herrn sehen» (Hebr 12,14). Gott rechtfertigt uns und bekleidet uns nicht nur mit seiner uns zugeschriebenen Gerechtigkeit und lässt uns dann gebunden mit den Grabtüchern unseres Fleisches zurück. In seiner Liebe und Gnade verändert er unser Herz, unsere Seele, unseren Verstand und unser Fleisch zu einem Stand, angepasst an die hohe Stellung, zu der er uns erhoben hat.

Aber verstehen Sie mich nicht falsch. Das soll nicht heissen, dass unsere persönliche Heiligung die Grundlage ist, auf der uns der Eingang in den Himmel gewährt wird oder wir vor Gott annehmbar sind. Wäre das der Fall, würde keiner von uns jemals genug Verdienst erlangen, um einen Anspruch auf den Himmel zu haben. Wir kommen einzig und allein aufgrund der vollkommenen Gerechtigkeit Christi in den Himmel, die uns bei unserer Rechtfertigung zugeschrieben wird. Die Heiligkeit, die wir durch unsere Heiligung erlangt haben, ist auf keinen Fall unser Verdienst.

Ausserdem wäre die Heiligkeit, die unser Heiligungsprozess hervorbringt, niemals ausreichend, um uns passend für den Himmel zu machen. Im Himmel werden wir *vollkommen* christusähnlich sein. Heiligung ist der irdische Wachstumsprozess, durch den wir diesem Ziel entgegenstreben; die *Verherrlichung* schliesst diesen Prozess augenblicklich ab. Gott verherrlicht uns als Endergebnis der Wirkung seiner Gnade und gestattet uns, in seine Gegenwart zu treten. Wie wir in Kapitel 5 bemerkt haben, gibt es keine Wartezeit, keinen Seelenschlaf und kein Fegefeuer.

Zu diesem Punkt gibt es viele Missverständnisse. Kein geringerer Gelehrter als C. S. Lewis schrieb:

> Unsere Seelen *verlangen* nach dem Fegefeuer, oder? Würde es uns nicht das Herz brechen, wenn Gott zu uns sagen würde: «Es stimmt, mein Sohn, dein Atem riecht nicht gut und deine abgetragenen Kleider stehen vor Schmutz, aber wir sind hier grosszügig und niemand wird dich wegen dieser Dinge tadeln oder sich von dir zurückziehen. Geh ein in die Freude»? Sollten wir nicht erwidern: «Mit Verlaub, Sir, wenn es nichts einzuwenden gibt, würde ich zuerst gerne gereinigt werden.» «Du weisst, das kann schmerzhaft sein.» – «Dennoch, Sir.»[1]

Lewis war kein Theologe. Er neigte dazu (wie zu viele Anglikaner), die klare biblische Wahrheit mit der römisch-katholischen Tradition zu verwässern. Aber dies ist sicherlich einer seiner eklatantesten und rätselhaftesten Fehler. Gerade so, als würde er die biblische Verheissung auf Verherrlichung nicht kennen.

Noch einmal: Nichts in der Schrift weist auch nur ansatzweise auf ein Fegefeuer hin, und nichts lässt darauf schliessen, dass sich unsere Verherrlichung in irgendeiner Weise in die Länge zieht oder schmerzhaft sein wird. Im Gegenteil, wie uns die Schrift wiederholt deutlich macht, wird die Seele noch im selben Augenblick, in dem ein Gläubiger stirbt, verherrlicht und geht in die Gegenwart Gottes ein. Diese Welt zu verlassen, bedeutet, bei Christus zu sein (Phil 1,23). Und wenn wir ihn sehen, werden wir wie er. Es ist ein friedlicher, schmerzloser und unmittelbarer Übergang. Paulus sagt, «aus dem Leib auszuwandern», bedeutet, «daheim zu sein bei dem Herrn» (2Kor 5,8).

Paulus deutet an, dass Christen im Himmel in diesem Augenblick weg vom Körper sind. Der Körper wird ins Grab gelegt und die Seele sofort in den Himmel aufgenommen. Auch Hebräer 12,23 legt nahe, dass alle verstorbenen Gläubigen im Himmel ohne ihren Körper sind. Hier ist vom Himmel als dem Aufenthaltsort der «*Geister* der vollendeten Gerechten» die Rede. Aber wir bleiben nicht die ganze Ewigkeit hindurch nur Geister. Bei der Auferstehung schliesslich wird unser verherrlichter Geist mit unserem verherrlichten Körper vereint. (Wir kommen später in diesem Kapitel noch einmal auf dieses Thema zurück.)

Wie wird die vollkommene Seele sein? Ganz offensichtlich wird sie für immer vollständig frei von Bösem sein. Nie wieder werden wir einen egoistischen Wunsch verspüren oder unnütze Worte reden. Wir werden nie wieder etwas Unfreundliches tun oder einen sündigen Gedanken haben. Wir werden vollständig befreit sein von unserer Gebundenheit an die Sünde und letztlich so denken und handeln, wie es in Gottes Augen vollkommen gerecht, heilig und ehrenwert ist. Können Sie sich vorstellen, dass Sie für immer in vollendeter Vollkommenheit leben werden? Offen gesagt, mir fällt es schwer, mir vorzustellen, absolut tadellos zu sein. Aber im Himmel wird es keine Unvollkommenheit geben!

Offenbarung 21,27 sagt: «Und es wird niemals jemand in sie hineingehen, der verunreinigt, noch jemand, der Gräuel und Lüge verübt.» Niemand, an dem der Makel der Sünde haftet, wird jemals in die himmlische Stadt gelangen; deshalb wird die Sünde nie wieder eine Bedrohung darstellen.

Was ist mit dem Makel *unserer* vergangenen Sünden? Offenbarung 22,14–15 sagt: «Glückselig sind, die seine Gebote tun, damit sie Anrecht haben an dem Baum des Lebens und durch die Tore in die Stadt eingehen können. Draussen aber sind die Hunde und die Zauberer und die Unzüchtigen und die Mörder und die Götzendiener und jeder, der die Lüge liebt und tut.» Die Sünde mag zwar bestimmt haben, wer wir einst waren, aber das ist jetzt vorbei. Jetzt sind wir eine neue Schöpfung in Christus. Uns wurde vollständig vergeben. Wir wurden völlig gereinigt und für immer vollkommen gemacht. Wie Paulus den Korinthern schrieb:

> Wisst ihr denn nicht, dass Ungerechte das Reich Gottes nicht erben werden? Irrt euch nicht: Weder Unzüchtige noch Götzendiener, weder Ehebrecher noch Weichlinge, noch Knabenschänder, weder Diebe noch Habsüchtige, noch Trunkenbolde, noch Lästerer, noch Räuber werden das Reich Gottes erben. Und solche sind etliche von euch gewesen; *aber ihr seid abgewaschen, ihr seid geheiligt*, ihr seid gerechtfertigt worden in dem Namen des Herrn Jesus und in dem Geist unseres Gottes! (1Kor 6,9–11)

Alle Gläubigen können absolut zuversichtlich sein: Gott hat uns schon gerechtfertigt, um uns von der Schuld der Sünde zu befreien. Jetzt heiligt er uns, um uns vom verderblichen Einfluss der Sünde frei zu machen. Und eines Tages wird er uns verherrlichen, um uns gänzlich von der Gegenwart der Sünde zu befreien – für immer!

Wenn Sie noch kein Christ sind, müssen Sie diese Wahrheit im Glauben ergreifen: *Die Sünde, die Sie vom Himmel fernhält, kann nur durch das Blut Christi weggetan werden.* Wenn Sie Ihrer Sünden müde sind und Ihre Schuldenlast Sie erschöpft, bietet er Ihnen liebevoll Leben, Vergebung und ewige Ruhe an: «Kommt her zu mir alle, die ihr mühselig und beladen seid, so will ich euch erquicken!» (Mt 11,28). Niemand wird abgewiesen. Jesus sagte: «Wer zu mir kommt, den werde ich nicht hinausstossen» (Joh 6,37). Alle sind eingeladen: «Und der Geist und die Braut sprechen: Komm! Und wer es hört, der spreche: Komm! Und wen da dürstet, der komme; und wer da will, der nehme das Wasser des Lebens umsonst!» (Offb 22,17).

Im Himmel wird es weder Sünde noch Leid, Kummer oder Schmerzen geben. Wir werden nie etwas tun, das Gott missfällt. Es wird keine Versuchung mehr geben, denn die Welt, das Fleisch und der Teufel werden nicht anwesend sein. Es wird keine Verfolgung geben, keine Trennungen, Uneinigkeit oder Hass. Im Himmel gibt es keine Streitereien oder Meinungsverschiedenheiten.

Enttäuschungen werden wir dort nicht finden. Bittgebete, Fasten, Busse und Sündenbekenntnisse werden aufhören, da sie nicht länger nötig sind. Dort wird kein Weinen sein, weil nichts uns traurig machen wird. Wenn die Sünde und ihre Folgen für immer ausgelöscht sind, wird das Leben ein unvorstellbarer Segen sein!

Dann werden wir *vollkommene Freuden* kennenlernen. In Psalm 16,11 sagt der Psalmist zu Gott: «Vor deinem Angesicht sind Freuden in Fülle, liebliches Wesen zu deiner Rechten ewiglich!» Im Himmel wird alles entfernt sein, was uns jetzt seufzen lässt. Wir werden uns in der Gegenwart Gottes wiederfinden, wo die reinste Form von Freude möglich ist. Welche Freuden wir in diesem irdischen Leben unter dem Fluch der Sünde auch haben mögen, verglichen mit den reinen Freuden des Himmels sind sie nur bedeutungslose und armselige Ablenkungen. Wenn unsere Seele erneuert wird, werden wir Gott schliesslich vollkommen verherrlichen und uns ewig an ihm erfreuen, so wie er es vorgesehen hat. Da nichts besser oder grösser ist als Gott, muss die reine Freude an ihm wahre Glückseligkeit sein.

Im Himmel werden wir auch *vollkommene Erkenntnis* haben. Paulus schreibt: «Jetzt erkenne ich stückweise, dann aber werde ich erkennen, gleichwie ich erkannt bin» (1Kor 13,12). Da Gott uns vollständig kennt (Ps 139,1–3), muss das bedeuten, dass wir in gewisser Weise ein umfassendes Wissen besitzen werden. Natürlich heisst das nicht, dass wir allwissend sein werden, denn das ist eine unübertragbare Eigenschaft Gottes. Um alles zu wissen, müsste man Gott *sein*. Aber es deutet darauf hin, dass unser Wissen so vollständig sein wird, wie wir es uns nur wünschen können. Wir werden keine unbeantworteten Fragen mehr haben und nichts wird uns verwirren. Das Leben im Glauben wird abgelöst von einem Leben im Schauen.

Wir werden *vollkommenen Trost* erfahren. Wir werden keinen Augenblick erleben, indem wir nicht getröstet sind. In der Geschichte vom Bettler Lazarus und dem reichen Mann sagt Abraham zu dem Reichen in der Hölle: «Sohn, bedenke, dass du dein Gutes empfangen hast in deinem Leben und Lazarus gleichermassen das Böse; nun wird er getröstet, du aber wirst gepeinigt» (Lk 16,25). Die Hölle bedeutet Qual, der Himmel ewigen Trost.

Wir werden schliesslich *vollkommene Liebe* kennenlernen. In 1. Korinther 13,13 lesen wir: «Nun aber bleiben Glaube, Hoffnung, Liebe, diese drei; die grösste aber von diesen ist die Liebe.» Warum ist die Liebe die grösste aller Tugenden? Weil sie ewig ist. Im Himmel werden sich alle unsere Hoffnungen erfüllen. «Eine Hoffnung aber, die man sieht, ist keine Hoffnung; denn warum hofft auch jemand auf das, was er sieht?» (Röm 8,24). Alles, was wir im Glauben ergriffen haben, wird unser sein, dass wir uns für immer daran erfreuen. Der Glaube wird durch das Schauen ersetzt. Aber wir werden vollkommen lieben und geliebt werden für alle Ewigkeit. Johannes 13,1 sagt, dass Christus seine Jünger *eis telos* liebte – wörtlich «bis ans Ende», bis zur Vollendung. Dieselbe Liebe wird uns für immer umgeben. Und wir werden schliesslich fähig sein, auch unsererseits vollkommen zu lieben.

Zusammenfassend können wir sagen, dass der Himmel ein Ort *vollkommener Freude* ist. Unter unsere Freude in diesem Leben mischen sich immer Kummer, Entmutigung, Enttäuschung oder Sorgen. Sünde, Trauer und Leid dämpfen unser Glück unweigerlich. Ein ehrlicher Blick auf das Leben in dieser Welt bringt mehr Tränen als Freude. Unser Leben beginnt mit der Freude über unsere Geburt, endet aber unausweichlich mit dem Kummer über Tod und Trennung. Im Himmel ist das anders. Der Himmel ist ein Ort ungetrübter Freude. Am Ende des Gleichnisses von den Talenten in Matthäus 25 sagt der Herr zu seinem treuen Knecht: «Recht so, du guter und treuer Knecht! ... Geh ein zur Freude deines Herrn!» (V. 23).

Dass Jesus diese Worte wählte, deutet an, dass die Freude zu den hervorstechenden Kennzeichen des Himmels gehört. Das Beste ist aber, dass diese Freude nie endet oder kleiner wird. Das *muss* auch so sein, denn die himmlische Vollkommenheit verändert sich nie.

Ein verherrlichter Körper

Wie wir aber bereits betont haben, ist der Himmel nicht bloss ein Bewusstseinszustand. Er ist ein realer Ort, an dem die Erlösten echte Körper haben werden, gleich dem Auferstehungsleib Jesu Christi.

Die Notwendigkeit unserer Auferstehung
Gott hat den Körper und die Seele des Menschen zusammen gemacht. «Da bildete Gott der HERR den Menschen, Staub von der Erde, und blies den Odem des Lebens in seine Nase, und so wurde der Mensch eine lebendige Seele» (1Mo 2,7). Wir bestehen aus einem inneren und einem äusseren Menschen (2Kor 4,16). Deshalb verlangt unsere letztendliche Vollkommenheit, dass sowohl Körper als *auch* Seele erneuert werden. Sogar die Erschaffung eines neuen Himmels und einer neuen Erde erfordert, dass wir einen Körper haben – eine physische Erde verlangt von ihren Bewohnern physische Körper. Eine ehrliche Herangehensweise an die Schrift gestattet es nicht, diese Realitäten zu vergeistigen oder zu allegorisieren. Das ewige Leben als blossen Bewusstseinszustand zu betrachten, hiesse, die Aussage vieler biblischer Verheissungen zunichte zu machen.

Der Tod führt zur Trennung von Körper und Seele. Unser Körper wird ins Grab gelegt und unser Geist geht zum Herrn. Die Trennung dauert fort bis zur Auferstehung. «Verwundert euch nicht darüber! Denn es kommt die Stunde, in der alle, die in den Gräbern sind, seine Stimme hören werden, und sie werden hervorgehen: die das Gute getan haben, zur Auferstehung des Lebens; die aber das Böse getan haben, zur Auferstehung des Gerichts» (Joh 5,28–29). Im Augenblick sind die Seelen der verstorbenen Gläubigen im Himmel. Eines Tages werden ihre Körper auferweckt und mit ihrem Geist vereint werden, und sie werden die ewige Vollkommenheit von Körper und Seele geniessen.

Ebenso liegen die Körper der toten Ungläubigen im Grab und ihre Seelen sind in der Hölle. Auch für sie wird ein Tag kommen, an dem die Körper der Gottlosen aus den Gräbern auferweckt und mit ihrem Geist vereint werden. Dann werden sie mit Körper und Seele vor dem Gerichtsthron Gottes stehen und in den Feuersee geworfen (vgl. Mt 5,30).

Christen müssen dieses Gericht nicht fürchten. Wer in Christus Jesus ist, kann nicht verdammt werden (Röm 8,1). Wir erwarten sehnsüchtig die Erlösung unseres Leibes (V. 23). «Denn in diesem [Körper] seufzen wir vor Sehnsucht danach, mit unserer Behausung, die vom Himmel ist, überkleidet zu werden» (2Kor 5,2). Was bedeutet das genau? Beinhaltet das, dass wir einen völlig neuen Körper bekommen werden? Werden wir ähnlich wie jetzt aussehen?

Als erstes sollten Sie beachten, dass unser Auferstehungskörper sein wird wie unser irdischer Körper, nur verherrlicht. Der Körper, den wir bei der Auferstehung empfangen, wird dieselben Eigenschaften haben wie der verherrlichte Auferstehungsleib Christi. «Wir wissen aber, dass wir ihm gleichgestaltet sein werden, wenn er offenbar werden wird» (1Jo 3,2).

Christi Auferstehungsleib war derselbe Körper wie zuvor, kein völlig anderer. Nach seiner Auferstehung war das Grab leer. Der Körper selbst war auferstanden – derselbe Körper, aber in einem verherrlichten Zustand. Die Wunden der Kreuzigung waren noch immer sichtbar (Joh 20,27). Man konnte ihn berühren und anfassen – er war nicht bloss eine Erscheinung oder ein Phantom (Lk 24,39). Er sah in jeder Hinsicht wie ein Mensch aus. Er unterhielt sich lange mit den beiden Jüngern auf dem Weg nach Emmaus, und sie stellten sein Menschsein zu keinem Zeitpunkt in Frage (Lk 24,13–18). Zu einer anderen Gelegenheit ass er mit seinen Freunden gewöhnliches Essen (V. 42–43).

Aber sein Körper wies auch übernatürliche Eigenschaften auf. Er konnte durch stabile Wände gehen (Joh 20,19). Er war in der Lage, eine andere Gestalt anzunehmen, sodass er nicht sofort erkannt wurde (Mk 16,12). Er war imstande, plötzlich aus dem Nichts zu erscheinen (Lk 24,36). Und er konnte mit seinem Körper direkt in den Himmel auffahren und ohne negative Auswirkungen die Erdatmosphäre hinter sich lassen (Lk 24,51; Apg 1,9).

Unsere Körper werden genauso sein. Es werden echte, physische, menschliche Körper sein – dieselben die wir auf dieser Erde haben – allerdings absolut vollkommen und verherrlicht. 2. Korinther 5,1 nennt den Auferstehungskörper «einen Bau von Gott, ein Haus, nicht mit Händen gemacht, das ewig ist.»

1. Thessalonicher 4 beschreibt die Auferstehung der verstorbenen Gläubigen und die gleichzeitige Entrückung der lebenden Gläubigen in den Himmel:

> Ich will euch aber, Brüder, nicht in Unwissenheit lassen über die Entschlafenen, damit ihr nicht traurig seid wie die anderen, die keine Hoffnung haben. Denn wenn wir glauben, dass Jesus gestorben und auferstanden ist, so wird Gott auch die Entschlafenen durch Jesus mit ihm führen. Denn das sagen wir euch in einem Wort des Herrn: Wir, die wir leben und bis zur Wiederkunft des Herrn übrig bleiben, werden den Entschlafenen nicht zuvorkommen; denn der Herr selbst wird, wenn der Befehl ergeht und die Stimme des Erzengels und die Posaune Gottes erschallt, vom Himmel herabkommen, und die Toten in Christus werden zuerst auferstehen. Danach werden wir, die wir leben und übrig bleiben, zusammen mit ihnen entrückt werden in Wolken, zur Begegnung mit dem Herrn, in die Luft, und so werden wir bei dem Herrn sein allezeit (V. 13–17).

In 1. Korinther 15,51–52 sagt Paulus über dasselbe Ereignis:

> Siehe, ich sage euch ein Geheimnis: Wir werden zwar nicht alle entschlafen, wir werden aber alle verwandelt werden,

> plötzlich, in einem Augenblick, zur Zeit der letzten Posaune; denn die Posaune wird erschallen, und die Toten werden auferweckt werden unverweslich, und wir werden verwandelt werden.

Zuerst werden die toten Gläubigen vereinigt mit ihren vollkommenen Körpern, dann werden die lebenden Gläubigen entrückt und sofort «verwandelt» – verherrlicht. Jeder bei der Wiederkunft Jesu lebende Christ wird augenblicklich vollkommen sein. Und noch einmal, sowohl die Körper der lebenden als auch der toten Gläubigen werden neu gemacht und verherrlicht.

Diese Lehre von der körperlichen Auferstehung ist für die christliche Botschaft absolut entscheidend. 1. Korinther 15 ist das wichtigste Kapitel zu diesem Thema. Dort tadelt Paulus jeden, der diese Realität anzweifelt oder in Frage stellt: «Aber jemand könnte einwenden: Wie sollen die Toten auferstehen? Und mit was für einem Leib sollen sie kommen?» Darauf sagt Paulus: «Du Gedankenloser» (V. 35–36). Das ist eine der schärfsten Erwiderungen in allen seinen Schriften. Aber seiner Einschätzung nach ist diese Lehre von fundamentaler Bedeutung. Sie zu leugnen, heisst, etwas anderes als das wahre Christentum zu vertreten: «Denn wenn Tote nicht auferweckt werden, so ist auch Christus nicht auferweckt worden. Ist aber Christus nicht auferweckt worden, so ist euer Glaube nichtig, so seid ihr noch in euren Sünden» (V. 16–17).

Paulus veranschaulicht die Auferstehung

Paulus greift zu einer Reihe von Vergleichen, um die Auferstehung des Körpers zu erklären. Der erste stammt aus den Lehren Christi. Jesus sagte: «Wahrlich, wahrlich, ich sage euch: Wenn das Weizenkorn nicht in die Erde fällt und stirbt, so bleibt es allein; wenn es aber stirbt, so bringt es viel Frucht» (Joh 12,24).

Dasselbe Bild wendet der Apostel auf die körperliche Auferstehung an: «Was du säst, wird nicht lebendig, wenn es nicht stirbt!

Und was du säst, das ist ja nicht der Leib, der werden soll, sondern ein blosses Korn, etwa vom Weizen oder von einer anderen Saat» (1Kor 15,36–37). Wenn man ein Samenkorn sät, stirbt es zunächst einmal. Es dringt in den Boden ein, ein Prozess der Umwandlung beginnt und neues Leben entsteht. Auch unser Körper stirbt, wird in ein Grab gelegt und schliesslich wieder auferweckt, so wie ein Samenkorn stirbt und eine Pflanze hervorbringt, die viel schöner ist als der Same.

Ausserdem enthält das Samenkorn den Bauplan für die heranwachsende Pflanze. Der ganze genetische Code für eine grosse Eiche befindet sich in einer einzigen Eichel. Ebenso besitzt auch unser Auferstehungskörper Ähnlichkeit mit dem Körper, der begraben wurde – nur weitaus herrlicher. Wir werden wir selbst sein, nur vollkommen. Und die Zersetzung des irdischen Körpers wird die Neumachung eines verherrlichten Auferstehungskörpers unterstützen – ohne die Fehler des alten, sondern mit allem, was für eine vollkommene Existenz im Himmel nötig ist.

Das beantwortet die Frage: «Wie sollen die Toten auferstehen?» (V. 35). Mit einem weiteren Bild reagiert Paulus auch auf die zweite Herausforderung der Zweifler: «Und mit was für einem Leib sollen sie kommen?» Die Frage der Spötter gibt zu verstehen, dass der Gedanke absurd ist, normales menschliches Fleisch wäre passend für das Leben im Himmel. Paulus macht mit seiner Antwort deutlich, dass es absurd ist, den Auferstehungskörper für «normales» menschliches Fleisch zu halten.

Allein unser begrenztes irdisches Wissen zeigt uns: «Nicht alles Fleisch ist von gleicher Art; sondern anders ist das Fleisch der Menschen, anders das Fleisch des Viehs, anders das der Fische, anders das der Vögel» (V. 39). Der Auferstehungskörper wird fraglos eine andere Art von Fleisch sein als das, was wir von der Erde her kennen. Es wird buchstäbliches menschliches Fleisch sein, nur herrlich und vollkommen. Es wird sich von unserem irdischen Fleisch so sehr unterscheiden, wie sich das Fleisch von Fischen von dem von Vögeln unterscheidet.

Mit einer ähnlichen Argumentation fährt Paulus fort: «Und es gibt himmlische Körper und irdische Körper; aber anders ist der Glanz der Himmelskörper, anders der der irdischen; einen anderen Glanz hat die Sonne und einen anderen Glanz der Mond, und einen anderen Glanz haben die Sterne; denn ein Stern unterscheidet sich vom anderen im Glanz» (V. 40–41). Da Gott alles geschaffen hat, vom mikroskopisch kleinen Lebewesen bis hin zu den riesigen Galaxien voll mit Sternensystemen, kann er jede Art von Körper machen, die er will. Gottes Schöpfung ist reich an endloser Vielfalt. Warum also sollte man seine Fähigkeit hinterfragen, menschliches Fleisch zu erschaffen, das für den Himmel passend ist?

Nach all diesen Bildern kommt Paulus zu dem Schluss: «So ist es auch mit der Auferstehung der Toten: Es wird gesät in Verweslichkeit und auferweckt in Unverweslichkeit; es wird gesät in Unehre und wird auferweckt in Herrlichkeit; es wird gesät in Schwachheit und wird auferweckt in Kraft; es wird gesät ein natürlicher Leib, und es wird auferweckt ein geistlicher Leib. Es gibt einen natürlichen Leib, und es gibt einen geistlichen Leib» (V. 42–44).

Wie ein Samenkorn wird der Auferstehungskörper gesät und auferweckt. Die Friedhöfe der Menschen sind Samenbeete für die Auferstehung der Toten. Aber der Auferstehungskörper ist neu, verändert in praktisch jeder erdenklichen Weise. Er wurde durch Tod und Verwesung gesät, und er wird in *Unverweslichkeit* auferweckt. Er wurde in Unehre gesät, schmählich unter Erde begraben, aber auferweckt wird er in *Herrlichkeit*. Bei der Bestattung ist er tot, völlig leblos und hilflos, aber er wird auferweckt in *Kraft*. Er wird als eine leblose materielle Sache gesät, auferweckt aber als etwas *Geistliches* und voller Leben.

All das soll uns sagen, dass wir im Himmel echte Körper haben werden, die dauerhaft und ewig vollkommen sind. Sie werden nie in den Spiegel schauen und feststellen, dass Sie Runzeln oder einen zurückgehenden Haaransatz bekommen. Sie werden nie krank sein. Sie werden nie anfällig sein für Verletzungen, Krankheiten oder Allergien. Alle diese Dinge werden wir im Himmel nicht antreffen. Es wird nur absolute und unvergängliche Vollkommenheit geben.

Im Himmel werden wir auf jeden Fall übernatürliche Fähigkeiten besitzen. Denken Sie daran, die himmlische Stadt ist über 2200 km. hoch. Glauben Sie nicht, dass Sie auf einen Fahrstuhl warten müssen, um ganz nach oben zu kommen. Sie werden zweifellos fliegen können – oder wenn Sie es wünschen, in einem Augenblick dort hintransportiert werden – in derselben Weise, wie der Auferstehungskörper Christi scheinbar nach Belieben verschwinden und an einem anderen Ort wieder auftauchen konnte.

Doch viel wichtiger ist: Wir werden *christusähnlich* sein. Paulus schreibt:

> So steht auch geschrieben: Der erste Mensch, Adam, wurde «zu einer lebendigen Seele»; der letzte Adam zu einem lebendigmachenden Geist. Aber nicht das Geistliche ist das Erste, sondern das Natürliche, danach kommt das Geistliche. Der erste Mensch ist von der Erde, irdisch; der zweite Mensch ist der Herr aus dem Himmel. Wie der Irdische beschaffen ist, so sind auch die Irdischen; und wie der Himmlische beschaffen ist, so sind auch die Himmlischen. (V. 45–48)

In dieser Stelle stellt Paulus die Häupter zweier Familien gegenüber. Adam ist unser Vater nach dem Fleisch, was bedeutet, dass er das Haupt der menschlichen Rasse ist. Christus ist unser geistliches Haupt, und der Erste der erlösten Rasse. So wie unsere irdischen Körper von Adam abstammen und wir ihm ähnlich sind, werden wir im Himmel wie Jesus Christus sein, der unverweslich, ewig, verherrlicht, mächtig und geistlich ist. Laut Philipper 3,21 wird Gott «unseren Leib der Niedrigkeit umgestalten, sodass er gleichförmig wird seinem Leib der Herrlichkeit.»

Was wir im Himmel sein werden, können wir uns am besten anhand des Auferstehungsleibes Jesu Christi deutlich machen. Wir werden einen Körper haben, in dem das ganze Leben Gottes wohnt und für immer zum Ausdruck kommt. Wir werden essen können, es aber nicht müssen. Wir werden einen Körper besitzen, der sich nach Belieben durch Raum und Materie bewegen kann. Unser Körper wird zeitlos und unverweslich sein; und wir werden Schmerzen, Tränen, Leiden, Krankheiten und den Tod nicht mehr kennen.

Unsere Auferstehungskörper werden einfach nur herrlich sein. Über den verherrlichten Körper Christi heisst es, dass er leuchtete wie die Sonne in ihrer Kraft (Offb 1,16). In einer alttestamentlichen Verheissung vergleicht die Schrift unsere verherrlichten Körper mit dem Leuchten des Mondes und der Sterne: «Und die Verständigen werden leuchten wie der Glanz der Himmelsausdehnung, und die, welche die Vielen zur Gerechtigkeit weisen, wie die Sterne immer und ewiglich» (Dan 12,3).

Erkennen Sie jetzt, warum es unvernünftig ist, nach den grössten Freuden und Annehmlichkeiten in diesem Leben zu suchen? Gottes Plan, uns Christus ähnlich zu machen, ist unendlich viel besser. Warum sollte unser Streben den vergänglichen Dingen dieser Erde gelten? Mit dieser Einstellung suchen wir nur nach Dingen, die uns nie völlig zufriedenstellen können. Diese Art Denkhaltung vergrössert nur unser Elend.

Vollkommene Beziehungen

Bisher haben wir die Frage nach Beziehungen im Himmel kaum berührt. Und doch ist es eines der wichtigsten Themen für Christen. Werden wir die Menschen wiedererkennen, die wir auf der Erde geliebt haben? Werden wir uns an unsere irdischen Beziehungen erinnern? Welche Art von Beziehungen werden wir haben? Werden wir im Himmel eine Art Liebe wie in einer Familie und Kameradschaft haben? Werden unsere Beziehungen im Himmel denen auf der Erde ähneln?

Die mir am häufigsten gestellte Frage über den Himmel ist: «*Werde ich im Himmel mit derselben Person verheiratet sein wie auf der Erde?*» Die meisten sagen: «Ich möchte meine Beziehung zu meiner Frau nicht verlieren. Ich kann mir nicht vorstellen, in den Himmel zu kommen und nicht mit ihr verheiratet zu sein.» (Andere hoffen insgeheim vielleicht auf eine gegenteilige Antwort!)

Die Schrift hat zu vielen dieser Fragen ausdrücklich etwas zu sagen. Zum Thema Ehe und Familie meinte Paulus zum Beispiel:

> Das aber sage ich, ihr Brüder: Die Zeit ist nur noch kurz bemessen! So sollen nun in der noch verbleibenden Frist die, welche Frauen haben, sein, als hätten sie keine, und die weinen, als weinten sie nicht, und die sich freuen, als freuten sie sich nicht, und die kaufen, als besässen sie es nicht, und die diese Welt gebrauchen, als gebrauchten sie sie gar nicht; denn die Gestalt [griechisch: *schēma*] dieser Welt vergeht. (1Kor 7,29–31)

Der Apostel führt verschiedene Dinge auf, die aufhören zu sein: Ehe, Weinen, irdisches Freuen und Besitz. Die ganze Gestalt dieser Welt vergeht. Gestalt bezeichnet eine äusserlich wahrnehmbare Lebens- und Verhaltensweise.

Paulus sagte, wir sollten gebrauchen, was das Leben natürlicherweise mit sich bringt, uns aber nicht darin verstricken. Denn vieles, was mit Besitz und Partnerschaft in dieser Welt zusammenhängt, ist Teil einer zeitlich begrenzten Gestalt. Obschon die Privilegien der Ehe wunderbar sind und ihre Verantwortung riesig ist, sollte Ihre Ehe nicht als Entschuldigung herhalten, für den Mangel an, Gott zu dienen, Schätze im Himmel zu sammeln oder Ihr Verlangen auf Dinge, die droben sind, zu richten.

Paulus stellt nicht in Frage, dass irdische Segnungen wie Ehe, menschliche Gefühle und irdischer Besitz ihre Berechtigung haben. Aber er sagt, wir dürfen uns von unseren Gefühlen und unserem Besitz nicht beherrschen lassen, sodass wir durch diese vergängliche Welt gefangen genommen würden.

Die Ehe und andere Angelegenheiten dieses Lebens können manchmal wichtigere Dinge von ewiger Bedeutung verdrängen. Paulus schreibt: «Ich will aber, dass ihr ohne Sorgen seid! Der Unverheiratete ist für die Sache des Herrn besorgt, wie er dem Herrn gefällt; der Verheiratete aber sorgt für die Dinge der Welt, wie er der Frau gefällt» (V. 32–34). Wenn Sie Single bleiben können, dann tun Sie das. Konzentrieren Sie sich auf die Dinge des Herrn, denn die Ehe ist nur eine zeitlich begrenzte Einrichtung.

Sind Sie aber verheiratet, bedeutet das nicht, dass Ihnen Ihre Ehe gleichgültig werden sollte. Viele Aussagen der Schrift heben die Bedeutung der Ehe hervor und fordern Ehemänner und Ehefrauen auf, Gott durch ihre eheliche Beziehung zu ehren. Diese Stelle unterstreicht bloss den zeitlich begrenzten Charakter der Ehe. Obschon verheiratete Paare gemeinsame Erben der Gnade des Lebens sind (1Petr 3,7), wird die Institution der Ehe verschwinden. Es gibt grössere ewige Werte.

Jesus selbst lehrte ausdrücklich, dass die Ehe nur ein irdischer Bund ist. Matthäus 22 berichtet von einer Begebenheit, als einige Sadduzäer zu ihm kamen, um ihn mit einer kniffligen Frage zu überlisten. Die Sadduzäer glaubten nicht an ein Leben nach dem Tod. Wegen dieses Themas lagen sie in einem anhaltenden Streit mit den Pharisäern. Die Pharisäer lehrten, nach der Auferstehung würde jeder Mensch dieselben Beziehungen pflegen wie auf der Erde. Sie glaubten, Männer wären weiterhin mit ihren irdischen Ehefrauen verheiratet und würden für immer an ihren irdischen Familien festhalten.

Die Sadduzäer hatten zweifellos gehört, dass Jesus über das ewige Leben sprach, und sie gingen davon aus, dass er die Ansichten der Pharisäer zu diesem Thema teilte. Daher versuchten sie, ihn in eine Falle zu locken mit einer theologisch harten Nuss, um die Pharisäer völlig zu verwirren. Es war das schwierigste theologische Problem, das sich die Sadduzäer ausdenken konnten – ein absurdes moralisches Dilemma, das auf den Ansichten der Pharisäer über das Leben nach dem Tod gründete.

Sie sagten: «Meister, Mose hat gesagt: Wenn jemand ohne Kinder stirbt, so soll sein Bruder dessen Frau zur Ehe nehmen und seinem Bruder Nachkommen erwecken» (V. 24). Diese mosaische Anordnung wurde tatsächlich in 5. Mose 25 gelehrt. Sie war bekannt als das Gesetz der Leviratsehe und sollte die Erbfolge der Familie erhalten.

Die Sadduzäer legten ein hypothetisches Bild vor:

> Nun waren bei uns sieben Brüder. Der erste heiratete und starb; und weil er keine Nachkommen hatte, hinterliess er seine Frau seinem Bruder. Gleicherweise auch der andere und der dritte, bis zum siebten. Zuletzt, nach allen, starb auch die Frau. Wem von den Sieben wird sie nun in der Auferstehung als Frau angehören? Denn alle haben sie zur Frau gehabt. (Mt 22,25–28)

Jesu Erwiderung war ein scharfer Tadel ihrer Unwissenheit bezüglich der Schriften: «Ihr irrt, weil ihr weder die Schriften noch die Kraft Gottes kennt. Denn in der Auferstehung heiraten sie nicht, noch werden sie verheiratet, sondern sie sind wie die Engel Gottes im Himmel» (V. 29–30).

Mit anderen Worten, Engel pflanzen sich nicht fort. Dasselbe gilt für erlöste Menschen im Himmel. Es besteht kein Grund mehr für die Ehe. Auf der Erde braucht der Mann eine Hilfe und die Frau einen Beschützer, und Gott hat beide so geschaffen, dass sie Kinder hervorbringen können. Im Himmel benötigen verherrlichte Männer keine Frauen mehr als Hilfe, weil sie dann vollkommen sind. Frauen brauchen keine Ehemänner mehr zu ihrem Schutz, weil auch sie vollkommen sein werden. Die Einwohnerschaft des Himmels wird eine feste Zahl bilden. Daher wird die Institution Ehe absolut unnötig sein.

Einige glauben, die Erwiderung Jesu an die Sadduzäer bedeute, dass wir im Himmel alle geschlechtslos sein werden. Diese Schlussfolgerung aus den Worten Jesu zu ziehen, ist nicht nötig. Nirgendwo stellt die Schrift die Erlösten im Himmel als geschlechtslos dar. Der Auferstehungsleib Christi wird nicht als männlich-weibliche (also ohne spezifische Geschlechtszuordnung) Gestalt beschrieben. Als Maria ihn nach der Auferstehung sah, nahm sie an, er wäre der Gärtner – der Beruf eines Mannes in dieser Kultur (Joh 20,15). Andere erkannten ihn als die Person, die er war. Unser Geschlecht ist Teil unserer Persönlichkeit. Nichts in der Schrift deutet darauf hin, dass Männer aufhören werden, Männer zu sein oder Frauen nicht mehr Frauen sind. Aber es wird nicht mehr geheiratet. Ehe als Institution wird verschwinden.

Aber was sollen die von uns, die glücklich verheiratet sind, davon halten? Ich liebe meine Frau. Sie ist mein bester Freund und liebster Gefährte in jedem Lebensbereich. Sollten Sie genauso über Ihren Ehepartner denken, dann verzweifeln Sie nicht! Sie werden im Himmel eine ewige Gemeinschaft geniessen, die vollkommener ist als jede irdische Partnerschaft. Der Unterschied ist, dass Sie eine derart vollkommene Beziehung auch mit jeder anderen Person im Himmel haben werden. Wenn Ihre Beziehung zu Ihrem Ehepartner hier so wunderbar ist, dann stellen Sie sich vor, wie herrlich es sein wird, eine vollkommene Beziehung zu jedem Menschen in der ganzen Weite des Himmels zu geniessen – und das für immer!

«*Werden wir uns wirklich wiedererkennen?*», ist möglicherweise die am zweithäufigsten gestellte Frage über den Himmel. Und die Antwort ist Ja. Wir werden für immer die Person sein, die wir jetzt sind – nur ohne unsere Fehler und Gebrechen. Alles in der Schrift scheint das zu bestätigen.

Zum Beispiel, wenn im Alten Testament ein Mensch starb, sagte der biblische Verfasser, dass er «zu seinem Volk versammelt» wurde (s. 1Mo 25,8; 35,29; 49,29; 4Mo 20,24; Ri 2,10). Als sein Säugling gestorben war, sagte David in 2. Samuel 12,23 zuversichtlich: «Ich werde wohl zu ihm gehen, es wird aber nicht wieder zu mir zurückkehren!» David erwartete offensichtlich, das Kind wiederzusehen – nicht bloss eine namen- und gesichtslose Person ohne klare Identität, sondern genau dieses Kind.

Das Neue Testament lässt noch deutlicher erkennen, dass unsere Persönlichkeit unverändert bleibt. Beim gemeinsamen Passahmahl mit seinen Jüngern sagte Jesus: «Nehmt diesen [Kelch] und teilt ihn unter euch! Denn ich sage euch: Ich werde nicht mehr von dem Gewächs des Weinstocks trinken, bis das Reich Gottes gekommen ist» (Lk 22,17–18). Christus gab die Verheissung, dass er und seine Jünger wieder zusammen von dem Gewächs des Weinstocks trinken würden – im Himmel. An anderer Stelle gibt Jesus eine ähnliche, aber noch klarere Verheissung: «Ich sage euch aber: Viele werden kommen vom Osten und vom Westen und werden im Reich der Himmel mit Abraham, Isaak und Jakob zu Tisch sitzen» (Mt 8,11).

Alle Erlösten werden ihre Persönlichkeit für immer behalten, nur in vervollkommneter Gestalt. Wir werden Gemeinschaft haben mit Henoch, Noah, Abraham, Jakob, Samuel, Mose, Josua, Esther, Elia, Elisa, Jesaja, Daniel, Hesekiel, David, Petrus, Barnabas, Paulus und allen anderen Gläubigen, die wir aus der Bibel kennen.

Denken Sie daran, dass Mose und Elia Christus auf dem Berg der Verklärung erschienen sind. Es war Jahrhunderte her gewesen, dass Elia erstklassig in einem feurigen Wagen in den Himmel transportiert worden war. Und viele weitere Jahrhunderte waren vergangen, seit Mose in der Wüste gestorben war. Die ganze Zeit hatten sie im Himmel verbracht und ihre Persönlichkeit beibehalten (Mt 17,3). Sie wurden nicht in unspezifische Wesen verwandelt, die ihre kennzeichnenden Merkmale verloren hätten. Sie hatten ihre grundlegende Persönlichkeit bewahrt – nur in verherrlichter und vervollkommneter Form.

Als die Sadduzäer Jesus bezüglich der Auferstehung in die Falle locken wollten, zitierte er Gottes Worte an Mose: «Ich bin der Gott deines Vaters, der Gott Abrahams, der Gott Isaaks und der Gott Jakobs!» (2Mo 3,6) Dann erklärte Jesus: «Gott ist aber nicht ein Gott der Toten, sondern der Lebendigen» (Mt 22,32). Damit wollte er sagen, dass Abraham, Isaak und Jakob nach wie vor *als* Abraham, Isaak und Jakob leben, nicht als namenlose oder unbestimmte Persönlichkeiten. Ausserdem deutete Jesus mit der Geschichte von Lazarus und dem reichen Mann an, dass *beide* Männer nicht nur ihre Persönlichkeit beibehalten hatten, sondern einander auch erkannten (obwohl Lazarus im Himmel und der reiche Mann in der Hölle war).

Eine andere weit verbreitete Frage ist: «*Werde ich im Himmel mit meiner Familie und meinen Freuden wiedervereint?*» Die Antwort darauf ist in dem enthalten, was wir bisher gesehen haben. Die Antwort lautet natürlich Ja. Wir werden nicht nur mit unseren Familien und mit geliebten Freunden vereint werden, sondern auch mit dem Volk Gottes aus allen Zeitaltern. Im Himmel werden wir alle eine liebende Familie bilden. Die enorme Grösse dieser Familie ist in der unendlichen Vollkommenheit des Himmels nicht von Belang. Es wird reichlich Gelegenheit für eine enge Beziehung zu jedem geben, und in genau dieser Art reichen und nie endenden Gemeinschaft werden wir die Ewigkeit verbringen.

Über das Erscheinen des Herrn und die Auferstehung der verstorbenen Gläubigen schreibt Paulus: «Danach werden wir, die wir leben und übrig bleiben, *zusammen mit ihnen* entrückt werden in Wolken, zur Begegnung mit dem Herrn, in die Luft, und so werden wir *bei dem Herrn* sein allezeit» (1Thes 4,17). Das schrieb Paulus, um die Thessalonicher zu trösten, die offenbar dachten, ihre gestorbenen Familienangehörigen und Freunde würden die Rückkehr Christi versäumen und sie würden dann für immer von ihnen getrennt sein. In Vers 18 sagt Paulus: «So tröstet nun einander mit diesen Worten!» Der *Trost* liegt in der Verheissung auf Wiedervereinigung. Es wäre wohl kaum ein Trost, wenn wir uns bei der Wiedervereinigung nicht wiedererkennen würden. Aber Paulus' Verheissung, dass wir alle «zusammen mit ihnen ... bei dem Herrn sein» werden, deutet an, dass wir unsere Gemeinschaft mit jeder erlösten Person erneuern werden, die wir auf der Erde gekannt haben.

Der Theologe A. A. Hodge schreibt:

> Als das ewige Zuhause des göttlichen Menschen und aller Erlösten der ganzen Menschheit muss der Himmel zwangsläufig menschliche Strukturen, Verhältnisse und Aktivitäten aufweisen. Seine Freuden und Beschäftigungen müssen allesamt rational, moralisch, emotional, freiwillig und aktiv sein. Alle Begabungen kommen zur Anwendung, alle Geschmäcker werden befriedigt, alle vorhandenen Fähigkeiten werden weiterentwickelt, alle Ideale werden verwirklicht. Verstand, intellektuelle Neugier, Vorstellungskraft, ästhetische Fähigkeiten, heilige Neigungen, soziale Verbundenheit, unerschöpfliche Kraft- und Energieressourcen in der menschlichen Seele, dies alles muss im Himmel zum Einsatz kommen und befriedigt werden.[2]

Sollten Sie sich Sorgen machen, Sie könnten im Himmel fehl am Platz sein, dann liegen Sie falsch. Der Himmel wird mehr als Ihr Zuhause erscheinen als der Ihnen liebste Platz auf der Erde. Er ist von einem liebenden Erlöser einzigartig zu dem Ort gestaltet, an dem wir die ganze Ewigkeit zusammenleben und uns an ihm erfreuen werden – in der ganzen Fülle unseres verherrlichten Menschseins.

Verwundert es da noch, dass der Psalmist sagte: «Kostbar ist in den Augen des HERRN der Tod seiner Getreuen»? (Ps 116,15).

Ungebrochene Gemeinschaft mit Gott

Das Wunderbarste am Himmel – die höchste Freude des Himmels – wird fraglos die ungebrochene Gemeinschaft mit Gott selbst sein.

1. Johannes 1,3 beschreibt unsere Errettung als Gemeinschaft mit Gott: «Unsere Gemeinschaft ist mit dem Vater und mit seinem Sohn Jesus Christus.» Wenn wir zum Glauben kommen, treten wir durch unsere Verbindung mit Christus in eine enge geistliche Gemeinschaft mit Gott ein. Das Leben Gottes wird zu dem unseren. Sein Wille wird zu unserem Willen, und seine Ziele zu unseren Zielen. Auch wenn die Sünde unser Leben mit Christus auf der Erde behindert, ist der tiefste Teil unserer zu neuem Leben erweckten Seele mit dem auferstandenen Christus verbunden durch den in uns wohnenden Heiligen Geist, und dadurch haben wir vertraute Gemeinschaft mit dem lebendigen Gott.

Anders ausgedrückt, die Errettung bringt uns in Gemeinschaft mit jeder Person der Gottheit. Wir können mit *Jahwe* sprechen. Wir sind als seine Kinder angenommen (Röm 8,15). Wir beten zu ihm als unserem lieben Vater – «Abba!», wie Paulus es vorzugsweise ausdrückt. Wir hören ihn in seinem Wort zu uns sprechen. Er kommt versorgend in unser Leben, um sich uns zu offenbaren. Wir geniessen eine echte geistliche Gemeinschaft mit dem ewigen Gott.

Dennoch erscheint diese Gemeinschaft aus irdischer Sicht unvollständig. Sie ist vor unserem Blick verhüllt. Wie Paulus schreibt: «Denn wir sehen jetzt mittels eines Spiegels wie im Rätsel, dann aber von Angesicht zu Angesicht; jetzt erkenne ich stückweise, dann aber werde ich erkennen, gleichwie ich erkannt bin» (1Kor 13,12). Er spricht über unsere Gemeinschaft mit Gott. Im Himmel wird sie vollkommen und ungehindert sein und nicht umschattet von irgendeiner Sünde oder Dunkelheit.

Das gehörte zu den wichtigen Dinge, die Jesus auf dem Herzen hatte, als er in der Nacht seines Verrats betete. Johannes 17 hält das hohepriesterliche Gebet unseres Herrn fest. Es war ein Gebet für die Jünger – ebenso wie für jeden Gläubigen zu allen Zeiten. Das sagte Jesus so klar (V. 20).

Die Vervollständigung seines Werkes auf Erden erwartend, bat unser Herr den Vater, ihn wieder in die Herrlichkeit aufzunehmen, die er hatte, bevor die Welt begann. Er betete: «Vater, ich will, dass, wo ich bin, auch die bei mir seien, die du mir gegeben hast, *damit sie meine Herrlichkeit sehen*, die du mir gegeben hast; denn du hast mich geliebt vor Grundlegung der Welt» (V. 24). Er möchte, dass wir *bei ihm* sind. Das ist aber noch nicht alles. Beachten Sie die Art von Beziehung, für die er unter allen Gläubigen betet: «Auf dass sie alle eins seien, gleichwie du, Vater, in mir und ich in dir; auf dass auch sie in uns eins seien» (V. 21). Sein Plan für uns ist vollkommene Gemeinschaft mit ihm und miteinander – ganz ähnlich der Einheit, die zwischen dem Vater und dem Sohn existiert!

Das ist eine so unfassbar tiefgehende Sache, die wir mit unserem begrenzten Verstand nicht verstehen können. Aber es war offensichtlich der wichtigste Gedanke, den Jesus im Sinn hatte, wann immer er den Jüngern gegenüber die Verheissung auf den Himmel erwähnte. In derselben Nacht vor seiner Kreuzigung hatte er zu Petrus bereits gesagt: «Wohin ich gehe, dorthin kannst du mir jetzt nicht folgen; du wirst mir aber später folgen» (Joh 13,36). Da er wusste, dass sich die Jünger Sorgen machen würden, weil er sie verlassen sollte, erweiterte er zu einem späteren Zeitpunkt dieselbe Verheissung:

> Euer Herz erschrecke nicht! Glaubt an Gott und glaubt an mich! Im Haus meines Vaters sind viele Wohnungen; wenn nicht, so hätte ich es euch gesagt. Ich gehe hin, um euch eine Stätte zu bereiten. Und wenn ich hingehe und euch eine Stätte bereite, so komme ich wieder und werde euch zu mir nehmen, damit auch ihr seid, wo ich bin. (Joh 14,1–3)

Einfach ausgedrückt, wir werden mit einer Person zusammen sein, gleichermassen wie wir an einem Ort leben werden. Die Gegenwart Christi ist es, was den Himmel zum Himmel macht. «Die Herrlichkeit Gottes erleuchtet sie, und ihre Leuchte ist das Lamm» (Offb 21,23). Vollkommene Gemeinschaft mit Gott ist das Wesentliche des Himmels.

Beachten Sie, wie entscheidend dieses Prinzip der *Gemeinschaft mit Gott* ist in der letzten Zusammenfassung der Bibel über den Himmel: «Siehe, das Zelt Gottes bei den Menschen! Und er wird bei ihnen wohnen; und sie werden seine Völker sein, und Gott selbst wird bei ihnen sein, ihr Gott» (Offb 21,3). Dieser Vers betont die vertraute Gegenwart Gottes «bei den Menschen». Der Gedanke ist, dass Gott selbst sein Zelt unter den Erlösten der Rasse der Menschen aufschlägt und unter ihnen wohnt. Alle Gläubigen werden für immer die Freude am Umgang mit Gott geniessen.

Das wird nicht in der gleichen Art sein wie Gott seine Stiftshütte unter den Israeliten in der Wüste hatte. Dort stand das Zelt Gottes – die Stiftshütte – mitten im Lager, aber es war ein so heiliger Ort, dass strenge Regeln festlegten, wann und wie Menschen herzukommen und in die Stiftshütte hineingehen durften. Niemand durfte ins Allerheiligste, wo Gott selbst wohnte – ausser der Hohepriester, und das auch nur einmal im Jahr. Aber Offenbarung 7,15 teilt uns mit, dass «sie vor dem Thron Gottes sind und ihm Tag und Nacht in seinem Tempel dienen; und der auf dem Thron sitzt, wird sein Zelt aufschlagen über ihnen.» Hier wird angezeigt, dass Gott selbst uns in seine Wohnung bringt.

Jesus sagte zu den Jüngern: «Im Haus meines Vaters sind viele Wohnungen. ... Ich gehe hin, um euch eine Stätte zu bereiten» (Joh 14,2). Er bereitet persönlich für jeden Auserwählten eine Wohnung im Vaterhaus vor! Das verheisst uns die denkbar engste Gemeinschaft mit dem lebendigen Gott.

Und vergessen Sie nicht, dass wir im Himmel den Herrn von Angesicht zu Angesicht sehen werden. Dieses Wunder und Vorrecht, das uns gewährt wird, kann man gar nicht genug hervorheben. Johannes 1,18 und 1. Johannes 4,12 sagen beide: «Niemand hat Gott je gesehen.» 1. Timotheus 6,16 erklärt, dass Gott «allein Unsterblichkeit hat, der in einem unzugänglichen Licht wohnt, den kein Mensch gesehen hat noch sehen kann.» In 2. Mose 33, als Mose sehnlichst einen flüchtigen Blick auf Gottes Herrlichkeit wünschte, (V. 18), willigte Gott ein, sich nur von hinten zu zeigen. Gott sagte: «Mein Angesicht kannst du nicht sehen, denn kein Mensch wird leben, der mich sieht!» (V. 20). Gottes «Augen sind so rein, dass sie das Böse nicht ansehen können; du kannst dem Unheil nicht zuschauen» (Hab 1,13).

Solange wir von der Sünde befleckt werden, können wir Gottes Gesicht nicht sehen. Der Anblick solch vollkommener Gerechtigkeit würde uns vernichten.

Daher ist Gott unnahbar für sterbliche Menschen. Eine von-Angesicht-zu-Angesicht-Begegnung ist nicht möglich. Aus diesem Grund ist die Menschwerdung Christi auch so wunderbar: Obwohl «niemand Gott je gesehen hat; der eingeborene Sohn, der im Schoss des Vaters ist, der hat Aufschluss über ihn gegeben» (Joh 1,18). Christus «wohnte [griechisch: *skenoō*; wörtl. «lagerte» oder «zeltete»] unter uns» (Joh 1,14) – «und wir sahen seine Herrlichkeit, eine Herrlichkeit als des Eingeborenen vom Vater, voller Gnade und Wahrheit».

Er kam in unsere Welt, um unter uns zu zelten, und er tat es im Auftrag, uns zu erlösen und uns in den Himmel zu bringen, wo Vater, Sohn und Heiliger Geist unter uns und in vollkommener Gemeinschaft mit uns für immer ihr Lager aufschlagen werden. Was für eine atemberaubende Realität!

Da wir im Himmel frei von der Sünde sein werden, werden wir dort die Herrlichkeit Gottes unverhüllt und in ihrer ganze Fülle sehen. Das wird ein schönerer und spektakulärer Anblick sein als alles, was wir auf der Erde gekannt haben oder uns vorstellen konnten. Kein rein irdisches Vergnügen reicht auch nur ansatzweise an das Vorrecht und die Verzückung heran, Gottes Herrlichkeit uneingeschränkt sehen zu dürfen.

Matthäus 5,8 sagt: «Glückselig sind, die reinen Herzens sind, denn sie werden Gott schauen!» Das mit «schauen» (*horaō*) übersetzte griechische Verb steht in einer Zeitform, die eine fortdauernde zukünftige Realität zum Ausdruck bringt. Im Himmel werden wir Gott fortwährend sehen, von Angesicht zu Angesicht. Könige isolieren sich im Allgemeinen von einem direkten Kontakt zu ihrem Volk. Eine Audienz beim König ist ein seltenes Vorrecht. Aber die Gläubigen im Himmel werden für immer eine vollkommene, gleichbleibende Gemeinschaft mit dem König der Könige haben!

Das war schon immer der tiefste Wunsch einer erlösten Seele. Der Psalmist sagte: «Wie ein Hirsch lechzt nach Wasserbächen, so lechzt meine Seele, o Gott, nach dir! Meine Seele dürstet nach Gott, nach dem lebendigen Gott: Wann werde ich kommen und vor Gottes Angesicht erscheinen?» (Ps 42,2–3). Und Philippus, der für alle Jünger sprach, sagte zu Jesus: «Herr, zeige uns den Vater, so genügt es uns!» (Joh 14,8). Moses Bitte: «So lass mich doch deine Herrlichkeit sehen!» (2Mo 33,18), spiegelt die wahre Sehnsucht eines wiedergeborenen Herzens wider. In Psalm 17,15 drückte David es besonders schön aus: «Ich aber werde dein Angesicht schauen in Gerechtigkeit, an deinem Anblick mich *sättigen*, wenn ich erwache.»

David kannte alle Phasen im Leben, vom einfachen Hirtenjungen über die Ehre eines grossen Kriegers bis zur Stellung eines Königs. Er kostete jedes irdische Vergnügen. Und er wusste, grösstmögliche Befriedigung stellt sich nur ein, wenn er das Angesicht Gottes sehen und wie er in Heiligkeit sein würde.

Was würde Sie wirklich zufrieden stellen? Neue Kleider? Eine neue Arbeit? Eine Beförderung? Ein neues Haus oder Auto? Ein gutes Essen? Eine vergnügliche Zeit? Ein Urlaub? Setzen Sie Ihr Herz nicht auf solch geringe irdische Vergnügen. Die Erlösten werden imstande sein, *Gott zu sehen*. Offenbarung 22,3–4 verheisst uns: «Der Thron Gottes und des Lammes wird in ihr sein, und seine Knechte werden ihm dienen; und sie werden sein Angesicht sehen.»

Als Christen wird es unsere höchste Befriedigung sein, unseren Gott und seinen Sohn Jesus Christus zu sehen und vor ihnen in vollkommener Rechtschaffenheit zu stehen. Der Himmel stattet uns aus mit diesem Vorrecht: der unverhüllte, unverminderte und ununterbrochene Anblick seiner unendlichen Herrlichkeit und Schönheit, der uns endlose und ewige Freude verschafft. Wir fangen an zu verstehen, warum Petrus auf dem Berg der Verklärung ein Lager aufschlagen und dort dauerhaft bleiben wollte, nachdem er diese Herrlichkeit kurz gesehen hatte! (Mt 17,4).

Im 19. Jahrhundert beschrieb die Liederdichterin Fanny Crosby die Hoffnung jedes Gläubigen in dem beliebten Lied «My Savior First of All» (Mein Erlöser zuerst):

> Wenn mein Lebenswerk beendet ist,
> und ich die ansteigende Flut passiere,
> Wenn ich den strahlenden und herrlichen Morgen erblicke,
> Werde ich meinen Erlöser erkennen,
> wenn ich die andere Seite erreiche,
> Und sein Lächeln
> wird mich als erstes willkommen heissen. ...
>
> Durch die Tore der Stadt
> in einem makellos weissen Gewand,
> Wird er mich führen, wo niemals Tränen werden fliessen;
> In die glücklichen Lieder der Ewigkeit
> werde ich fröhlich einstimmen,
> Aber ich sehne mich danach,
> zuerst meinem Erlöser zu begegnen.

Diese Worte haben eine besondere Bedeutung – Fanny Crosby war von Kindheit an blind. Sie wusste, die erste Person, die sie je sehen würde, war Jesus Christus.

In gewisser Weise trifft das auf uns alle zu. Unsere Sicht auf der

Erde ist praktisch wie Blindheit verglichen mit der, die wir im Himmel haben werden (1Kor 13,12). Wir sollten sehnlichst auf diesen Tag warten, wenn unsere Sicht durch seine herrliche Gegenwart erleuchtet wird. Ich hoffe aufrichtig, dass dies Ihr tiefster Wunsch ist.

---

1. C. S. Lewis, *Letters to Malcolm: Chiefly on Prayer* (New York: Harcourt, 1964), S. 108–109.
2. A. A. Hodge, *Evangelical Theology* (Carlisle, PA: Banner of Truth, 1976), S. 400.

KAPITEL 8

Die himmlischen Heerscharen

Unser Studium über den Himmel wäre nicht vollständig ohne Beachtung der Engel.

Engel sind in der heutigen Populärkultur weit verbreitet. Durch das plötzliche Aufkommen der New-Age-Bewegung in den späten 1960er- und frühen 1970er-Jahren kamen verschiedene Mythen, Aberglaube und okkulte Vorstellungen über Engel in die vorherrschende Moderichtung. Einige äusserst beliebte Fernsehserien wie «Highway to Heaven» (Ü.: Schnellstrasse zum Himmel) (1984–1989) und «Touched by an Angel» (Ü.: Berührt von einem Engel) (1994–2003) halfen eine Explosion des Interesses anzuheizen. Hollywood hat diese Manie noch weiter geschürt. In den letzten drei Jahrzehnten gab es buchstäblich Dutzende von Spielfilmen, die von Engelbesuchen handelten. Illustrationen, Schmuck und Figuren von Engeln sind sehr beliebte Artikel in Souvenir-Shops und Geschenk-Boutiquen. Einer meiner Mitarbeiter beschreibt ein Geschäft in der Nähe meines Zuhauses. Das gesamte Angebot besteht ausschliesslich aus Engeln:

> Eine Stunde Fahrzeit von meinem Büro entfernt befindet sich ein New-Age-Geschäft, das sich als «der Welt grösster Engelshop» bezeichnet. Die Regale sind voller Bilder, Statuetten und New-Age-Büchern, die die Menschen angeblich lehren, wie man mit Engeln kommuniziert. Sie haben auch ein grosses Sortiment an Kleinigkeiten, die sie «Regalen-

> gel» nennen – Porzellanfiguren, die so gemacht sind, dass sie am Regalrand sitzen können –, meistens Frauen mit Flügeln und engelsgleiche Kleinkinder mit eigenen kleinen Flügelchen.[1]

Es sind zahllose Bücher über Engel und Berichte von Begegnungen mit Engeln geschrieben und veröffentlicht worden. Die meisten von ihnen weisen starke okkulte Züge oder New-Age-Tendenzen auf. Eine vor kurzem vorgenommene Suche nach dem Wort «Engel» in der Buchkategorie von Amazon.com brachte mehr als 80 000 Ergebnisse. (Eine Suche nach «Engel» in allen Kategorien von Amazon.com ergab mehr als eine halbe Million Einträge.) Mit Engeln wird ein grosses Geschäft gemacht.

Die beliebtesten Bücher scheinen jene zu sein, die vorgeben, den Lesern zu zeigen, wie sie Engel erkennen und mit ihnen reden können. Einige der am häufigsten verkauften Bücher dieses Genres sind *Where Angels Walk: True Stories of Heavenly Visitors*[2] (Ü.: Wo Engel spazierengehen: Wahre Geschichten über himmlische Besucher) (ein Buch, das mindestens vierzehn Fortsetzungen nach sich gezogen hat, von denen viele millionenfach verkauft wurden); *Angels 101: An Introduction to Connecting, Working, and Healing with the Angels*[3] (Ü.: Engel 101: Ein Leitfaden für Verbindung, Arbeit und Heilung mit den Engeln); *How to Hear Your Angels*[4] (Ü.: Wie du deine Engel hören kannst); *Angelspeake: How to Talk With Your Angels*[5] (Ü.: Engelsprechen: Wie du mit deinen Engeln reden kannst) und *Your Angel Journey: A Guide to Releasing Your Inner Angel*[6] (Ü.: Deine Engelreise: Ein Führer zur Freisetzung deines inneren Engels).

Laut Büchern wie diesen ist die Kommunikation mit Engeln eine ernste Sache. Ein grosser Bestseller zu diesem Thema aus den letzten zwei Jahrzehnten ist das Buch *Ask Your Angels*[7] (Ü.: Frage deine Engel). Dem Werbematerial der Verleger zufolge «zeigen uns die Autoren [von *Ask Your Angels*], wie wir uns auf die Kraft der

Engel stützen können, um unser verlorengegangenes inneres Ich wiederzufinden und unsere Ziele zu erreichen, ob es nun die Verbesserung unserer Beziehungen, die Heilung von Krankheiten oder der Entzug einer Sucht ist.» Dieses Buch zeigt dem Leser angeblich, «wie er sich auf das Energiefeld der Engel ausrichten und lernen kann, mit seinen Engeln zu reden.»

Im Folgenden einige weitere wortgetreue Zitate aus den Kommentaren verschiedener Herausgeber über ihre Leitfäden zur Kommunikation mit dem Bereich der Engel:

> Anhand der leicht anwendbaren Techniken in diesem Buch können Sie lernen, sich Wesen wie Schutzengeln, Naturgeistern und -kräften, Totems, Erzengeln, Göttern und Göttinnen zu nähern und sich auf sie abzustimmen – das gilt ebenso für Familienmitglieder und Freunde nach ihrem physischen Tod. Es zeigt auch, welche Akupressurpunkte Ihre intuitiven Fähigkeiten stimulieren, wie Sie sich vor Körperlosen einer geringeren Stufe schützen und Ihre Angst vor dem Unbekannten besiegen.

> Jeder hat einen Geistführer oder Schutzengel, der ihm hilft, auf einem auserwählten karmischen Weg zu bleiben. [Diese Kassette] hilft Ihnen, mit Ihnen in Kontakt zu kommen.

> [Sie können lernen], mit Ihrem Schutzengel Kontakt aufzunehmen und in Ihrem Lebensalltag empfänglich zu sein für den Bereich der Engel. Lernen Sie, sich auf die höheren Frequenzen von Geistern einzustellen, ein stärkeres Bewusstsein für Engel und Naturgeister zu entwickeln und mit diesen liebevollen Wesen zu kommunizieren, um ein besseres Verständnis für unseren eigenen Platz in der Schöpfung zu bekommen.

[Dieses Buch] hilft uns, unser Herz zu öffnen für diese fröhlichen und tröstenden Beschützer, sodass wir unser Bewusstsein zu einer neuen Dimension erheben können.

Alle Beiträge in dieser einmaligen Sammlung betonen die Kooperation zwischen Menschen und Engeln in der Erschaffung unseres inneren Lebens und sogar der Natur. Der Leser bekommt einen reichen und vielfältigen Einblick in diese uralten, schwer fassbaren Geister, die uns schon so lange Zeit inspiriert haben.

Die Autoren zeigen Ihnen neun konkrete Wege, wie Ihr persönlicher Engel Sie beschützt, wie Sie Ihren Schutzengel anrufen und ihn dazu bringen, auf Ihren Hilferuf in kleinen und grossen Dinge zu antworten. Ihnen wird auch die Hierarchie der Engel und die Sprache im Reich der Engel vorgestellt!

Zeigt uns, wie wir mit den Engeln und dem Reich der Himmel auf der Erde etwas erschaffen können. Spezielle Übungen und Meditationen helfen Ihnen, mit den Engeln zu kommunizieren, die darauf warten, dass Sie sie in Ihr Leben einladen!

Uns steht die Inspiration von Engeln und Musen stets zur Verfügung. Zusammen mit Schreib- und Kunstübungen wird der Leser das Reich der Engel durch geführte Reisen entdecken, sich auf Mandalas konzentrieren, lernen, die Kräfte der Jahreszeiten zu nutzen, und erfahren, wie Farben uns beeinflussen und die Engel Farbe und Licht als Sprache verwenden. Krankengeschichten machen deutlich, wie viele Menschen sich ihrer kreativen Begabungen bewusst geworden sind, als sie mit Engeln zu spielen begonnen haben.

> Bietet eine vollständige Methode, wie man das heilende Licht der Seele, den Solarengel, und die Engelheiler in seinem physischen Körper aufnimmt. Diese leicht zu erlernenden Prozesse, die in den letzten acht Jahren in Seminaren gelehrt wurden, haben Tausenden geholfen, ihre Körperzellen zu heilen und zu verbessern. Die heilenden Engel arbeiten mit jedem Heilungsweg oder jeder Heilbehandlung zusammen, die Sie zurzeit anwenden. Enthalten ist eine Tabelle mit Heilungsfragen, Farben und Bildern, die zum Gebrauch bei bestimmten Krankheiten gedacht sind.

> Unter Verwendung einer Kombination aus Ihrem Sternzeichen und einer speziellen farbigen Kerze können Sie die Magie und Weisheit bekommen, die Sie im Leben wünschen, wenn Sie die Engel anrufen. Dieses Buch enthält viele spirituelle Geheimnisse, die den Leser zu Erfolg und Macht führen werden.

Vieles davon ist natürlich kaum mehr als okkulte Wahrsagerei, Zauberei und typische New-Age-Mystik. Alles, was wir über die Gefahren mystischer Nachforschungen im Totenreich gesagt haben, gilt ebenso für bewusste Versuche, mit Geistwesen zu verkehren. Beides sind okkulte Praktiken, auch wenn sie sich hinter einem christlichen Wortlaut und biblischen Texten verstecken. Beide Arten, den geistlichen Bereich zu erforschen, öffnen einen Menschen für ernsthafte dämonische Täuschung.

Ich habe keinen Zweifel, dass einige, die behaupten, mit Engeln zu kommunizieren, wirklich eine Verbindung zu Engelwesen aufgebaut haben – wenn auch nicht so, wie sie es sich vorgestellt hatten. Die Schrift warnt uns eindeutig, dass der Teufel und seine Boten oft als Engel des Lichts erscheinen (2Kor 11,13–15). Mit anderen Worten, dämonische Wesen nutzen die Leichtgläubigkeit der Menschen aus, die aktiv versuchen, mit der Welt der Geister in

Kontakt zu treten. Was sie tun, ist reiner Schamanismus, und sie setzen sich allen schrecklichen Folgen der schwarzen Künste aus. Ich kenne Menschen, die durch diese Praktiken in eine ernsthafte dämonische Abhängigkeit gekommen sind. Christen sollten sich strengstens vor solchen Nachforschungen hüten.

Leider war die Reaktion der evangelikalen Welt auf diese Trends nur sehr schwach. Es gibt eine Fülle von Büchern von evangelikalen Verlegern mit christlich angehauchten Geschichten von Begegnungen mit Engeln, mit viel Begeisterung erzählte «Wahre Geschichten über Engel» und enthusiastische Berichte von Christen, die behaupten, regelmässig mit Engeln zu kommunizieren. Wie üblich sind Evangelikale süchtig danach, den Modeerscheinungen der Welt zu folgen. Leider stellt dieser Trend eine besonders ernste Gefahr dar.

Wie 2. Korinther 11,15 nahelegt, «ist es also nichts Überraschendes», wenn sich ein Dämon für einen guten Engel ausgibt. Trotz der weiten Verbreitung bewegender Geschichten über das Eingreifen von Engeln (Engel, die Missionare vor Kannibalen retten und ähnliches), besteht keine Möglichkeit diese Berichte zu überprüfen – ausser denen in der Bibel. Das heisst nicht, dass es *kein* Engel war, dessen unsichtbare Hand Sie festhielt, als Sie beinahe die Treppe hinuntergestürzt wären. Aber es bedeutet, dass Sie nicht mit Sicherheit wissen können, ob es ein Engel war oder nicht. Sicher wissen wir nur, dass Gottes Vorsehung uns vor mancherlei Unglücksfällen bewahrt. Ob er in einem bestimmten Fall nun Engel eingesetzt hat als seine Werkzeuge oder nicht, unser Lob und Dank sollte Gott stets gelten, nicht den Engeln.

Die Schrift sagt, dass «*einige* ohne ihr Wissen Engel beherbergt» haben (Hebr 13,2; Elberfelder 2003). Und aus genau diesem Grund werden wir aufgefordert, Fremden Freundlichkeit und Gastfreundschaft zu erweisen. Aber die Sprache der Bibel deutet an, dass diese Begebenheiten selten sind, und der Schlüssel zum Verständnis dieses Verses ist der Ausdruck *ohne ihr Wissen*. Der Vers beschreibt

Personen, die *nicht wussten*, dass sie Engel aufgenommen hatten. Laut Bibel ist es sicherlich möglich, dass Sie der Gastgeber eines Engels sein können. Doch aller Wahrscheinlichkeit nach wird das ohne Ihr Wissen geschehen. An keiner Stelle fordert uns die Schrift auf, Engel zu verehren, nach Beweisen für sie im täglichen Leben zu suchen oder so sehr mit der gastfreundlichen Aufnahme von Engeln zu rechnen, dass wir sie in jeder zufälligen Begegnung zu erkennen glauben.

Die Geschichten, die heutige «Rendezvous mit einem Engel»-Bücher füllen, sind nicht nachweisbar – vielleicht aussergewöhnliche Demonstrationen der Vorsehung Gottes, aber nicht zwangsläufig authentische Berichte über das Eingreifen von Engeln. Diese ganze Fixierung ist von fragwürdigem Wert. Mit Sicherheit bringt sie mehr geistlichen Schaden als Nutzen.

Was sagt die Schrift über Engel?

Anfang 1995 schnitt ich einen Artikel aus dem *Moody*-Magazin aus, der die Begeisterung für Engel untersuchte. Er enthielt einige interessante Statistiken, die eine Beurteilung zuliessen, warum das Interesse an diesem Thema so stark gewachsen war. Die damals veröffentlichten Statistiken waren unfassbar und zeigten die explosive Zunahme von Büchern über Schutzengel, Kommunikation mit Engeln und so weiter. So erstaunlich sie damals auch waren, die heutigen Zahlen stellen diese Statistiken natürlich bei weitem in den Schatten.

In dem Artikel habe ich mir ein Zitat von Ed Glasscock unterstrichen, Professor für Theologie am Moody Bible Institute: «Die Bibel erklärt Engel nie wirklich. Sie gibt nur flüchtige Hinweise auf das, was sie tun.»[8] Das ist absolut richtig. Wenn wir unsere Informationen ausschliesslich der Bibel entnehmen, haben wir mehr unbeantwortete Fragen über Engel als detailliertes Wissen. Wir wissen, dass Engel den Menschen dienen und von Zeit zu Zeit sogar in menschliche Angelegenheiten eingreifen, aber darüber, *wie* dies geschieht, wissen wir sehr wenig. Und (wie wir bereits festgestellt haben) uns wird deutlich davon abgeraten, uns Einblick in geistliche Fragen zu verschaffen, die über die Offenbarung der Schrift hinausgehen: «Was verborgen ist, das steht bei dem HERRN, unserem Gott; was aber geoffenbart ist, das ist ewiglich für uns und unsere Kinder bestimmt, damit wir alle Worte dieses Gesetzes tun» (5Mo 29,28).

Dennoch *können* wir der Schrift eine beträchtliche Menge an Informationen über diese wunderbaren Geschöpfe entnehmen. Und da wir mit den Engeln die Ewigkeit im Himmel verbringen werden, lohnt es sich in unserem Studium über den Himmel, alles aus der Schrift über Engel und ihre Funktion zu lernen.

Die Bibel benutzt mehrere Begriffe zur Beschreibung der Engel. Psalm 89,7 nennt sie «Söhne der Starken» (Elberfelder 2003); «Söhne Gottes» (Hi 1,6; 2,1; 38,7); *elohim* im Hebräischen von Psalm 8,6; «Heilige» (Ps 89,6); «Morgensterne» (Hi 38,7); «Fürsten» (Dan 10,13); und «Fürstentümer und Gewalten in den himmlischen Regionen» (Eph 3,10).

Untersuchen Sie die Bibel und Sie werden Engel im dritten Himmel finden, wo Gott wohnt. Dort beten sie ihn ununterbrochen an. Sie werden sie im zweiten Himmel antreffen, wo sie sich durch das Universum bewegen und Gott auf verschiedene Weise dienen. Und Sie finden sie im ersten Himmel, wo sie hin und wieder in die Angelegenheiten der Menschen eingreifen.

Wie Engel erschaffen wurden

Engel sind erschaffene Wesen, keine Halbgötter. Sie besitzen keine der unübertragbaren Merkmale der Gottheit wie Allwissenheit oder Allgegenwart. Ihre Existenz hat einen Anfang. Sie sind Geschöpfe. Nehemia 9,6 sagt: «Du bist der HERR, du allein! Du hast den Himmel gemacht, aller Himmel Himmel samt *ihrem ganzen Heer*, die Erde und alles, was auf ihr ist, die Meere und alles, was in ihnen ist. Du erhältst alles am Leben, und *das Heer des Himmels betet dich an.*» Das bedeutet, dass die Engel von Gott erschaffen wurden. Es deutet zudem an, dass Engel – so wie alle anderen intelligenten Wesen – geschaffen wurden, um Gott Anbetung zu bringen, nicht um selbst angebetet zu werden. In beiden Fällen, in denen Engel in der Schrift angebetet werden, tadeln sie die anbetende Person und geben Gott die Ehre (Offb 19,10; 22,8–9).

Psalm 148 bestätigt, dass Engel erschaffene Wesen sind, die den Schöpfer anbeten:

> Lobt ihn, alle seine Engel;
> lobt ihn, alle seine Heerscharen!
> Lobt ihn, Sonne und Mond;
> lobt ihn, alle leuchtenden Sterne!
> Lobt ihn, ihr Himmel der Himmel,
> und ihr Wasser oben am Himmel!
> Sie sollen loben den Namen des HERRN;
> *denn er gebot, und sie wurden erschaffen.* (V. 2–5)

Beachten Sie, dass sowohl Nehemia 9,6 («Du bist der HERR [Jahwe], du allein! Du hast den Himmel gemacht, aller Himmel Himmel samt ihrem ganzen Heer») als auch Psalm 148,5 («denn er [der Herr, Jahwe] gebot, und sie wurden erschaffen») *Jahwe* als denjenigen bezeichnen, der die Engel geschaffen hat.

Einer der stärksten Beweise für die Gottheit Jesu ist die biblische Behauptung, dass *er* alle Dinge erschaffen hat, einschliesslich der Engel. Kolosser 1,16 sagt: «Denn in ihm ist alles erschaffen worden, was im Himmel und was auf Erden ist, das Sichtbare und das Unsichtbare, seien es Throne oder Herrschaften oder Fürstentümer oder Gewalten: Alles ist durch ihn und für ihn geschaffen.» An dieser Stelle verteidigt Paulus deutlich die Gottheit Christi gegen die Lehre derer, die sagen, dass er bloss ein erschaffenes Wesen war. (Bis heute lehrt die Sekte der Zeugen Jehovas, dass Christus ein

Erzengel ist – das höchste der erschaffenen Wesen.) Paulus widerlegt eine derartige Lehre gründlich, indem er erklärt, dass Christus selbst derjenige ist, der alles erschaffen hat – inklusive aller Engelwesen und allem anderen, was existiert. Deshalb ist Christus der menschgewordene *Jahwe*. Er kann nicht bloss ein Engel sein. Hebräer 1,4 sagt, dass «er umso viel erhabener geworden ist als die Engel, als der Name, den er geerbt hat, ihn auszeichnet vor ihnen.» Und in Vers 6 sagt der Vater: «Und alle Engel Gottes sollen ihn anbeten!»

Paulus bezeichnet die Engel oft als «Herrschaften» (oder «Fürstentümer» in der Elberfelder 2003) oder «Gewalten», die in den himmlischen Regionen wohnen und herrschen (Eph 6,12). Uns werden nicht viele Details über die Hierarchie des Himmels mitgeteilt, klar ist aber, dass die Engel in einer von Gott angeordneten Befehlskette organisiert sind:

> Die Heerscharen der Engel bestehen aus mindestens einem Erzengel, den Seraphim und den Cherubim. Der Erzengel Michael wird in Daniel 10,13.21; Judas 9 und Offenbarung 12,7 namentlich erwähnt. Er scheint der höchste von allen Engeln zu sein. Ausser ihm wird nur ein anderer heiliger Engel mit Namen genannt, Gabriel (Dan 8,16; 9,21; Lk 1,19.26). Deshalb gehen manche davon aus, dass er einen ähnlichen Rang hat wie Michael, aber die Schrift bezeichnet Gabriel nicht ausdrücklich als Erzengel.
>
> Die Seraphim werden nur in der himmlischen Vision in Jesaja 6,2–6 erwähnt, wo der Prophet sie als herrliche und imposante Gestalten beschreibt, die vor dem Thron Gottes stehen, ihn fortwährend anbeten und über die Heiligkeit seines Thrones wachen.
>
> Weit entfernt von den kindlichen Figuren mit rundlichem Gesicht, wie sie in der populären Kunst oft dargestellt werden, scheinen die Cherubim die Macht und Majestät der

Heerscharen der Engel zu repräsentieren. Sie bewachen den Eingang des Garten Eden (1Mo 3,24) und sind ausserdem die symbolischen Wächter der Bundeslade (2Mo 37,7). Und sie bildeten einen lebenden Wagen aus Feuer, auf dem der Herr fuhr (2Sam 22,11; Ps 18,11; vgl. Hes 10,1–22). Sie werden stets als Furcht einflössende und Ehrfurcht gebietende Geschöpfe beschrieben.

Andere Engelwesen werden Throne, Herrschaften, Fürstentümer oder Gewalten genannt (Kol 1,16). Ähnliche Begriffe werden auch für die gefallenen Engel verwendet (Eph 6,12; Kol 2,15).[9]

Die Heerscharen der Engel werden in der ganzen Schrift als eine gewaltige himmlische Armee beschrieben. Und als ihr Schöpfer hat Christus eine weit grössere Autorität als sie. Er allein ist zur Rechten des Vaters, «hoch über jedes Fürstentum und jede Gewalt, Macht und Herrschaft und jeden Namen, der genannt wird, nicht allein in dieser Weltzeit, sondern auch in der zukünftigen» (Eph 1,21). Wiederholt stellt die Schrift diesen gewaltigen Unterschied heraus zwischen Christus, der ewig ist (Joh 1,1), und den Engeln, die bloss erschaffene Wesen sind. Christus «ist vor allem, und alles hat seinen Bestand in ihm» (Kol 1,17).

Es scheint so, dass die Engel zu einem frühen Zeitpunkt im Schöpfungsprozess entstanden sind. Hiob 38 beschreibt, wie Gott den Grund der Erde legte, «als die Morgensterne miteinander jauchzten und alle Söhne Gottes jubelten» (V. 7). Die Engel waren also dabei und bezeugten die Entstehung unserer Welt. Und da sich Engel nicht fortpflanzen (Mt 22,30), müssen sie alle auf einmal erschaffen worden sein – in einem weitreichenden kreativen Akt. Gott befahl und sofort kam eine unzählige Menge an Geschöpfen in Existenz, von denen jedes unabhängig von den anderen einmalig war. Sie pflanzen sich nicht fort, was bedeutet, dass ihre Zahl nie zunehmen kann. Sie sterben nicht und werden somit auch nicht weniger.

Wie viele Engel gibt es? Die Schrift nennt uns keine Zahl. Aber bei der Geburt Christi erschien «die Menge der himmlischen Heerscharen» (Lk 2,13). Bei seiner Gefangennahme sagte Jesus, wenn er es wollte, könnte er zum Vater beten und sofort stünden ihm «mehr als zwölf Legionen Engel» zur Verfügung (Mt 26,53). Zur Zeit Jesu bestand eine römische Legion aus 3000 bis 6000 Mann – das wären 72000 (oder mehr) Engel. Denken Sie darüber nach: Hätte Jesus Tausende von Engeln benötigt, wären sie augenblicklich da gewesen. Es gibt aber keinen Grund zu glauben, dass «zwölf Legionen» die Reihen der Engel schon erschöpfen würden. In der Bibel finden sich Anhaltspunkte, dass die Zahl viel höher ist.

Die Schrift veranschaulicht die riesige Zahl an Engeln oft durch einen Vergleich mit den Sternen. Häufig werden die Begriffe für Engel und Sterne sogar austauschbar verwendet. «Das gesamte Heer des Himmels» spricht manchmal von den Sternen (5Mo 17,3), ein andermal sind damit die Engel gemeint (1Kö 22,19). In Hiob 38,7 werden die Engel sogar «die Morgensterne» genannt. Zweifellos wird damit ihre Herrlichkeit und ihre enorme Menge betont. Wissenschaftler sagen, dass es mehrere Milliarden Sterne im Universum gibt. Könnte es sein, dass die Zahl der Engel ebenso gross ist?

Ja. In Offenbarung 5,11 schreibt der Apostel Johannes: «Und ich sah, und ich hörte eine Stimme von vielen Engeln rings um den Thron und um die lebendigen Wesen und die Ältesten; und ihre Zahl war zehntausendmal zehntausend und tausendmal tausend.» Wenn wir diese Zahlen wörtlich nehmen, kommen wir auf mehr als 100 Millionen. Das ist aber wahrscheinlich nur ein Ausdruck, den der Apostel verwendet, um die Vorstellung an eine so grosse Menge zu vermitteln, die schlichtweg nicht zu zählen ist.

Genau das deutet auch Hebräer 12,22 an: «Ihr seid gekommen zum Berg Zion und zur Stadt des lebendigen Gottes, dem himmlischen Jerusalem; und zu *Myriaden von Engeln*, der allgemeinen Versammlung» (Elberfelder 2003). Wie die Sterne am Himmel und die Sandkörner am Strand ist die Zahl so hoch, dass es keinen Sinn ergibt, sie zu zählen. Natürlich kennt Gott die genaue Zahl. Aber sie ist so hoch, dass wir ihre Grösse nicht begreifen könnten.

Als die Engel in Sünde fielen

Der Teufel und die Dämonen sind gefallene Engel. Alles, was wir über den Fall Satans wissen, vermittelt uns die Schrift sorgsam. Satan scheint das eigentliche Deutungsziel einer Reihe von Botschaften zu sein, die an irdische Herrscher gerichtet sind. Diese Herrscher sind so böse, dass wir davon ausgehen können, dass Satan in ihnen wohnte. Daher scheinen die Botschaften an diese bösen Könige eigentlich Satan zu meinen. Zum Beispiel die Worte aus Jesaja 14,12–15, die an den König von Babylon gerichtet sind, beziehen sich auf Satan und sprechen ihn mit «Glanzstern» (lat. Luzifer) oder «Sohn der Morgenröte» an:

> Wie bist du vom Himmel herabgefallen,
> du Glanzstern, Sohn der Morgenröte!
> Wie bist du zu Boden geschmettert,
> du Überwältiger der Nationen!
> Und doch hattest du dir in deinem Herzen vorgenommen:
> «Ich will zum Himmel emporsteigen
> und meinen Thron über die Sterne Gottes erhöhen
> und mich niederlassen
> auf dem Versammlungsberg im äussersten Norden;
> ich will emporfahren auf Wolkenhöhen,
> dem Allerhöchsten mich gleichmachen!»
> Doch ins Totenreich bist du hinabgestürzt,
> in die tiefste Grube!

Satan strebte offensichtlich danach, vom Thron Gottes widerrechtlich Besitz zu ergreifen, und als Folge wurde er aus dem Himmel geworfen. Hesekiel 28 enthält eine Botschaft an den König von Tyrus, die deutlich über den König selbst hinausgeht und auf Satan anzuwenden ist, der in ihm gewohnt haben muss. Wir wissen, dass das eigentliche Deutungsziel der Botschaft Satan ist, weil sie darauf anspielt, wie er Eva im Garten Eden verführte:

> So spricht GOTT, der Herr:
>
> «O du Siegel der Vollendung,
> voller Weisheit und vollkommener Schönheit!
> In Eden, im Garten Gottes warst du;
> mit allerlei Edelsteinen warst du bedeckt:
> mit Sardis, Topas, Diamant,
> Chrysolith, Onyx, Jaspis,
> Saphir, Karfunkel, Smaragd, und mit Gold.
> Deine kunstvoll hergestellten Tamburine und Flöten
> waren bei dir;
> am Tag deiner Erschaffung wurden sie bereitet.
> Du warst ein gesalbter, schützender Cherub,
> ja, ich hatte dich dazu eingesetzt;
> du warst auf dem heiligen Berg Gottes,
> und du wandeltest mitten unter den feurigen Steinen.
> Du warst vollkommen in deinen Wegen
> vom Tag deiner Erschaffung an,
> bis Sünde in dir gefunden wurde.
> Durch deine vielen Handelsgeschäfte
> ist dein Inneres mit Frevel erfüllt worden,
> und du hast gesündigt.
> Darum habe ich dich von dem Berg Gottes verstossen
> und dich, du schützender Cherub,
> aus der Mitte der feurigen Steine vertilgt.»
> (V. 12–16)

Als Luzifer in Sünde fiel, riss er ein Drittel der Engel mit sich (Offb 12,3–4). Diese gefallenen Engel sind jetzt nichts anderes als dämonische Wesen, von denen einige die Erde bis zum heutigen Tag in Unruhe versetzen – und das wird so weitergehen, bis Gott sie richtet (Offb 20,10).

Wie Engel sind

Engel sind Personen. Das heisst, sie sind Wesen mit allen Eigenschaften einer Persönlichkeit: Intellekt, Gefühle und Wille. Sie besitzen eine Persönlichkeit. Sie sind intelligente Geschöpfe, die handeln, sich bewegen und fühlen.

In der Stelle in Hesekiel 28, die den Fall des «gesalbten, schützenden Cherubs» beschreibt, sagt Gott zu ihm: «O du Siegel der Vollendung, voller Weisheit und vollkommener Schönheit!» Dieses Geschöpf, das gefallen ist und zu Satan wurde, war offenbar das intelligenteste aller Geschöpfe Gottes und sehr wahrscheinlich der höchstgestellte Engel von allen.

Engel werden in der Schrift fast immer als sehr intelligente Wesen geschildert. Als die beiden Marias am Auferstehungsmorgen das leere Grab Jesu fanden, sagte der Engel, der das Grab bewachte, in Matthäus 28,5 zu ihnen: «Fürchtet ihr euch nicht! *Ich weiss* wohl, dass ihr Jesus, den Gekreuzigten, sucht.» Engel können sich mitteilen. Sie führen Unterhaltungen. Sie wissen Dinge. Sie sind offensichtlich verstandesbegabte Wesen.

Aber Engel sind nicht allwissend. In 1. Petrus 1,12 lesen wir, dass das Evangelium Wahrheiten enthält, «in welche auch die Engel hineinzuschauen begehren.» Es gibt also einige Dinge, die sie nicht verstehen. Aber auch ihr Verlangen, mehr zu wissen, beweist, dass sie intelligente Wesen sind.

Engel bringen auch Gefühle zum Ausdruck. Denken Sie daran, dass sie bei der Schöpfung jubelten (Hi 38,7). Lukas 15,10 sagt: «So ist auch Freude vor den Engeln Gottes über einen Sünder, der Busse tut.» Ich glaube, dieser Vers spricht von der Freude *Gottes* über die Errettung seiner Auserwählten. Aber diese Freude wird sicherlich auch von den Engeln geteilt. Das Gleichnis, das Jesus in diesem

Kontext erzählt, beschreibt eine Frau, die eine Münze verloren hat. Sie kehrt das Haus, nimmt eine Kerze und sucht überall nach ihr, bis sie sie findet. Anschliessend «ruft sie die Freundinnen und die Nachbarinnen zusammen und spricht: Freut euch mit mir; denn ich habe die Drachme gefunden, die ich verloren hatte!» (V. 9). In Vers 10 heisst es dann: «Ich sage euch, *so* ist auch Freude vor den Engeln Gottes über einen Sünder, der Busse tut.» Das macht deutlich, dass Gott sich in der Gegenwart der Engel freut, sodass sie an seiner Freude teilhaben können! Wir haben jeden Grund zu glauben, dass sie emotionale Wesen sind.

Meiner Meinung nach ist bedeutungsvolle Anbetung ohne Gefühle nicht möglich. Natürlich sind blinde Gefühle nicht mit wahrer Anbetung gleichzusetzen, aber Anbetung «im Geist und in der Wahrheit» – die Art von Anbetung, die Gott sucht (Joh 4,23) – ist ohne echte Gefühle nicht denkbar. Die reinste Anbetung beinhaltet, sich über die Wahrheit zu freuen (vgl. 1Kor 13,6). Und die Tatsache, dass in der Bibel oft beschrieben wird, wie Engel um den Thron Gottes herum anbeten, lässt erkennen, dass sie Gefühle besitzen. Schauen Sie sich an, wie Jesaja die Anbetung der Engel um den Thron Gottes herum beschreibt:

> Ich sah den Herrn sitzen auf einem hohen und erhabenen Thron, und seine Säume erfüllten den Tempel. Seraphim standen über ihm; jeder von ihnen hatte sechs Flügel: mit zweien bedeckten sie ihr Angesicht, mit zweien bedeckten sie ihre Füsse, und mit zweien flogen sie. Und einer rief dem anderen zu und sprach:
>
> «Heilig, heilig, heilig ist der HERR der Heerscharen;
> die ganze Erde ist erfüllt von seiner Herrlichkeit!»
> (Jes 6,1–3)

Jesajas Beschreibung dieser majestätischen Geschöpfe macht deutlich, dass sie nicht etwa Maschinen oder Tiere sind, sondern höchst intelligent und fähig zu den tiefsten Gefühlen, die mit der höchsten Form von Anbetung verbunden sind.

Ebenso deutlich wird, dass sie Geschöpfe mit einem Willen sind. Luzifers Sünde war willensgetriebener Stolz. Er sagte in seinem Herzen:

> «*Ich will* zum Himmel emporsteigen
> und *meinen* Thron über die Sterne Gottes erhöhen
> und *mich* niederlassen auf dem Versammlungsberg
> im äussersten Norden;
> *ich will* emporfahren auf Wolkenhöhen,
> dem Allerhöchsten *mich* gleichmachen!»
> (Jes 14,13–14).

Gott selbst appelliert an den Willen der Engel. Hebräer 1,6 berichtet, dass Gott der Vater den Engeln bei der Geburt seines Sohnes geboten hatte: «Und wenn er den Erstgeborenen wiederum in die Welt einführt, spricht er: ‹Und alle Engel Gottes sollen ihn anbeten!›» Gehorsam gegenüber jeglichem Befehl beinhaltet immer einen Akt des Willens.

Engel besitzen nicht nur alle Eigenschaften von Persönlichkeit, sie sind auch erhabene Geschöpfe, etwas höher gestellt in Bezug auf Majestät und Autorität als Menschen. Als Christus Mensch wurde, sagt die Schrift, dass Gott ihn hat «ein wenig niedriger sein lassen als die Engel» (Hebr 2,7). Somit nehmen Engel eine höhere Stellung ein als wir – zumindest für die gegenwärtige Zeit. Eines Tages werden die erlösten Menschen über Engel richten – und das könnte andeuten, dass wir auch über sie im Himmel herrschen werden. Paulus schrieb: «Wisst ihr nicht, dass wir Engel richten werden? Wie viel mehr die Angelegenheiten dieses Lebens?» (1Kor 6,3). Jesus gab den Gemeinden in Kleinasien die Verheissung: «Wer überwindet, dem will ich geben, mit mir auf meinem Thron zu sitzen, so wie auch ich überwunden habe und mich mit meinem Vater auf seinen Thron gesetzt habe» (Offb 3,21). Mit Christus den Thron zu teilen, scheint anzudeuten, dass wir über die Engel herrschen werden. Wenn das stimmt, ist das eine überwältigende Vorstellung.

Welche Aufgaben haben Engel?

Das Leben und die Welt der Engel ist ebenso vielgestaltig, lebhaft und komplex wie unseres. Sie wohnen in einer anderen Dimension, aber unsere Welten überschneiden sich häufig, und zumindest ein Teil ihrer Aktivitäten hat mit den Dingen dieser Welt zu tun. Hebräer 1,14 nennt sie «dienstbare Geister, ausgesandt zum Dienst um derer willen, welche das Heil erben sollen».

Martin Luther glaubte, dass ein Engel ein geistiges Geschöpf ohne Körper ist, das Gott speziell für den Dienst an der Christenheit und der Gemeinde geschaffen hat. Ob das tatsächlich die *Haupt*tätigkeit der Engel ist oder nicht, wird uns nicht mitgeteilt, aber es ist sicherlich *eine* ihrer Pflichten. (Die Tatsache, dass sie in einer in hohem Mass strukturierten Befehlskette organisiert sind, könnte ein Anzeichen dafür sein, dass die Pflichten der Engel entsprechend ihrem Rang variieren.)

Als dienstbare Geister, die den Auserwählten dienen, sind Engel ohne Zweifel aktiv in Angelegenheiten der Menschen, auch wenn sie normalerweise unsichtbar bleiben. Zweifellos tun sie viele Dinge in unserem Interesse, aber die Schrift fordert uns an keiner Stelle auf, tiefer nachzuforschen, wie das passiert. Wir sollen nicht versuchen, das unsichtbare Werk der Engel in unserem Leben herauszufinden. Wir werden nur daran erinnert, Gastfreundschaft zu zeigen, da wir nicht wissen, wann oder in welcher Form ein Engel unser Gast sein könnte.

Hebräer 1,14 bezeichnet Engel als «dienstbare *Geister*», was erkennen lässt, dass sie keinen materiellen Körper haben. Dennoch erscheinen sie von Zeit zu Zeit in sichtbarer Form, wenn Gott will, dass sie offen zutage treten. Und wann immer die Bibel irgend eine Engelerscheinung in irdischem Zusammenhang beschreibt, erscheint der Engel als Mann. Es werden ausnahmslos männliche Fürwörter für sie verwendet. Zum Beispiel, in 1. Mose 18–19, als Engel Abraham besuchten und Sodom einen Besuch abstatteten, waren sie in ihrer Erscheinung völlig Mensch. Sie setzten sich nieder mit Abraham. Sie assen mit ihm. Sie gingen mit ihm. Sie unterhielten sich in menschlicher Sprache. Jedes Detail ihrer sichtbaren Gestalt und ihres Verhaltens glich dem eines Menschen.

Zu anderen Gelegenheiten erscheinen Engel zwar als Menschen, verfügen aber über aussergewöhnliche und sogar übernatürliche Eigenschaften. In Matthäus 28,3–4 war der Engel, der am leeren Grab Jesu erschien, kein normal aussehender Mensch: «Sein Aussehen war wie der Blitz und sein Gewand weiss wie der Schnee. Vor seinem furchtbaren Anblick aber erbebten die Wächter und wurden wie tot.»

Wenn in der Bibel ein Engel erscheint, verursacht er oft ein traumatisches Erlebnis und grosse Furcht – anders als in den heutigen Berichten über Engel. Als ein Engel zu Maria kam und sie ansprach, «erschrak sie über sein Wort und dachte darüber nach, was das für ein Gruss sei» (Lk 1,29). Als Engelboten den Hirten erschienen, denen von der Geburt Jesu gekündet wurde, «fürchteten sie sich sehr» (Lk 2,9). Als die römischen Soldaten, die das Grab Jesu bewachten, dort einen Engel sahen, «erbebten die Wächter vor seinem furchtbaren Anblick und wurden wie tot» (Mt 28,4).

In den seltenen Fällen, in denen Engel in der Bibel sichtbar vor Menschen erscheinen, nehmen sie die Rolle eines Boten ein. Das gehört zu ihren wichtigsten Funktionen. «Bote» ist die Hauptbedeutung des griechischen Wortes *angelos*. Die Engel übernehmen also eine Art himmlischen Botendienst, und die Bibel gibt uns einen kleinen Einblick in ihre Arbeit. Der Engel, der Maria bei der Verkündigung der Geburt Jesu erschien, gab sich mit Namen zu erkennen: «Ich bin Gabriel, der vor Gott steht, und bin gesandt, zu dir zu reden und dir diese frohe Botschaft zu bringen» (Lk 1,19).

Möglicherweise war es die heilige Tragweite seiner Botschaft, dass dieser hochgestellte Engel (vgl. Dan 8,16; 9,21), der normalerweise in der Gegenwart Gottes stand, zu Maria gesandt wurde, um ihr das Wort zu überbringen.

Wie wir gesehen haben, dienen Engel in Anbetung fortwährend um den Thron Gottes herum. Anbetung gehört eindeutig zu ihren Hauptfunktionen (Jes 6,3; Offb 4,6–9; 5,9–14).

Welche Beziehung werden wir im Himmel zu den Engeln haben?

Die Schrift gibt zu erkennen, dass wir gemeinsam mit den Engeln um den Thron Gottes herum anbeten werden. Offenbarung 4,4 beschreibt, was Johannes in seiner Vision vom Himmel als erstes sah: «Und rings um den Thron waren 24 Throne, und auf den Thronen sah ich 24 Älteste sitzen, die mit weissen Kleidern bekleidet waren und auf ihren Häuptern goldene Kronen hatten.» Diese Ältesten repräsentieren die Gemeinde. Die Tatsache, dass sie auf Thronen sitzen, deutet an, dass das erlöste Volk Gottes unaufhörlich mit den Engeln dort anbeten wird.

Anschliessend beschreibt Johannes die wunderbaren Geschöpfe, die ohne Unterbrechung um den Thron Gottes herum anbeten, und fügt in Vers 8 hinzu: «Unaufhörlich rufen sie bei Tag und bei Nacht: Heilig, heilig, heilig ist der Herr, Gott der Allmächtige, der war und der ist und der kommt!» In einem unermüdlichen Dienst bringen sie Gott die reinste und vollkommenste Anbetung rund um die Uhr dar, genau so wie Jesaja es in seiner Vision beschrieb (vgl. Jes 6,3).

> Und jedes Mal, wenn die lebendigen Wesen Herrlichkeit und Ehre und Dank darbringen dem, der auf dem Thron sitzt, der lebt von Ewigkeit zu Ewigkeit, so fallen die 24 Ältesten nieder vor dem, der auf dem Thron sitzt, und beten

> den an, der lebt von Ewigkeit zu Ewigkeit; und sie werfen ihre Kronen vor dem Thron nieder und sprechen: Würdig bist du, o Herr, zu empfangen den Ruhm und die Ehre und die Macht; denn du hast alle Dinge geschaffen, und durch deinen Willen sind sie und wurden sie geschaffen! (Offb 4,9–11)

Offenbarung 5,8–12 zeigt eine ähnliche Szene, in der abertausende von Stimmen die Würdigkeit Gottes und des Lammes besingen.

Das ist das Lied des Himmels. Ich kann es kaum erwarten, es zu hören. Ich kann es kaum erwarten, es mit verherrlichter Stimme zu singen und Teil des grossen Chors der Erlösten zu sein, zusammen mit den ganzen himmlischen Heerscharen.

Wenn wir diesen Klang hören, werden alle irdischen Probleme in einem Augenblick bedeutungslos werden. Alle unsere Mühen werden vorüber sein, alle unsere Tränen getrocknet, und nichts wird bleiben als die reine Glückseligkeit des Himmels und unsere vollkommene Freude an Gott – und das für immer.

Ein abschliessendes Wort an den Leser

Wir haben das Ende unseres biblischen Überblicks über den Himmel und seine Bewohner erreicht. Welchen Eindruck ich von der Herrlichkeit des Himmels durch blosse Worte auch vermittelt haben mag, er ist sicherlich nur sehr gering verglichen mit dem, wie die himmlische Herrlichkeit wirklich sein wird, wenn wir sie in ihrer ganzen Fülle sehen. Nichtsdestotrotz hoffe ich, dass Ihr Herz ebenso bewegt wurde wie meines durch die einzigartige Gnade eines Gottes, der seine Güte unwürdigen Geschöpfen wie mir und Ihnen erweist – Menschen, die wiederholt gegen ihn gesündigt haben – und uns an seinem eigenen Wohnort aufnimmt für immer. Dass er uns teilhaben lässt an der Herrlichkeit des Himmels, ist ein

Wunder, das der menschliche Verstand nicht wirklich fassen kann. Eine solche Gnade können wir nicht einmal ansatzweise begreifen. Nur in der Ewigkeit des Himmels werden wir imstande sein, die Anbetung und den Dank angemessen zum Ausdruck zu bringen, die ihm gebühren. Und selbst dort werden wir es die ganze Ewigkeit besingen – und das Wunder und die Herrlichkeit dessen nie erschöpfen.

Wenn dieses Studium in Ihnen den Wunsch geweckt hat, an der Herrlichkeit und Segensfülle des Himmels teilzuhaben, habe ich meine mit dem Schreiben verbundene Absicht erreicht.

Ich bete für Sie, lieber Leser, dass Sie hinter die vergängliche Realität dieser Welt schauen und ein Aufleuchten der Herrlichkeit des Himmels wahrnehmen. Und nachdem Sie diesen winzigen Schimmer von der himmlischen Herrlichkeit eingefangen haben, mag es Ihnen so ergehen wie dem Mann, der einen Schatz im Acker fand und seinen ganzen irdischen Besitz verkaufte, um den Acker zu erwerben (Mt 13,44). Wenn Sie Christus noch nicht für die Errettung vertraut haben, dann fliehen Sie gerade jetzt zu ihm und ersuchen um Vergebung und Reinigung und empfangen Sie das reine weisse Gewand der Gerechtigkeit.

Alles, was herrlich, edel und gesegnet ist, erwartet uns im Himmel. Ich hoffe, Sie sind auf dem Weg dorthin und Ihr Herz sehnt sich danach, mit Christus vereint zu werden.

Der Himmel mag näher sein, als Sie denken. Wie der Apostel Paulus schrieb:

> Und dieses sollen wir tun als solche, die die Zeit verstehen, dass nämlich die Stunde schon da ist, dass wir vom Schlaf aufwachen sollten; denn jetzt ist unsere Errettung näher, als da wir gläubig wurden. Die Nacht ist vorgerückt, der Tag aber ist nahe. So lasst uns nun ablegen die Werke der Finsternis und anlegen die Waffen des Lichts! Lasst uns anständig wandeln wie am Tag, nicht in Schlemmereien

und Trinkgelagen, nicht in Unzucht und Ausschweifungen, nicht in Streit und Neid; sondern zieht den Herrn Jesus Christus an und pflegt das Fleisch nicht bis zur Erregung von Begierden! (Röm 13,11–14)

---

1. Phil Johnson, «Angels: Messengers and Ministers of God», http://www.ligonier.org/learn/articles/angels-messengers-and-minsters-god/.
2. Joan Wester Anderson, *Where Angels Walk: True Stories of Heavenly Visitors* (New York: Ballantine, 1992).
3. Doreen Virtue, *Angels 101: An Introduction to Connecting, Working, and Healing with the Angels* (Carlsbad, CA: Hay, 2006).
4. Doreen Virtue, *How to Hear Your Angels* (Carlsbad, CA: Hay, 2007).
5. Barbara Mark und Trudy Griswold, *Angelspeake: How to Talk with Your Angels* (New York: Simon & Schuster, 1995).
6. Joylina Goodings, *Your Angel Journey: A Guide to Releasing Your Inner Angel* (Ropley, UK: O Books, 2008).
7. Alma Daniel, Timothy Wyllie und Andrew Ramer, *Ask Your Angels* (New York: Ballantine, 1992).
8. Zitiert von Bill Deckard, «Angels We Have Heard?» *Moody*, April 1995, S. 46.
9. Johnson, «Angels: Messengers and Ministers of God.»

ANHANG 1

Verführt vom Licht

Eine der frühsten «In den Himmel und zurück»-Geschichten, die die Aufmerksamkeit von Lesern erregt hat, war Betty J. Eadies Buch *Licht am Ende des Lebens.*[1] Mittlerweile ist es mehr als zwei Jahrzehnte alt und hat schon vierzig Auflagen hinter sich. Es verkauft sich nach wie vor sehr gut.

Eadie erzählt, wie sie in ihrem Krankenzimmer «starb», während sie sich nach einer Gebärmutteroperation im Jahr 1973 erholte. Ihre Erinnerungen daran sind ausserordentlich lebendig:

> Mein Geist wurde plötzlich aus meinem Brustkorb heraus nach oben gezogen wie von einem riesigen Magneten. Mein erster Eindruck war, dass ich frei war. An dieser Erfahrung war nichts Unnatürliches. Ich schwebte über dem Bett nahe der Decke. Mein Freiheitsgefühl war grenzenlos, und es schien, als hätte ich das schon immer gemacht. Ich drehte mich um und sah einen Körper auf dem Bett liegen. Ich wollte wissen, wer es war, und augenblicklich sank ich zu ihm herab. Da ich als Assistenzkrankenschwester gearbeitet hatte, kannte ich das Aussehen eines toten Körpers gut, und als ich dem Gesicht näher kam, wusste ich sofort, dass er leblos war. Und dann erkannte ich, dass ich es selbst war. Es war *mein* Körper auf dem Bett. Ich war nicht überrascht und hatte keine Angst; ich spürte nur eine Art Mitgefühl für ihn. Er erschien jünger und schöner, als ich mich an ihn erinnerte, und jetzt war er tot.[2]

Eadie beschreibt weiter, wie plötzlich drei in Gewänder gekleidete Männer neben ihr erschienen und ihr mitteilten, dass sie schon seit «Ewigkeiten» bei ihr gewesen waren. Sie begann, sich zu erinnern an «eine Existenz vor [ihrem] Leben auf der Erde» und an ihre «vorherige» Beziehung zu diesen Männern.[3] Sie schreibt: «Die Tatsache eines vorirdischen Lebens kristallisierte sich in meinem Geist heraus, und ich erkannte, dass der Tod im Grunde eine ‹Wiedergeburt› in ein grösseres Leben des Verständnisses und Wissens war, das in der Zeit vor und zurück reichte.»[4]

Eadies Nahtoderfahrung schien bereits alle klassischen New-Age-Aspekte aufzuweisen wie Reinkarnation, ausserkörperliche Erfahrungen, Telepathie und dergleichen. Sie berichtet von einem geisterhaften Besuch in ihrem eigenen Haus, wo sie ihre Kinder beobachtete und sogar in deren Zukunft schauen konnte.

Dann aber nimmt ihre Geschichte diese ungewöhnliche Wendung:

> In der Entfernung sah ich einen winzigen Lichtpunkt. Die schwarze Masse um mich herum begann mehr die Form eines Tunnels anzunehmen, und ich spürte, wie ich mit noch grösserer Geschwindigkeit hindurchreiste und dem Licht entgegeneilte. Ich wurde instinktiv davon angezogen, obwohl ich wieder spürte, dass es anderen nicht so gehen könnte. Als ich mich näherte, bemerkte ich die Gestalt eines Mannes, der darin stand und von dem Licht ausstrahlte. Als ich näher herankam, leuchtete das Licht stärker – so stark, dass man es gar nicht beschreiben kann, heller als die Sonne –, und ich wusste, dass natürliche irdische Augen dieses Licht nicht ansehen konnten, ohne beschädigt zu werden.[5]

Eadie beschreibt ein blendendes, goldenes Leuchten, das dieses Wesen umgab. Sie sagt, er streckte sich mit reiner, bedingungsloser

Liebe zu ihr aus. «Es stand ausser Frage, wer er war», schreibt sie. «Ich wusste, dass er mein Erlöser war, mein Freund und Gott. Er war Jesus Christus.»[6]

Ab diesem Punkt drehen sich alle himmlischen Heldentaten von Eadie um diese Jesusgestalt und um das, was er sie lehrte. Sie behauptet, ihr Verstand bekam die übernatürliche Fähigkeit, Dinge zu wissen und zu verstehen – fast so als würde sie sich an das «erinnern», was sie schon immer gewusst hatte:

> Ich verstand, oder besser, ich *erinnerte* mich an seine Rolle als Schöpfer der Erde. Sein Auftrag war es, in diese Welt zu kommen, um uns Liebe zu lehren. Dieses Wissen war mehr eine Erinnerung. Dinge kamen zurück zu mir aus einer Zeit, lange bevor mein Leben auf der Erde begann, Dinge, die ein «Schleier» des Vergessens bei meiner Geburt absichtlich vor mir verbarg.[7]

Es klingt, als würde Eadie quasi Allwissenheit für sich in Anspruch nehmen. Genau das möchte sie vermitteln. Sie schreibt: «Das Wort ‹allwissend› hat für mich nie zuvor mehr Sinn gemacht. Wissen durchdrang mich. In gewisser Weise *wurde* es zu mir, und ich staunte über meine Fähigkeit, die Geheimnisse des Universums zu verstehen, indem ich einfach über sie nachdachte.»[8]

Eadie glaubt offensichtlich, dass sie dieses Verständnis von den «Geheimnissen des Universums» auch nach ihrer Rückkehr aus dem Himmel bewahrte. Ihr Buch ist voll mit unbedachten Antworten auf Fragen, die sie vor ihrem himmlischen Aufenthalt nach eigener Aussage schon immer verwirrt hatten. Sie hält beispielsweise eine kleine Moralpredigt darüber, warum sie nicht beunruhigt ist, dass es so viele verschiedene Religionen gibt. Sie scheint von jedem zu wünschen, dass er sein Urteilsvermögen aufgibt und alle Versuche einstellt, die Wahrheit von geistlichem Irrtum zu unterscheiden:

> Ich wollte wissen, warum es so viele Kirchen in der Welt gibt. Warum hat Gott uns nicht nur eine Kirche, eine reine Religion gegeben? Die Antwort bekam ich in reinster Form. Jeder von uns, wurde mir gesagt, steht auf einer anderen geistlichen Entwicklungsstufe und hat ein unterschiedliches Verständnis. Somit ist jede Person für eine andere Ebene der geistlichen Erkenntnis vorbereitet. Alle Religionen auf der Erde sind nötig, weil es Menschen gibt, die ihre Lehren brauchen. Die Menschen in einer Religion haben womöglich nicht das volle Verständnis vom Evangelium des Herrn und werden es auch nicht bekommen, solange sie dieser Religion angehören. Aber diese Religion wird als Sprungbrett zu weiterer Erkenntnis gebraucht. Jede Kirche erfüllt geistliche Bedürfnisse, die andere möglicherweise nicht erfüllen können. Keine Kirche kann die Bedürfnisse von allen auf allen Ebenen erfüllen. Wenn jemand eine höhere Verständnisebene über Gott und seinen eigenen ewigen Prozess erreicht, wird er vielleicht unzufrieden mit den Lehren seiner gegenwärtigen Kirche und sucht nach einer anderen Philosophie oder Religion, die die Leere ausfüllt. Wenn das passiert, hat er eine neue Erkenntnisstufe erreicht und wird sich nach mehr Wahrheit und Wissen und anderen Möglichkeiten zum Wachstum sehnen.[9]

«Nachdem man diese Erkenntnis empfangen hat», folgert sie, «haben wir kein Recht, eine Kirche oder Religion in irgendeiner Weise zu kritisieren».[10]

Trotzdem betont Eadie auch, dass es an Christus eine gewisse Einzigartigkeit gibt: «Von aller Erkenntnis ist jedoch keine wichtiger, als Jesus Christus zu kennen. Mir wurde gesagt, dass er die Tür ist, durch die wir *alle* zurückkehren werden. Er ist die einzige Tür, durch die wir zurückkehren können.»[11]

Da sie einige biblische Anspielungen und einen vertrauten

christlichen Sprachgebrauch mit ihren Vorstellungen von Universalismus, Reinkarnation und Selbstvergötterung vermischt, sind viele Christen fälschlicherweise davon ausgegangen, dass Betty Eadie selbst ein evangelikaler Christ ist. Im ganzen Land hat ihr ein begeistertes Publikum zugehört, wie sie ihre Geschichte erzählte, und viele, die sich selbst Christen nennen, bestehen darauf, dass man ihre Erfahrung nicht einfach so abtun sollte. Ich habe von einer überraschend grossen Zahl von Evangelikalen gehört, die sich fragen, ob Eadies Geschichte über den Himmel und das Leben nach dem Tod ein verlässlicher und wahrer Bericht darüber sein könnte, was Christen nach dem Tod erwartet.

Die Antwort ist ein entschiedenes *Nein*. Viele Behauptungen von Betty Eadie widersprechen der Schrift, wie wir noch sehen werden. Obwohl sie ihre eigene religiöse Zugehörigkeit in ihrem Buch nicht bekannt gibt, gehört sie den Mormonen an. Einige der Wahrheiten, von denen sie sagt, sie habe sie im Himmel erfahren, weisen eine frappierende Ähnlichkeit mit den Lehren der Mormonen auf. Trotz ihres langen Vortrags über den Wert aller Religionen erwähnt Eadie in ihrem Buch nicht – sondern nur gegenüber einem Reporter aus Utah –, dass sie während ihres Besuchs im Himmel erfuhr, dass die Kirche Jesu Christi der Heiligen der letzten Tage (die Mormonen) «die wahrste Kirche auf der Erde» ist.[12] In einem Werbepaket für die Leser in Utah fügte Eadies Herausgeber (ein Ableger eines mormonischen Verlagshauses) der Originalausgabe des Buches spezielle Werbeflyer bei. Unter dem Titel «Von besonderem Interesse für Mitglieder der Kirche der Heiligen der letzten Tage» priesen sie Eadie als eine kürzlich zum Mormonentum konvertierte Anhängerin.[13]

Infolge der gestiegenen Verkaufszahlen fingen Eadie und ihr Verleger jedoch an, ihre kirchliche Zugehörigkeit herunterzuspielen – das ging fast soweit, dass sie die Tatsache, dass sie Mormonin war, scheinbar verheimlichen wollten. In einem Interview mit *The Christian Research Journal* weigerte sie sich mehrfach zuzugeben, dass sie eine Mormonin war.[14]

Eadies Lehre ist aber nicht reines Mormonentum. Sie ist eine seltsame Mischung aus mormonischer Lehre und New-Age-Philosophie. In der mormonischen Kirche selbst gab es Kontroversen über ihre Lehren, und Kirchenführer konnten sich gerade noch zurückhalten, sie als eine echte Prophetin zu behandeln, obgleich sie sich darüber freuten, dass Eadies Buch eine solch werbewirksame Goldgrube für die Mormonen war.

Auf jeden Fall sind Eadies Behauptungen in ihrer Gesamtheit offensichtlich stark beeinflusst von mormonischen Lehren. Sie steht absolut nicht im Einklang mit wesentlichen biblischen Lehren wie Paterologie (die Lehre von Gott), Anthropologie (die Lehre vom Menschen), Hamartiologie (die Lehre von der Sünde) und Eschatologie (die Lehre von den zukünftigen Dingen – insbesondere über den Himmel und wie man dort hinkommt).

Engel der Täuschung

Die Schrift fordert uns auf, uns vor den Abgesandten des Teufels zu hüten, die als Engel des Lichts auftreten (2Kor 11,13–15). Die einflussreichsten Irrlehren in der Geschichte der Gemeinde Jesu waren stets jene, die sich als orthodox tarnten und die Sprache der Schrift verwendeten, die Wahrheit aber verzerrten. Anders ausgedrückt, der Gebrauch der *Terminologie* des biblischen Christentums bedeutet noch lange nicht, dass auch die Inhalte biblisch sind.

Die Tatsache, dass Betty Eadie eine liebenswürdige Frau ist, die sagt, sie sei Engeln begegnet, ist gewiss keine Garantie dafür, dass sie nicht getäuscht wurde oder selbst eine Betrügerin ist oder beides. Das Wesen ihres Falls rechtfertigt es umso mehr, ihre Lehren mit äusserster Sorgfalt zu überprüfen. Eadie behauptet, vom Herrn selbst eine umfassende Offenbarung der göttlichen Wahrheit empfangen zu haben. Wie sie ihre Erfahrung beschreibt, ist spektakulärer und viel ausführlicher als der apostolische Bericht über die Verklärung Jesu. Ihr Porträt vom Himmel geht weit darüber hinaus, wie der Apostel Paulus von seinem Aufenthalt im dritten Himmel berichtet. Wenn sie wahr ist, übertrifft Eadies Geschichte jede in der Bibel aufgezeichnete Offenbarung über den Himmel. Wenn Betty Eadie Recht hat, muss die christliche Theologie vollständig überarbeitet werden. Ihrem System zufolge hatte niemand während zweitausend Jahren Christentum das richtige Verständnis.

Aufgrund der bisherigen Aussagen in diesem Buch sollte natürlich jedem mit einem grundlegenden Verständnis der biblischen Wahrheit klar sein, dass Eadies Behauptungen blanker Unsinn sind und eine Gefahr für alle darstellen, die sie ernst nehmen.

Von Finsternis umgeben

Einige Vorstellungen von Betty Eadie sind auf ihr Mormonentum zurückzuführen; andere sind der New-Age-Lehre entlehnt; und wiederum andere sind einfach unbiblische Erfindungen, die entweder ihrer Fantasie entstammen oder von dämonischen Geistern kommen.

Die Lehren der Mormonen
Mormonische Einflüsse sind in Eadies Bericht über den Himmel deutlich sichtbar. Zu den mormonischen Hauptlehren, die Eingang in ihre Erzählung gefunden haben, gehören:

Vorirdische Existenz menschlicher Geister. Betty Eadie behauptet, wir alle hatten eine Existenz in der «vorirdischen Welt». Das ist eine unter Mormonen bedeutende Lehre, die sich in der Schrift aber nirgends finden lässt.

Wir haben anfangs schon angemerkt, dass Eadie behauptete, sie könnte sich an eine Beziehung zu ihren «mönchsartig» gekleideten Führern erinnern, die seit «Ewigkeiten» bestand. An anderer Stelle schreibt sie:

> Ich *erinnerte* mich an die Erschaffung der Erde. Ich erlebte es, als würde es sich vor meinen Augen wiederholen. Das ist wichtig. Jesus wollte, dass ich dieses Wissen verinnerlichte. Er wollte mich wissen lassen, wie es sich bei der Schöpfung anfühlte. Und die einzige Möglichkeit, das zu erreichen, war, noch einmal zu sehen und zu *fühlen*, was ich schon einmal gefühlt hatte.
>
> In der vorirdischen Welt nahmen alle Menschen als Geister teil an der Erschaffung der Erde.[15]

Was sagt die Schrift dazu? Zunächst einmal macht der biblische Schöpfungsbericht deutlich, dass die erste menschliche Seele erschaffen wurde, *nachdem* die übrige Schöpfung fertig war. Die Bibel sagt: «Da bildete Gott der HERR den Menschen, Staub von der Erde, und blies den Odem des Lebens in seine Nase, und so wurde der Mensch eine lebendige Seele» (1Mo 2,7). Das hebräische Wort für «Seele» ist *nephesch*. Die Wortwurzel spricht von dem *Atem*, der in dem Geschöpf ist. Es ist die übliche alttestamentliche Bezeichnung für den Sitz unseres Lebens und unserer Persönlichkeit. In den deutschen Bibelübersetzungen wird das Wort meist mit «Seele» übersetzt. Beachten Sie: Erst nachdem Gott mit der Schöpfung fertig war, wurde Adam eine lebendige Seele. Im biblischen Bericht ist kein Platz für eine Art vorheriger Existenz der menschlichen Seele.

Eines der entscheidenden Argumente für Gottes Souveränität, das Gott selbst gegenüber Hiob anführt, war, dass Hiob bei der Erschaffung des Universums nicht dabei war: «Wo warst du, als ich den Grund der Erde legte? Sprich es aus, wenn du Bescheid weisst!» (Hi 38,4). Hiob konnte sich nicht damit brüsten, es miterlebt zu haben. Er war nicht dabei, weil er noch nicht existierte – nicht einmal als körperlose Seele. An keiner Stelle deutet die Schrift an, dass unsere menschliche Seele vor unserer Empfängnis existierte – alle biblischen Angaben sprechen eine andere Sprache (vgl. Ps 51,7). Gott *allein* erschuf das Universum (1Mo 1,1; Kol 1,16–17).

Mehrere Götter. Der Bericht von Betty Eadie schliesst die Lehre von der Dreieinheit Gottes aus. Sie schreibt: «Ich hatte noch immer mit den Lehren und Glaubensüberzeugungen meiner Kindheit zu kämpfen.»[16] Wie sahen diese Lehren und Glaubensüberzeugungen aus? «Meine protestantische Erziehung hatte mich gelehrt, dass Gott der Vater und Jesus Christus ein Wesen waren.»[17] Aber ihre Erfahrung im Himmel überzeugte Betty Eadie von etwas anderem: «Zu meiner Überraschung begriff ich, dass Jesus *ein von Gott getrenntes Wesen* war, mit seinem eigenen göttlichen Zweck.»[18] Das ist in völliger Übereinstimmung mit der Lehre der Mormonen, aber deutlich gegen die Schrift. Von vorne bis hinten lehrt die Bibel die Einheit der Gottheit (5Mo 6,4 [vgl. Elberfelder 2003]; 1Kor 8,6; 1Tim 2,5; Jak 2,19). Jesus selbst sagte: «Ich und der Vater sind eins» (Joh 10,30). Es kann nicht sein, dass der Vater und der Sohn verschiedene Absichten haben (Joh 4,34; 5,30; 8,29).

Zugegeben, die Dreieinheit Gottes ist eine Sache, die schwer zu erklären und zu verstehen ist, aber jeder wichtige Zweig des Christentums ist sich seit fast zweitausend Jahren einig, dass Gott der Vater und Jesus Christus zwar unterschiedliche Personen, aber nicht zwei voneinander getrennte Wesen oder Götter sind. Das ist die klare Lehre der Schrift: «Höre, Israel: Der HERR, unser Gott, ist ein HERR!» (5Mo 6,4; Elberfelder 2003).

Die Vergötterung der menschlichen Seele. Wir haben bereits herausgestellt, dass Betty Eadie behauptete, sie wäre im Himmel allwissend gewesen. Das stimmt mit der Vorstellung der Mormonen überein, dass alle Gläubigen in Richtung Gottheit voranschreiten. An anderer Stelle schreibt sie: «Ich verstand mit reiner Erkenntnis, dass Gott von uns möchte, wie er zu werden, und er uns gottähnliche Eigenschaften verliehen hat.»[19]

Die Schrift lehrt, dass wir so heilig sein werden wie Christus, aber nicht, dass wir die unübertragbaren Eigenschaften Gottes wie seine Allmacht und Allwissenheit bekommen werden. Auch in der Herrlichkeit des Himmels werden wir Geschöpfe Gottes bleiben. Wir werden nicht selbst zu einer Gottheit oder seine Gottheit annehmen. Gott sagt: «Ich bin der HERR, das ist mein Name; und ich will meine Ehre keinem anderen geben» (Jes 42,8).

Evas Tat wird als edel angesehen. Eadie gibt die Vorstellung der Mormonen wieder, dass es eine edle Tat war, als Eva von der verbotenen Frucht ass. Eine weit verbreitete Sicht der Mormonen ist, dass Eva absichtlich von der Frucht nahm als eine Art selbstloses Opfer, damit sie Kinder bekommen und dadurch auf dem Weg zur Gottheit fortschreiten konnte. Auf diese Weise wird ihr Ungehorsam zu einer positiven Tat. *Das Buch Mormon* sagt: «Adam fiel, damit Menschen sein können, und Menschen sind, damit sie Freude haben können.»[20]

Über die Wiederholung der Schöpfung, der sie angeblich beiwohnen durfte, schreibt Eadie aus der Erinnerung:

> Ich sah die Unterschiede zwischen Adam und Eva. Mir wurde gezeigt, dass Adam mit seinem Zustand im Garten zufriedener war und Eva rastloser. Ich bekam zu sehen, dass sie unbedingt Mutter werden wollte und dafür sogar das Risiko zu sterben einging. Eva «fiel» nicht in Versuchung, sondern traf vielmehr eine bewusste Entscheidung, um die für ihre Entwicklung notwendigen Bedingungen einzuleiten. Ihre Initiative wurde genutzt, damit letzten Endes auch Adam von der Frucht nahm. So brachten sie der Menschheit Sterblichkeit, was zu den erforderlichen Bedingungen führte, um Kinder zu haben – aber auch zu sterben.[21]

Die Schrift lehrt jedoch klar, dass Eva vom Teufel verführt wurde und ihr Fall eine ganz und gar sündige Tat war (1Tim 2,14; 2Kor 11,3).

Die Möglichkeit der Errettung nach dem Tod. Das Mormonentum ist bekannt für die Praktik, lebende Menschen stellvertretend für die Toten zu taufen. Mormonen glauben, dass Menschen, die sterben, ohne das Evangelium der Mormonen zu hören, die Möglichkeit bekommen, es nach ihrem Tod zu hören und zu glauben. Da die Taufe für ihre Errettung als unverzichtbar angesehen wird, werden die Toten «stellvertretend» getauft – d. h., lebende Mormonen vertreten die Seelen der Menschen, von denen sie wissen, dass sie gestorben sind, ohne in der mormonischen Kirche getauft worden zu sein.[22]

Betty Eadies Buch spiegelt die Überzeugung der Mormonen wider, dass der Tod die Frage nach dem ewigen Schicksal einer Seele nicht abschliessend entscheidet. Ihre Führer im Leben nach dem Tod erzählten ihr,

> dass es für uns wichtig ist, Erkenntnis über den Geist zu erwerben, während wir im Fleisch sind. Je mehr Erkenntnis wir hier bekommen, umso weiter und schneller werden wir dort vorankommen. Aufgrund mangelnder Erkenntnis oder Überzeugung sind manche Geister praktisch auf dieser Erde gefangen. [Das spiegelt auch die mormonische Lehre wider.] Einige, die als Atheisten sterben, oder diejenigen, die durch Gier, fleischliche Gelüste oder andere irdische Bindungen an die Welt gefesselt sind, haben es schwer weiterzukommen und werden von der Erde festgehalten. Ihnen fehlt es oft an Glauben und Kraft oder in manchen Fällen auch an der Erkenntnis, nach der Energie und dem Licht zu greifen, die uns zu Gott hinziehen. Diese Geister bleiben auf der Erde, bis sie lernen, die grössere Kraft um sie herum zu akzeptieren und die Welt loszulassen. Als ich mich in der schwarzen Masse befand, bevor ich mich auf das Licht zubewegte, spürte ich die Gegenwart dieser zurückbleibenden Geister. Sie bleiben dort solange, wie sie

> wollen, in ihrer Liebe und Wärme und akzeptieren ihren heilenden Einfluss, aber schliesslich lernen sie, die grössere Wärme und Sicherheit Gottes anzunehmen.[23]

Die Schrift sagt aber: «Und so gewiss es den Menschen bestimmt ist, einmal zu sterben, danach aber das Gericht» (Hebr 9,27). Die Bibel lehrt wiederholt, dass das Gericht der Gottlosen auf ihren irdischen Werken basiert (Röm 2,5–6; 2Kor 11,15).

New-Age-Ansichten

In Betty Eadies Vorstellung vom Himmel finden sich deutliche Anklänge des Mormonentums. Aber es ist keine reine mormonische Lehre. In ihrem Buch gibt es auch Vorstellungen, die eher in Einklang mit dem Mystizismus der New-Age-Bewegung zu stehen scheinen als mit den Glaubensüberzeugungen der Heiligen der Letzten Tage.

Die New-Age-Bewegung ist eine lose miteinander verbundene Ansammlung von Ansichten und Philosophien, die eine Menge gemeinsam haben mit dem Hinduismus und dem antiken Gnostizismus. New-Age-Religionen sind *pantheistisch* (der Glaube an die Göttlichkeit sowohl des Schöpfers als auch der Schöpfung), *mystisch* (Wahrheit wird als etwas betrachtet, das man in sich selbst findet) und *synkretistisch* (die Zusammensetzung und Vermischung von religiösen Vorstellungen aus einer Vielzahl von Quellen). Das Gedankengut der New-Age-Bewegung enthält vielfach auch eine grosse Dosis an okkultem Aberglauben.

Viele New-Age-Lehren sind mit dem Mormonentum von Natur aus gut vereinbar. (Auch in den Ansichten der Mormonen finden sich deutliche Elemente von Pantheismus, Mystizismus und Synkretismus.) Aber Betty Eadies Bericht bedient sich mehr beim New-Age-Gedankengut, als es das traditionelle Mormonentum tun würde. In ihrem Buch sind folgende New-Age-Elemente erkennbar:

Universalismus. Im Himmel von Betty Eadie findet letzten Endes jeder Aufnahme. Merkwürdigerweise stellt sie ihr stärkstes Argument für die Einzigartigkeit Christi neben eine uneingeschränkte, universalistische Aussage. Wir haben bereits erwähnt, dass sie anerkennt, dass Jesus die einzige Tür zur Errettung ist. Dennoch behauptet sie im selben Zusammenhang, dass eines Tages «*alle*» durch diese Tür eingehen werden.[24] In ihrer Beschreibung des Lebens nach dem Tod kommt sie nie auf die Hölle zu sprechen. Ganz offensichtlich glaubt sie nicht, dass dort Menschen die Ewigkeit verbringen werden.

Dieser Universalismus ist fraglos eng verbunden mit Eadies früher zitiertem Hinweis auf die Notwendigkeit aller Religionen. Ihren Gedanken zufolge ist es nicht entscheidend, welche Religion eine Person auf der Erde hat, denn im Leben nach dem Tod wird schliesslich jeder völlig erleuchtet werden. Religiöser Irrtum und falsche Lehre werden als Dinge betrachtet, die keine echte langfristige Gefahr darstellen. Diese Art von Denken ist charakteristisch für die New-Age-Philosophie. Im Grunde hebt sie jede wichtige Unterscheidung zwischen Wahrheit und Irrtum auf und passt somit gut zur Strategie des Teufels, so viele Formen von falschen Religionen zu verbreiten wie möglich. Das ist sein Ziel, weil er jedem etwas geben möchte, was für ihn attraktiv ist. Ihm ist es egal, welche falsche Religion die Menschen annehmen, weil er nicht an einem bestimmten falschen System interessiert ist. Er will nur die christliche Wahrheit vernichten. Solange Menschen nicht die Wahrheit des biblischen Evangeliums annehmen, schert es den Teufel nicht, was man glaubt. Alle falschen Religionen arbeiten Hand in Hand gegen die Wahrheit. Okkultismus, Mormonentum, New-Age-Religion, Hinduismus und alle anderen Angriffe auf die biblische Wahrheit dienen den Zielen des Teufels und seines Reiches.

Positive und negative Energien. Hier ist ein Beispiel, das zeigt, wie stark Betty Eadie von den New-Age-Lehren beeinflusst wurde:

> In unserem Universum gibt es positive und negative Energien, und beide Arten von Energie sind für Schöpfung und Wachstum unverzichtbar. Diese Energien besitzen Intelligenz – sie tun unseren Willen. Sie sind unsere willigen Diener. Gott hat absolute Macht über beide Energieformen. Positive Energie ist im Grunde genau das, was wir meinen: Licht, Güte, Freundlichkeit, Liebe, Geduld, Barmherzigkeit, Hoffnung und so weiter. Und negative Energie ist ebenfalls das, was wir meinen: Finsternis, Hass, Angst (Satans grösste Waffe), Unfreundlichkeit, Intoleranz, Selbstsucht, Verzweiflung, Mutlosigkeit und so weiter.
>
> Positive und negative Energien arbeiten gegeneinander. Und wenn wir diese Energien verinnerlichen, werden sie zu unseren Dienern. Positives zieht Positives an, und Negatives Negatives. Licht hält an Licht fest, und Finsternis liebt Finsternis. ... Unsere Gedanken haben Kraft. Wir schaffen uns unsere eigene Umgebung durch unsere Gedanken.[25]

Eadie fährt mehrere Seiten mit dieser Litanei fort, die gut als Glaubensbekenntnis der New-Age-Bewegung herhalten könnte.

Spirituelle Heilung. New-Age-Jünger sprechen häufig von den Heilkräften des Verstandes. Betty Eadies Schriften spiegeln einen starken Glauben an diese Lehre wider. Wenn, wie sie glaubt, «wir uns unsere eigene Umgebung durch unsere Gedanken schaffen», ist es nur logisch, dass wir uns durch positive Gedanken selbst heilen können. Genau das behauptet Eadie auch:

> Unsere Gedanken haben die aussergewöhnliche Kraft, von den negativen oder positiven Energien um uns herum zu schöpfen. Wenn sie sich lang genug mit den negativen Energien befassen, kann das zu einer Schwächung der körperlichen Abwehrkräfte führen. Das gilt insbesondere,

> wenn sich unsere negativen Gedanken auf uns selbst konzentrieren. Ich verstand, dass wir uns in unserem egozentrischsten Zustand befinden, wenn wir depressiv sind. ...
>
> Jede Heilung kommt von innen. Unser Geist heilt unseren Körper. Die sicheren Hände eines Arztes können einen Menschen operieren, und die Medizin kann ideale Heilungsbedingungen schaffen, aber der Geist bewirkt die Heilung. Ein Körper ohne Geist kann nicht geheilt werden; er kann nicht lange überleben.[26]

Eadie behauptet, in uns befände sich eine spirituelle Kraft, die uns befähigt, unsere Körperzellen zur Heilung zu verändern. Sich auf seine Gebrechen zu konzentrieren, ist ein falscher Gebrauch negativer Energien und kann sich als kontraproduktiv erweisen:

> Ich erkannte, dass ich oft negative «Gedanken» über mich selbst hatte wie: «O, meine Wehwehchen», «ich werde nicht geliebt», «schau dir mein Leid an», «ich halte das nicht länger aus» und so weiter. Plötzlich sah ich das *Ich*, *Ich*, *Ich* in allen diesen Aussagen. Mir wurde das Ausmass meiner Ichbezogenheit bewusst. Und mir wurde klar, dass ich nicht nur diese negativen Dinge beanspruchte, indem ich sie mein nannte, sondern ihnen auch die Tür öffnete und sie als zu mir gehörig akzeptierte. Mein Körper erlebte eine Art von sich selbst erfüllender Prophezeiung: «Wehe mir» übersetzte der Körper als «ich bin krank». Nie zuvor hatte ich darüber nachgedacht, jetzt aber erkannte ich, wie sehr ich Teil des Problems gewesen war.[27]

Natürlich *hatten* diese Gedanken schon viele andere, einschliesslich Mary Baker Eddy und praktisch alle metaphysischen Science-of-mind-Sekten, die vor einem Jahrhundert oder so aufblühten. Solche Gruppen waren die Vorläufer der modernen New-Age-Bewegung, die sehr ähnliche Lehren über Heilung und den Verstand vertritt.

Seine eigene Realität erschaffen. Eine andere logische Konsequenz von Betty Eadies Behauptung, dass «wir uns unsere eigene Umgebung durch unsere Gedanken schaffen», ist die Vorstellung, dass Wahrheit und Realität subjektiv sind, für jeden einzelnen Menschen einzigartig. Unsere ganze «Umgebung» – inklusive der metaphysischen Realitäten – ist bloss das Produkt unserer Gedanken. «Wenn wir die Kraft unserer Gedanken verstünden», schreibt Eadie, «würden wir sie besser behüten. Wenn wir die unglaubliche Kraft unserer Worte verstünden, würden wir Schweigen fast allem Negativen vorziehen. Mit unseren Gedanken und Worten erschaffen wir unsere eigene Schwäche und unsere eigene Stärke.»[28] Anders ausgedrückt, unsere Gedanken bestimmen, was «Realität» ist.

Ein derartiger Relativismus hat furchtbare moralische Folgen. Es bedeutet zum Beispiel, dass Menschen ihre Krankheiten und Behinderungen selbst verschuldet haben. Eadie schreibt: «Zu meiner Überraschung erkannte ich, dass sich die meisten von uns die Krankheiten, unter denen sie leiden, selbst ausgesucht haben, und einige die Krankheiten, an denen sie sterben.»[29] In einem Interview mit Hugh Downs behauptete Eadie, die Opfer des Holocausts hätten sich ihr Schicksal vor ihrer Geburt ausgesucht.[30] Das führt dazu, dass menschliches Leid bagatellisiert wird und die Nazi-Schlächter von ihren Verbrechen freigesprochen werden.

Doug Groothuis, evangelikaler Experte in Bezug auf die New-Age-Bewegung, schrieb: «Wenn die Holocaustopfer überhaupt keine Opfer waren, sondern willige Teilnehmer, dann hätten die Nazis moralisch nicht verurteilt werden dürfen; sie handelten einfach nur nach den Wünschen der Menschen, die ihnen unterstellt waren. Das ist natürlich moralisch absurd.»[31]

Pantheismus. Pantheismus ist die Vorstellung, dass Gott und das Universum eins sind. Wie ich bereits angemerkt habe, beinhaltet der Pantheismus den Glauben an die Göttlichkeit von Geschöpf und Schöpfer. Das bekannteste Beispiel für New-Age-Pantheismus in der Populärkultur ist die Behauptung der Schauspielerin Shirley MacLaine, sie sei Gott. Eine solche Behauptung ist in der Welt des New Age durchaus weit verbreitet; die meisten New-Age-Philosophien enthalten die Vorstellung, dass Gott in der ganzen Schöpfung verkörpert ist. Aus diesem Grund fühlt sich die New-Age-Bewegung mit denen verbunden, die die Natur vergöttern und «Mutter Erde» verehren.

Betty Eadie glaubt, dass wir alle göttlich sind. In ihrem aus New Age und Mormonentum bestehenden Glaubenssystem sind menschliche Geister buchstäblich Nachkommen Gottes und somit im Grunde göttlich. Wie wir gesehen haben, beanspruchte sie für sich selbst Allwissenheit. An einer anderen Stelle behauptet sie ausdrücklich, die Natur des Menschen sei «göttlich»[32], und alle menschlichen Geister besässen vor der Geburt «göttliche Erkenntnis» – eine Allwissenheit, die sie befähigt, genau zu wissen, was sie hier auf der Erde erwartet.[33]

Eadie beschreibt eine Begebenheit auf ihren himmlischen Reisen, bei der sie eine Rose an einem Fluss bemerkte. Als sie sich die Rose anschaute, sagt sie, umgab sie ihre Gegenwart. «Ich erlebte es, als *wäre* ich selbst die Blume! ... Ich spürte Gott in der Pflanze, in mir, seine Liebe ergoss sich in uns. Wir sind alle eins!»[34] Das ist Pantheismus in Reinform.

Über ihre erste Begegnung mit der Jesus-Gestalt in ihrer Vision schreibt Betty Eadie: «Ich fühlte, wie sich sein Licht mit meinem vermischte, buchstäblich, und ich spürte, wie mein Licht von seinem angezogen wurde. Es war so, als wären zwei Lampen in einem Raum, beide leuchteten, ihr Licht vermischte sich. Es ist schwer zu sagen, wo das eine Licht endet und das andere beginnt; sie wurden zu einem Licht. ... Ich spürte seinen enormen Geist und wusste, dass ich schon immer ein Teil von ihm gewesen war, dass ich in Wirklichkeit nie von ihm getrennt war.»[35]

In gewisser Hinsicht lehrt die Schrift, dass Christen mit Christus vereint sind. Aber nicht auf eine Weise, die den Unterschied zwischen Schöpfer und Geschöpf verwischt, und schon gar nicht so, dass eine ewig bestehende Beziehung zwischen dem Menschlichen und dem Göttlichen dabei herauskommt. Betty Eadies Theologie ist ein antibiblischer, antichristlicher Pantheismus.

Dualismus. Alle New-Age-Ansichten werden zudem von einem unbiblischen Dualismus durchzogen. Dualismus ist die Vorstellung, dass alles auf zwei fundamentale Prinzipien zurückzuführen ist – Yin und Yang, Gut und Böse, Licht und Finsternis. Für Dualisten ist jegliche Realität anhand des Kampfes zwischen diesen beiden grundlegenden Prinzipien erklärbar – so wie die Macht und die dunkle Seite der Macht in den Star-Wars-Filmen. In der New-Age-Philosophie kann das fundamentale Prinzip mit Geist und Materie, Licht und Finsternis, Wissen und Unwissenheit, Verstand und Körper, Himmel und Erde oder ähnlichen Dualismen beschrieben werden.

Betty Eadies Himmel ist in die Farben des New-Age-Dualismus getaucht. Die Gegenüberstellung von Gut und Böse, Geist und Körper und Himmel und Erde ist ein durchgehendes Motiv in ihrem Buch und gibt ihm ein klar erkennbares New-Age-Vokabular. Der Dualismus steht auch hinter ihrem Konzept von positiven und negativen Energien. Der Dualismus ist der Grund für ihre Ansicht, wie Geist und Köper im Heilungsprozess zusammenarbeiten. Der Dualismus bestimmt ihre Sicht von Sünde und dem Bösen.

Der Dualismus ist mit der biblischen Sicht von Sünde absolut unvereinbar. Wäre die dualistische Weltanschauung richtig, hätte es seit der vergangenen Ewigkeit zwei fundamental gegensätzliche Kräfte gegeben, die das Gleichgewicht aufrechterhielten. So wäre das Böse ebenso notwendig wie das Gute. Und so ist das Wesen der Dinge im Himmel von Betty Eadie. Wie wir gesehen haben, glaubt sie, dass der Sündenfall von Adam und Eva ein notwendiges Übel war. Ausserdem ist die Sünde an sich in Eadies dualistischem System nicht wirklich ein Verstoss gegen einen heiligen Gott, sondern vielmehr das Ergebnis von zu viel negativer Energie. Wut, Hass, Neid, Bitterkeit und ein Mangel an Vergebung sind nicht so sehr *Sünden*, für die wir Sühnung brauchen, als vielmehr negative Einflüsse, die wir lernen müssen «loszulassen».[36]

Eadie spricht nur gelegentlich von Sünde, und wenn sie das Wort überhaupt verwendet, wie Groothuis bemerkt, dann setzt sie es normalerweise in Anführungszeichen.[37] In einem klassischen Beispiel für ihren Dualismus behauptet Eadie, dass «unsere Geistkörper voller Licht, Wahrheit und Liebe sind, [aber] sie müssen unentwegt kämpfen, um das Fleisch zu besiegen.»[38] Dieser Kampf soll das Gute in uns stärken, sagt sie, und der sich daraus ergebende Wachstumsprozess wird uns schliesslich vom Einfluss des Bösen befreien. Somit ist «Sünde» nur eine notwendige Kraft, die von den normalen Mechanismen des spirituellen Wachstums reguliert und beherrscht werden muss. Sie wird nicht als Feind betrachtet, der letzten Endes vernichtet und bezwungen werden kann – ebenso wenig ist die Sühnung durch das stellvertretende Werk Christi erforderlich.

Weit davon entfernt, die Notwendigkeit von Sühne anzuerkennen, erklärt Betty Eadie, dass «Sünde nicht unsere wahre Natur ist. Spirituell befinden wir uns auf unterschiedlichen Stufen des Lichts – der Erkenntnis –, und aufgrund unserer göttlichen, spirituellen Natur sind wir mit dem Wunsch erfüllt, Gutes zu tun.»[39] Das widerspricht völlig der Schrift, die sagt, dass wir von Natur aus Kinder des Zorns sind (Eph 2,3), Feinde Gottes (Röm 5,10) und unfähig, uns dem Gesetz Gottes zu unterwerfen (Röm 8,7). Die Schrift macht deutlich, dass es niemanden gibt, der Gutes tut – nicht einen einzigen Menschen (Röm 3,12).

Aber laut Betty Eadie «sieht man Sünde in der spirituellen Welt nicht so, wie wir es tun. *Alle* Erfahrungen können positiv sein.»[40]

Der ganze Dualismus tendiert unweigerlich dazu, die moralische Bedeutung des Bösen zu verwischen. Wenn das Böse eine ewige kosmische Kraft ist, dann muss sie toleriert und verstanden und sogar eingesetzt werden – sie ist kein Feind, der vernichtet werden kann. Das erklärt vielleicht Betty Eadies leichtfertigen Ansatz für das Sündenproblem der Menschheit. Eadie sagt beispielsweise, dass sie im Himmel einen Überblick über ihr ganzes Leben bekam, das ihr «in Form von äusserst detaillierten Hologrammen» gezeigt wurde.[41] Während sie sah, wie sich ihr Leben vor ihren Augen wiederholte, begann sie sich zu schämen:

> Ich sah die Enttäuschung, die ich bei anderen verursacht hatte, und mich schauderte, als mich ihre Gefühle der Enttäuschung erfüllten, vermischt mit meiner eigenen Schuld. Ich verstand das ganze Leid, das ich ausgelöst hatte, und ich fühlte es. Ich fing an zu zittern. Ich sah, wie viel Kummer meine schlechte Laune gebracht hatte, und ich litt darunter. Ich erkannte meine Selbstsucht, und mein Herz schrie nach Linderung. Wie konnte ich nur so gleichgültig sein?[42]

Was sie sah, beschreibt Eadie als die «Nachwirkungen» ihres falschen Verhaltens. Wenn sie Menschen Unrecht tat, zahlten sie ihr das zurück, und so weiter. Als sie begann, die weitreichenden Auswirkungen ihres Fehlverhaltens zu begreifen, vermehrten sich ihre Schmerzen und wurden unerträglich, sagt sie.

Mitten in dieser Situation, behauptet Eadie, kam der Erlöser auf sie zu und bat sie, nicht so schlecht über sich zu denken. «Du bist zu hart zu dir», sagte Jesus angeblich zu ihr. Anschliessend zeigte er ihr, dass ihre guten Taten ebenso grosse, aber gegenteilige «Nachwirkungen» hatten.[43] Alle guten Taten hoben die schlechten im Grunde auf – auch hier sehen wir ihren Dualismus. «An die Stelle meines Schmerzes trat Freude», schreibt sie.

Diese Art des Denkens macht Sühne nicht erforderlich. Wenn man seine Sünde ausgleichen kann, indem man einfach genug Gutes tut, wird das Werk Christi am Kreuz überflüssig. Das ist nicht echtes Christentum. Es ist das Ergebnis eines heidnischen Dualismus.

Man mag sich fragen, ob das Christentum selbst dualistisch ist. Schliesslich verstehen Christen den Konflikt der Zeitalter als einen Kampf zwischen Gut und Böse oder Gott und dem Teufel. Ist das kein echter Dualismus?

Nein, das ist es nicht. Der Teufel ist weder ewig noch mit Gott gleichgestellt. Er ist ein erschaffenes Wesen. Ausser Gott selbst gibt es kein fundamentales, ewiges Prinzip. Das Böse ist keine dauerhafte Herausforderung für seine Güte. Es ist ein Zustand, in den die Schöpfung gefallen ist und von dem sie erlöst wird. Das Böse ist *keine* ewige Kraft, die Gott ebenbürtig ist. Gott und der Teufel sind keine gleichgestellten Gegensätze. Ebenso wenig wie Gut und Böse.

Christen glauben an ein, und nur ein, ewiges Prinzip – Gott selbst. Er allein ist souverän über den Teufel und das Böse. Oder anders ausgedrückt, im orthodoxen christlichen Denken steht am Anfang aller Realität und aller Existenz nur Gott. «Er ist vor allem, und alles hat seinen Bestand in ihm» (Kol 1,17). Auch die Lehre von der Dreieinheit Gottes verändert die grundlegende Einheit der christlichen Weltanschauung nicht. Gott besteht aus drei Personen in *einem* Wesen.

Daher schliesst die christliche Wahrheit den Dualismus ihrem Wesen nach aus. Und die Geschichte zeigt, dass alle, die versuchten, das Christentum mit dem Dualismus zu vermischen, ernsten Irrlehren unterlegen sind. Die lange Geschichte des Gnostizismus liefert genügend Beweise dafür.

Gnostizismus. Wie alle New-Age-Philosophien ist Betty Eadies Lehre vom Gnostizismus unterlaufen. Der antike Gnostizismus war schon immer dualistisch, mystisch und voller ernster Irrlehren. Formen des Gnostizismus haben die Zeitalter überlebt, und gnostisches Denken ist die Grundlage der New-Age-Bewegung. Man könnte sogar sagen, dass die New-Age-Bewegung eine Neuauflage des Gnostizismus ist.

Obwohl Gnostiker häufig ein christlich-biblisches Vokabular gebrauchen, stehen gnostische Ideen dem wahren Christentum feindlich gegenüber. Deshalb müssen sich echte Gläubige vor dem Einfluss des Neo-Gnostizismus hüten.

Wie wir in diesem Buch schon besprochen haben, liegt allem Gnostizismus die Überzeugung zugrunde, dass erleuchteten Seelen eine höhere Erkenntnis zur Verfügung steht, die über die in der Schrift geoffenbarte Wahrheit hinausgeht. Gnostiker sind sich nicht immer einig, *welches* «Geheimnis» zur Erleuchtung führt; übereinstimmend sagen sie aber, dass es vor allen ausser den Erleuchteten geheim gehalten wird. Es ist in dem «Schlüssel» zu der Wahrheit zu finden, die unweigerlich über die Schrift hinausreicht.

Daher ist der Gnostizismus von Natur aus mystisch; er lehrt die Menschen, die geheime Erkenntnis in sich selbst zu suchen. Diese Erkenntnis kann erworben werden durch Träume und Visionen, Engelsboten, direkte Mitteilungen Gottes in den Verstand, Biofeedback, eigene Gefühle, ausserkörperliche Erfahrungen oder – wie im Fall von Betty Eadie – durch eine Kombination dieser Dinge, verbunden mit einer Seelenreise in das jenseitige Reich.

Eadies Anspruch beruht auf der Behauptung, dass sie durch ihre angebliche postmortale Erfahrung jetzt in die Geheimnisse des Universums eingeweiht ist. Sie meint, eine Erkenntnis zu besitzen, die über das hinausgeht, was die Schrift über den Himmel offenbart. Somit macht sie sich zu einer höheren Autorität zum Thema Himmel als die Schrift selbst. Das ist klassischer Gnostizismus.

Andere unbiblische Vorstellungen

Betty Eadies Buch ist voll mit anderen unbiblischen Vorstellungen – von mehr oder weniger grosser Bedeutung. Hier sind einige von ihnen:

Die Souveränität des menschlichen Willens. Eadie vertritt eine radikale Lehre über den freien Willen, die die biblische Lehre von der Souveränität Gottes aufhebt. Sie beschreibt ihre Gedanken, als sie aus dem Reich der Toten auf ihre eigenen Kinder herabblickte: «Sie waren individuelle Geister wie ich selbst, mit einer Intelligenz, die sich vor ihrem Leben auf der Erde entwickelt hatte. Jedes von ihnen hatte seinen eigenen freien Willen, sein Leben so zu führen, wie es wollte. Ich wusste, dass dieser freie Wille ihnen nicht verwehrt werden sollte.»[44] Sie sagt, sie erkannte, dass ihre Kinder ihr Leben entsprechend einem Plan führten, den sie sich vor ihrer Geburt ausgesucht hatten. Und laut Betty Eadie könnten ihnen die Entscheidungen ihres freien Willens nicht verwehrt werden. «Es gab keinen Grund für Kummer oder Angst.»[45]

Später in ihrem Buch schreibt sie darüber:

> Ich sah, dass wir in der vorirdischen Welt unsere Lebensziele kannten und sie sogar selbst aussuchten. ... Uns wurde die Freiheit gegeben, hier selbstständig zu handeln. Unser Handeln bestimmt den Lauf unseres Lebens, und wir können unser Leben jederzeit ändern oder neu ausrichten. Ich begriff, dass das äusserst wichtig war. Gott versprach uns, nicht in unser Leben einzugreifen, *es sei denn wir bitten ihn darum.* Und dann würde er uns durch seine Allwissenheit helfen, unsere gerechten Wünsche zu bekommen. Wir waren dankbar für diese Möglichkeit, unseren freien Willen und seine Macht auszuüben. Das erlaubt jedem von uns, grosse Freude zu erleben oder uns für Dinge zu entscheiden, die uns traurig machen. Die Entscheidung liegt bei uns.[46]

Die Schrift lehrt das nicht. Weit davon entfernt, die Freiheit des menschlichen Willens zu preisen, macht die Schrift deutlich, dass wir hoffnungslos an Sünde und falsche Begierden versklavt sind. «Weil nämlich das Trachten des Fleisches Feindschaft gegen Gott ist; denn es unterwirft sich dem Gesetz Gottes nicht, und kann es auch nicht» (Röm 8,7). Unser ganzes Leben lang sind wir an die Sünde versklavt (Hebr 2,15).

Die Schrift benutzt den Tod als Bild, um den geistlichen Zustand des menschlichen Herzens zu beschreiben. Über uns wird gesagt: Vor unserer Wiedergeburt waren wir «tot durch Übertretungen und Sünden, in denen [wir] einst gelebt» haben (Eph 2,1–2). Unser Leben war versklavt an die «Begierden unseres Fleisches, indem wir den Willen des Fleisches und der Gedanken taten; und wir waren von Natur Kinder des Zorns» (V. 3). Gott hat nicht erst gehandelt, als wir ihn darum baten, denn sein souveränes Eingreifen ist absolut *nötig* für unsere Errettung (V. 4–5). Wir befänden uns tatsächlich in einer hoffnungslosen Situation, würde Gott uns unserem eigenen Weg überlassen und versprechen, «nicht in unser Leben einzugreifen, es sei denn wir bitten ihn darum».

Die Bibel lehrt deutlich, dass Gottes Wille souverän ist, nicht der des Sünders. Unsere Errettung und unser ewiges Wohl «liegt nun nicht an jemandes Wollen oder Laufen, sondern an Gottes Erbarmen» (Röm 9,16). Er errettet Sünder, obwohl sie die Sünde lieben und seine Gerechtigkeit hassen. Eine Entscheidung wurde tatsächlich vor Grundlegung der Welt getroffen; allerdings war es Gott, und nicht wir, der wollte, dass «wir heilig und tadellos vor ihm seien in Liebe» (Eph 1,4).

Menschliche Selbstgenügsamkeit. Betty Eadies Theologie hält nicht nur den Willen des Sünders für souverän, sie besteht auch darauf, dass Menschen in und durch sich selbst alle ihre geistlichen Bedürfnisse erfüllen können.

Diese Lehre macht Gott praktisch überflüssig. So verwundert es nicht, dass Eadie behauptet, Gott habe versprochen, sich aus den Angelegenheiten des Menschen herauszuhalten. Sie glaubt, Menschen wären in der Lage, sich ohne das Eingreifen Gottes selbst zu helfen: «Ich erkannte, dass wir *immer* die Fähigkeit haben, uns selbst zu helfen, auch wenn wir das noch nicht bemerkt oder es gelernt haben, sie einzusetzen. Wir müssen in uns hineinschauen. Wir müssen auf unsere Fähigkeiten vertrauen; das richtige spirituelle Werkzeug steht uns jederzeit zur Verfügung.»[47] Das ist eine vernichtende Lehre für Sünder, die nichts tun können, um sich selbst zu erretten. Die Botschaft Jesu war das genaue Gegenteil: «Getrennt von mir könnt ihr nichts tun» (Joh 15,5).

Errettung durch menschliche Werke. Die Vorstellung, dass Sünder sowohl souverän in der Ausübung ihres Willens als auch geistlich selbstgenügsam sind, legt ihm natürlich die Last der Errettung selbst auf und führt zu einem System der Werke. Das ist eine Schwachstelle von allen Sekten und Irrlehren.

Nach Betty Eadies Denkweise ist unser irdisches Leben nur ein Teil eines ewigen Wachstumsprozesses. Unsere Sünden sind nichts weiter als Werkzeuge, durch die wir lernen.[48] Gottes Gnade ist ein unwillkommener Eindringling für ein solches System, denn wenn Gott etwas *für* uns tut, ist das letztlich eine verlorene Chance zum Wachstum. (Deshalb meint sie, Gott habe versprochen, nicht einzugreifen, solange wir ihn nicht darum bitten.) Und da alle unsere menschlichen Mängel nur Unzulänglichkeiten sind, die wir ablegen können, müssen wir den Prozess selbst verfolgen. «Wir sollen unser eigenes Leben erschaffen, unsere Gaben ausüben und sowohl Versagen als auch Erfolg erleben. Wir sollen unseren freien Willen benutzen, um unser Leben zu erweitern und zu verbessern.»[49]

Und die Liebe ist das Grösste.[50] «Liebe ist wirklich das einzige, was zählt.»[51] Alles ist «so einfach. Wenn wir freundlich sind, haben wir alle Freude.»[52]

Eine unangemessene Betonung von Engeln. Obgleich Betty Eadie behauptet, dass Gott nicht in die Angelegenheiten der Menschen eingreifen will, haben Engel diesbezüglich offensichtlich keine Skrupel. Eadie meint, Engel würden die Wege der Vorsehung organisieren.[53] Sie erhören die Gebete der Menschen.[54] Schutzengel schweben die ganze Zeit über uns und stehen uns praktisch auf Befehl zur Verfügung.[55] Sie sagt, Engel kommen häufig zu uns aus dem jenseitigen Reich und fordern uns auf, unseren vor der Geburt eingegangenen Verpflichtungen treu zu sein.[56]

Die Schrift lehrt natürlich nichts dergleichen.

Dreistigkeit. Wie jeder andere Rückkehrer aus dem Himmel kam Eadie mit einer sehr hohen Meinung von sich selbst zurück.

Sie scheint, mit einem beträchtlichen Ego dort hingegangen zu sein. Statt vor heiliger Furcht auf ihr Angesicht zu fallen (wie Hesekiel es tat), beschreibt Eadie, wie *sie* die Bedingungen festlegte, unter denen sie ihrer Rückkehr zur Erde zustimmte. Sie schreibt: «Sie waren mit *meinen* Bedingungen einverstanden.»[57] Statt wegen ihrer eigenen Unreinheit in der Gegenwart Gottes (Jes 6,5) zu zittern (wie Jesaja es tat), behauptet Eadie, sie konnte nicht sagen, wo ihr eigenes Licht aufhörte und das von Jesus zu leuchten begann.[58] Statt Jesus Christus als «das A und das O, der Anfang und das Ende, der Erste und der Letzte» (Offb 22,13) zu sehen (wie der Apostel Johannes), sagt Betty Eadie, sie erinnerte sich, wie sie persönlich mit ihm als Beobachter der Schöpfung beiwohnte.

Eine solche Vision vom «Himmel» hat eindeutig nichts mit dem Himmel zu tun, von dem uns die Schrift berichtet.

Sonstige unbiblische Behauptungen. Betty Eadies Buch ist voll mit vielen anderen Lehren, die in der Schrift keinerlei Unterstützung finden, so wie ihre Behauptung, dass die Seelen von Säuglingen «sich aussuchen können, wann sie während der Schwangerschaft in den Körper ihrer Mutter kommen.»[59] Zudem meint sie, dass Gebete für verstorbene Menschen ihnen in der Welt der Geister hilfreich sein könnten.[60] Und auf die Rolle des Heiligen Geistes geht sie überhaupt nicht ein. Offenbar glaubt sie nicht, dass er eine Person ist.

Vom Irrtum verzaubert

Sollte es den Anschein haben, dass ich mich zu sehr mit den Irrtümern in Betty Eadies Bericht über den Himmel beschäftigt habe, liegt das daran, dass sie äusserst schwerwiegend sind und Millionen Leser von ihnen beeinflusst wurden. Menschen lassen sich von Geschichten über das Leben nach dem Tod auf unerklärliche Weise verzaubern. Und *Licht am Ende des Lebens* ist das erste und noch immer eines der meistverkauften und populärsten Bücher zu diesem Thema.

Ob Sie es glauben oder nicht, es gibt viele weitere gefährliche Bücher in diesem Genre mit noch unheilvolleren Lehren als die von Betty Eadie. Ein Beispiel dafür ist das Buch *Saved by the Light*[61] (Ü.: Gerettet durch das Licht) von Dannion Brinkley, das auf der Bestsellerliste der *New York Times* stand (so wie praktisch alle anderen Bücher, die wir besprochen haben).

Brinkleys Reise in das Leben nach dem Tod fand nach einem Blitzschlag statt. Es gibt viele Ähnlichkeiten zwischen seinem Bericht und dem von Eadie, aber ein wichtiger Unterschied ist, dass Dannion Brinkley dem Christentum offen feindselig gegenübersteht – insbesondere dem biblischen Christentum. Er meint, das Christentum sei verantwortlich dafür, dass die Menschen denken, sie «könnten nicht so sein, wie wir wirklich sind.»[62]

Brinkley glaubt, er wäre zurückgekehrt, um der Welt eine Botschaft zu überbringen. Und diese Botschaft ist: Der Weg der Menschheit ist nicht in Stein gemeisselt. Wir haben die Möglichkeit, Dinge zu verändern. Nach Brinkleys Worten erzählte ihm ein himmlisches Wesen,

> dass ich zurückkehren sollte – nur für den Fall, dass sich die Menschen nicht änderten, denn die Welt, wie wir sie kennen, sollte sich verändern und vergehen; diese Religion zerbrechen und Institutionen zerfallen würden, und

> Regierungen aufgrund der Lügen zu Fall kämen –, um ein System vorzubereiten, zu dem Menschen kommen konnten, das kein Dogma aufwies und an das keine Religion geknüpft war, und dass sie ein achtstufiges Programm durchlaufen konnten, um einen Weg zu finden, sich und ihren Geist zu erneuern in einer Welt, die nicht länger sicher war, einer Welt, der man nicht vertrauen konnte.[63]

Dannion Brinkley hat dieses «System ohne Dogma» in der New-Age-Bewegung gefunden, und nun predigt er jede Abweichung des New Age. Als er gefragt wurde, wie seine Erfahrung mit der von Betty Eadie zu vereinbaren sei, sagte er:

Aufgrund des kulturellen oder religiösen Erbes geben Menschen es etwas anders wieder. So wie ich ein Lichtwesen sah, sah Betty Eadie Jesus. Manche sehen Mohammed, andere Krishna. Jeder hat einen Namen dafür. *Trotzdem ist es dieselbe Erfahrung*. In Gesprächen mit Raymond [Moody] und anderen Leuten habe ich herausgefunden, dass die Nahtoderfahrung so einheitlich ist, so spezifisch, dass die Kultur dabei keine Rolle spielt, sie ist da, sie existiert – ungeachtet des speziellen Dogmas, das damit verbunden ist. ... Wenn man diese spirituelle Bewusstseinsebene erreicht, sieht man, was immer man auf seinem Lebensweg gelehrt bekommen hat.[64]

Das ist praktisch ein Eingeständnis von einem der führenden Verfechter von Nahtoderfahrungen, dass uns solche Erlebnisse nichts Objektives über das Leben nach dem Tod vermitteln können. Sie werden zwangsläufig von der existierenden Weltanschauung der jeweiligen Person geformt und gedeutet. Sie liefern uns kein zuverlässigeres Verständnis von der unsichtbaren Welt als Traumanalysen, und die Menschen spielen mit dem Feuer, wenn sie ihre Ansichten über das Leben nach dem Tod (oder alle anderen geistlichen Themen) auf die Geschichten solcher Mystiker bauen.

1. Betty J. Eadie, *Embraced by the Light* (Detroit: Gold Leaf, 1992).
2. Ebd., S. 29.
3. Ebd., S. 31.
4. Ebd., S. 31–32.
5. Ebd., S. 40.
6. Ebd., S. 42.
7. Ebd., S. 44.
8. Ebd., S. 45.
9. Ebd., S. 45–46.
10. Ebd.
11. Ebd., S. 85.
12. The Odgen, Utah, *Standard-Examiner* (6. März 1993), zitiert in «News Watch», in *The Christian Research Journal* (Winter 1994): 7.
13. Doug Groothuis, *Deceived by the Light* (Eugene, OR: Harvest, 1995), S. 22.
14. *Christian Research Journal*, S. 7.
15. Eadie, *Embraced by the Light*, S. 47.
16. Ebd., S. 43.
17. Ebd., S. 47.
18. Ebd. (Hervorhebung durch den Autor).
19. Ebd., S. 61.
20. Das Buch Mormon, 2 Nephi 2:25.
21. Eadie, *Embraced by the Light*, S. 109.
22. Vor ein paar Jahren sorgten einige eifrige Mormonen für Aufregung in der jüdischen Gemeinde, als sie veröffentlichte Listen von Holocaustopfern nahmen und sie stellvertretend «tauften» (*Los Angeles Times*, 6. Mai 1995, 1).
23. Eadie, *Embraced by the Light*, S. 85.
24. Ebd., S. 85.
25. Ebd., S. 57–58.
26. Ebd., S. 63.
27. Ebd., S. 64.
28. Ebd., S. 58.
29. Ebd., S. 67.
30. In einer Sendung vom 13. Mai 1994.
31. Groothuis, *Deceived by the Light*, S. 26–27.
32. Eadie, *Embraced by the Light*, S. 50.
33. Ebd., S. 48–49.
34. Ebd., S. 81.
35. Ebd., S. 41.
36. Ebd., S. 51.
37. Groothuis, *Deceived by the Light*, S. 28.
38. Eadie, *Embraced by the Light*, S. 50.
39. Ebd., S. 49–50.
40. Ebd., S. 70.
41. Ebd., S. 112.
42. Ebd., S. 112.
43. Ebd., S. 113.
44. Ebd., S. 34–35.
45. Ebd., S. 35.
46. Ebd., S. 48–49.
47. Ebd., S. 94.
48. Ebd., S. 115–116.
49. Ebd., S. 59.
50. Ebd.
51. Ebd., S. 114.
52. Ebd.

53. Ebd., S. 115.
54. Ebd., S. 90, 103.
55. Ebd., S. 115, 121.
56. Ebd., S. 101.
57. Ebd., S. 119 (Hervorhebung durch den Autor).
58. Ebd., S. 41.
59. Ebd., S. 95.
60. Ebd., S. 84.
61. Dannion Brinkley, *Saved by the Light: The True Story of a Man Who Died Twice and the Profound Revelations He Received* (New York: Villard, 1994).
62. «A Conversation with Dannion Brinkley», *The Monthly Aspectarian*, September 1995.
63. Ebd.
64. Ebd.

ANHANG 2

Der Junge, der aus dem Himmel zurückkehrte

Kevin Malarkeys Buch über die Nahtoderfahrung seines jungen Sohnes hat grosse Ähnlichkeit mit dem von Todd Burpo. Zugegeben, die Geschichte ist besser und fesselnder geschrieben, aber letztlich ist sie biblisch und theologisch ebenso falsch. Sowohl Burpo als auch Malarkey verflachen den Himmel. Beide setzen stillschweigend voraus, dass die menschliche Erfahrung mehr Klarheit über den Himmel bringen kann als das Wort Gottes. Beide verlangen vom Leser, sein Urteilsvermögen aufzugeben und rein menschliche Fantasieprodukte als Tatsachen zu akzeptieren. Und beide führen auf gefährliche Weise in die Irre.

Der Junge, der aus dem Himmel zurückkehrte ist Malarkeys Bericht über die Erfahrungen seiner Familie nach einem schrecklichen Autounfall im November 2004, bei dem sein ältester Sohn Alex (damals 6 Jahre alt) beinahe enthauptet wurde. Auf dem Buchcover werden Kevin und Alex als Koautoren geführt, aber der Urheberrechtsvermerk nennt nur den Namen von Kevin, und es ist klar, dass er die Geschichte erzählt. In grossen Buchstaben stehen die Worte «Eine wahre Geschichte» auf dem Cover. Doch wie wir noch sehen werden, gibt es deutliche Anzeichen dafür, dass Kevin Malarkey die angeblichen Visionen und Erfahrungen, die er seinem Sohn Alex zuschreibt, ausgeschmückt, übertrieben und sogar erfunden hat.

Kevins Beschreibung, wie Alex gelähmt wurde, ist ausgesprochen herzzerreissend. Er und Alex waren auf dem Heimweg von der

Gemeinde. Sie waren vor kurzem in ein neues Haus gezogen und besuchten an jenem Morgen eine Gemeinde in ihrer Nachbarschaft. Kevins Frau Beth hatte erst vor ein paar Tagen ihr viertes Kind zur Welt gebracht und war mit dem Neugeborenen gerade vom Krankenhaus nach Hause gekommen. Daher waren der kleine Alex und sein Vater allein im Auto.

Auf dem Heimweg kam Kevin an eine unbekannte Strassenkreuzung in einer abgelegenen Gegend. Aber er bemerkte nicht, dass er nicht die ganze Kreuzung frei einsehen konnte. Ein paar Meter hinter der Kreuzung fiel die Strasse stark ab. Wenn sich ein herannahendes Auto gerade am tiefsten Punkt der Senke befand, war es eine Sekunde lang nicht zu sehen. Wenn ein Fahrer an der Kreuzung genau in diesem Augenblick auf die Strasse schaute und keinen zweiten Blick folgen liess, konnte er denken, die Strasse sei frei.

Teilweise abgelenkt von einem Anruf und völlig genarrt von der optischen Täuschung, fuhr Kevin los und prallte mit einem entgegenkommenden Wagen zusammen. Alex erlitt eine Art von Schleudertrauma, die nur wenige Menschen überleben. Mit Kevins Worten: «Er hatte eine innere Enthauptung erlitten – sein Schädel wurde von seiner Wirbelsäule abgetrennt. Haut, Muskeln und Bänder hielten seinen Kopf auf seinem Körper, aber sein Rückenmarkskanal war durchtrennt.»[1]

Entgegen der ärztlichen Erwartungen überlebte Alex. Aber er verlor jegliches Gefühl und seine motorischen Fähigkeiten unterhalb des Punkts seiner Verletzung. Sein Rückenmarkstrauma war so schwer, dass Alex nicht mehr schlucken konnte und durch einen Schlauch ernährt werden musste. Er konnte nicht einmal selbstständig atmen; er war abhängig von einem Beatmungsgerät, das ihm nach einem Luftröhrenschnitt durch einen Schlauch Sauerstoff zuführte.

Alex' erste Genesungsschritte, die er grösstenteils im Koma verbrachte, waren natürlich eine lange Zerreissprobe. Aber allmählich erwachte er und lernte, sich wieder verständlich zu machen. Eine wichtige Etappe in seiner Rehabilitation kam etwa vier Jahre nach dem Unfall, als Chirurgen ein Gerät implantierten, das sein Zwerchfell künstlich stimulierte und das Atmen ermöglichte. Das befreite ihn schliesslich vom Beatmungsgerät, aber an einen Rollstuhl ist er nach wie vor gebunden.

Für sich genommen, wäre die Geschichte von Alex' Überleben und seine allmähliche Anpassung an das Leben eines Tetraplegikers ein erstaunlicher Bericht über Mut und Glauben. Doch Kevin Malarkey hat das Zeugnis seines Sohnes mit so vielen unbiblischen Dingen überfrachtet, dass das Buch als Ganzes auf gefährliche Weise in die Irre führt. Auf einer Webseite, die für das Buch wirbt, postete Alex selbst eine ähnliche Einschätzung über die Schilderung seines Vaters. Der Kommentar wurde aber schnell wieder gelöscht.[2] Beth Malarkey postete Alex' Kommentar noch einmal in ihrem eigenen Blog und schreibt: «Alex machte genau deutlich, welcher Art dieses Buch ist, aber er wurde zum Schweigen gebracht.» Wie Alex weist sie viele Behauptungen in dem Buch ihres Ehemannes ausdrücklich von sich und fügt hinzu: «Käufer sollten vorsichtig sein. Es gibt nur ein absolut unfehlbares und ‹wahres› Buch: das Wort Gottes! Es muss nicht ausgeschmückt oder ansprechend verpackt werden, damit es sich verkauft. Es ist wunderbar, wie es ist!»[3]

Fans des Buches liessen sich nicht beeindrucken. Einer von ihnen erwiderte auf Alex' Kommentar, als wäre er von einem Betrüger geschrieben worden: «Alex würde *nicht* sagen, dass sein Buch falsch ist.» Anschliessend fügte er einen Nachtrag hinzu, der gerichtet war an «den *echten* Alex: Deine Geschichte gehört zu den wahrheitsgetreusten, ehrlichsten Schilderungen, die ich je gelesen habe. Gott strahlt durch deine Geschichte und DICH hindurch, daher weiss ich, dass sie ECHT und wahr ist.»

Rein menschlich gesehen, ist es einfach zu erkennen, warum leicht beeindruckbare Leser, denen es an einem klaren biblischen Verständnis mangelt, getäuscht werden können. *Der Junge, der aus dem Himmel zurückkehrte* hat eine starke emotionale Zugkraft. Es beginnt mit einem spannenden Bericht darüber, wie Alex zu seinen

Verletzungen kam. Diesen Teil des Buches kann man unmöglich lesen, ohne sich in Alex und Kevin Malarkey hineinzuversetzen. Die Schilderung ist voller Pathos, als Kevin davon erzählt, wie ein wunderschöner, sonniger Tag der Freude und Gemeinschaft zwischen einem Vater und seinem jungen Sohn ohne Vorwarnung zu einem unbeschreiblichen Horror wurde, der das Leben einer Familie für immer veränderte.

Doch sobald Kevin von seinem eigenen Zeugnis übergeht zum Bericht, was Alex seinen Angaben nach sah und hörte, beginnt das Buch augenblicklich in gnostischen Mystizismus und eine Wort-des-Glaubens-Lehre abzudrehen. Es wird zu einer gefährlichen Mischung aus Fantasie, Aberglauben, abweichenden Lehren und biblischen Bezügen, verfasst in einer evangelikal klingenden Sprache und gespickt mit offenkundig falschen Vorstellungen über den Himmel, die Engel und das Leben nach dem Tod.

Ein zusätzlicher Abschnitt mit dem Titel «Ich kam in den Himmel» gibt vor, Alex zu zitieren[4], und berichtet davon, wie er sich an Engel erinnert, die seinen Vater aus dem Auto heraustragen. «Dann», sagt er, «schaute ich auf die Vordersitze, und der Teufel sah mir in die Augen.»[5] Angeblich erzählte der Teufel ihm: «Ja, es stimmt, dein Vati ist tot, und es ist deine Schuld.»

Die Erzählstimme von «Alex» in Kevins Geschichte wechselt schnell von der Erscheinung Satans zu seinen himmlischen Visionen. Ohne einen neuen Absatz zu machen, fährt die Erzählung fort: «Ich kam in den Himmel, kurz nachdem wir mit dem anderen Auto zusammengeprallt waren. An den genauen Moment, in dem ich meinen Körper verliess, kann ich mich aber nicht mehr erinnern. Ich weiss, als ich im Himmel war, war alles vollkommen.»[6] Kevin sagt, Alex reiste durch denselben langen Tunnel, den viele Leute in ihren Nahtoderfahrungen beschreiben, aber für ihn war er hell statt dunkel. Er sagt, Alex gefiel die Musik im Tunnel nicht – «wirklich schlechte Musik, gespielt auf Instrumenten mit sehr langen Saiten.»[7]

Kevin Malarkey behauptet, Alex habe ihm erzählt, als er im Himmel ankam, «war auch Vati dort. Die Engel blieben bei mir, sodass mein Vati allein mit Gott sein konnte. Vati hatte schlimme Verletzungen genauso wie ich, aber Gott heilte ihn im Himmel.»[8] Kevin hatte sein Bewusstsein nur kurzzeitig verloren und war nicht ernstlich verletzt. Er sagt, er kann sich nicht an Engel erinnern, ebenso wenig wie daran, dass er in den Himmel gebracht worden wäre. Aber dennoch scheint er die Leser glauben machen zu wollen, dass Alex ihn dort sah.

Alex wurde mit dem Hubschrauber in ein Krankenhaus geflogen, in dem sein schweres Trauma behandelt werden konnte. Kevin hingegen, der natürlich frustriert war, von seinem schwer verletzten Kind getrennt zu werden, wurde zur Behandlung in eine örtliche Notaufnahme gebracht.

Die Irrlehre von der «positiven Glaubensbezeugung»

Einer der Sanitäter auf Alex' Flug, Dave Knopp, glaubte fest an die vom Wohlstandsevangelium vertretene Lehre von der *positiven Glaubensbezeugung*. Viele charismatische Fernsehevangelisten lehren diese Lehre zusammen mit ihren Versprechungen auf Heilung und finanziellen Wohlstand. Sie gründet auf der falschen Vorstellung, dass unsere Worte eine Art magische oder geistige Kraft besitzen, eine Realität zu erschaffen. Laut dieser Lehre wird der Glaube ausgeübt, indem man einen hörbaren Anspruch auf Segen oder einen erhofften Glücksfall oder eine gewünschte Gebetserhörung erhebt. Der Haken ist: Sagt man zufällig etwas Negatives – insbesondere wenn man ein gewisses Mass an Angst oder Zweifel zum Ausdruck bringt –, gilt die Abmachung nicht mehr und Gott erhört das Gebet nicht. Das macht das Gebet zu einer magischen Übung – einem abergläubischen Wettstreit, bei dem der Bittende nur die richtige Art Abrakadabra sprechen muss. Wenn die Heilungen und Wunder ausbleiben, kann der Heiler oder Wunderwirker sagen, dass es die Schuld der Person war, die das Wunder wollte. Ihre Glaubensbezeugung war nicht positiv genug.

Auf dem Flug zum Krankenhaus, sagt Dave Knopp, habe er Alex seine Hände aufgelegt und eine Heilung beansprucht. «[Ich] betete, dass er im Namen Jesu geheilt würde. Anschliessend dankte ich dem Herrn für Alex' Heilung.»[9]

Später im Krankenhaus traf Knopp Beth Malarkey und teilte ihr mit, dass er für ihren Sohn eine Heilung beansprucht hatte. Aber er warnte sie ausdrücklich, dass *ihre* Worte den Unterschied zwischen Alex' Heilung und seinem Tod ausmachen könnten:

> «Hören Sie mir zu», fuhr Dave fort und schaute Beth fest in die Augen. «Sie werden in den Traumasaal gehen und einige schreckliche Dinge hören. Sie werden Ihnen sogar sagen, dass Ihr Sohn sterben wird. Aber ich habe Ihrem Sohn die Hände aufgelegt und für ihn im Namen Jesu gebetet. Ich sage Ihnen, er wird nicht sterben. ... Wenn Sie aber da reingehen und mit dem übereinstimmen, was sie Ihnen mitteilen und anfangen es auszusprechen, wird er sterben. Dann machen Sie zunichte, was mit meinem Gebet für ihn begonnen hat. Doch wenn Sie dem Herrn für seine Heilung danken, wann immer Sie Angst haben oder eine schlechte Nachricht bekommen, wird er seinen Teil erfüllen. Haben Sie das verstanden?»
>
> «Ja», sagte Beth und nickte ernsthaft mit dem Kopf. «Ich habe es verstanden.»
>
> «Okay, dann wiederholen Sie, was ich Ihnen gerade aufgetragen habe.»
>
> Gehorsam wiederholte Beth seine Anweisungen.
>
> «Okay», sagte Dave zustimmend. «Gott segne Sie.»[10]

Das Buch enthält einen Abschnitt mit einem Bericht von Dave Knopp über das, was er denkt. Der abergläubische Charakter seines «Glaubens» wird deutlich sichtbar:

> Ich warnte sie: Wenn sie der Angst nachgibt und sagt, er würde sterben, würde es auch so kommen. Mehrere Minuten lang erinnerte ich sie daran, dass Gott sein Wort ehrt und Alex geheilt wird, so wie wir gesprochen haben. Als ich wegging, verliess mich dieser Mut und ich dachte: Was habe ich getan? Jetzt habe ich ein Problem. Allerdings sagte ich nichts Gegenteiliges, als dass Alex geheilt wird; ich dankte einfach weiter dem Herrn.[11]

Das Thema positive Glaubensbezeugung durchzieht das ganze Buch. Kevin sagt, Beth Malarkey, «von Dave auf dem Parkplatz in Kenntnis gesetzt», kritisierte Ärzte in der Notaufnahme, die ihr zu erzählen versuchten, wie schwer die Verletzungen ihres Sohnes waren. «Alex kommt wieder in Ordnung», sagte sie und fürchtete sich, irgendeine negative Glaubensbezeugung von sich zu geben. «Er wird völlig wiederhergestellt werden, und seine Geschichte wird nationale Auswirkungen haben und Tausenden von Menschen Hoffnung machen.»[12]

Kevin Malarkey sagt, er dachte, seine Frau würde «völlig durchdrehen», aber sie war sehr nachdrücklich, und der Arzt hörte ihr geduldig und teilnahmsvoll zu. «Beth hatte gerade erst angefangen. ‹Ich weiss, du glaubst mir nicht, aber sein Zustand wird sich verbessern, und damit meine ich, dass er wieder völlig gesund wird.›»[13]

Kevin betont (wiederholt), auch er sei jetzt überzeugt, dass Gott Alex eines Tages vollständig heilen wird. Er gibt sich alle Mühe, diese Glaubensbezeugung so positiv und so häufig wie möglich zu äussern. Das ist ein fortlaufendes Thema im ganzen Buch.

Ein Freund, der behauptet, eine Botschaft von Gott zu haben, erzählt Kevin: «Mir ist plötzlich klar geworden, dass Alex vollständig geheilt wird.»[14] Kevin stellt eine Verbindung zu Dave Knopps positiver Glaubensbezeugung und den zuversichtlichen Feststellungen seiner Frau her. «Ich möchte glauben», schreibt er. «Ich möchte, dass das alles wahr ist.»[15]

Eines Tages dann, sagt er, «machte sich ein Gedanke in mir breit, so klar, als hätte Pastor Brown ihn auf der Kanzel gesprochen: *Alex wird geheilt werden.*»[16] Kevin war in der Gemeinde und hörte dem Prediger zu, als er schliesslich diesen Eindruck hatte. «In der einen Minute folgte ich noch den Worten des Pastors und in der nächsten hörte ich: *Er wird völlig geheilt werden.* Ich schüttelte den Gedanken ab und hörte wieder dem Pastor zu. Aber er kam immer wieder: *Er wird völlig geheilt werden.* Die Botschaft war so hartnäckig, dass ich wusste, sie kam nicht von mir.»[17] Von da an ist das Buch angefüllt mit wiederholten Aussagen über Alex' bevorstehende Heilung.

Das ist nicht eine Art übernatürlicher Glaube, hervorgerufen durch eine positive Glaubensbezeugung. Es ist lediglich abergläubische Angst. Das wird auch im Verlauf des ganzen Buches deutlich. Zum Beispiel, als Kevin darüber spricht, ihr Haus nachträglich behindertengerecht umzubauen, sagt er, ihnen war «ein bisschen unwohl, eine feste Rampe für den Rollstuhl zu installieren – es fühlte sich an, als würden wir aufgeben und resignieren, dass Gott Alex nie heilen würde. Wir gaben unser Okay zu der Rampe, *aber wir nannten sie eine ‹Fahrradrampe›*. Schliesslich gab es keinen Zweifel, dass unsere Kinder sie dafür nutzen würden.»[18]

Gegen Ende des Buches gibt Kevin Malarkey einen guten Rat: «Wenn ich ein bescheidenes Wort der Ermahnung weitergeben darf: Der Feind ist ein Betrüger, der sich als ein Engel des Lichts ausgibt. Wir alle müssen uns vor vorgetäuschter Wahrheit in Acht nehmen. Alles, was nicht mit der Schrift übereinstimmt, ist falsch.»[19]

Er selbst aber wendet diesen Grundsatz nicht an, wenn es am nötigsten wäre. Am Anfang des Buches erkennt er an, dass er keine gute theologische Erklärung für bestimmte Aspekte der Geschichte hat, die er anschliessend erzählt. «Ich habe keine Ahnung, wie ich Alex' übernatürliche Erfahrung erklären soll – ich habe keine theologische Schublade, in die ich diese Erlebnisse stecken könnte.» Er möchte, dass die Leser seine Interpretation der Ereignisse akzeptieren. Deshalb sagt er: «In aller Bescheidenheit möchte ich Sie auffordern: Stellen Sie Ihr Urteil für ein paar Kapitel hinten an.»[20]

So viel zur Wachsamkeit gegenüber vorgetäuschter Wahrheit und einer sorgfältigen Prüfung der Schriften, um herauszufinden, ob die Dinge wirklich so sind (vgl. Apg 17,11)

Das Problem verstärkt sich noch, wenn deutlich wird, dass die Lehre von der positiven Glaubensbezeugung zu Kevin Malarkeys Grundannahmen gehört. Diese Auffassung stimmt ausdrücklich *nicht* mit der Schrift überein. Die Bibel sagt, dass manche Gebete nicht erhört werden, ganz gleich wie positiv oder beharrlich sie zum Ausdruck gebracht werden (Jak 4,3). Das gilt insbesondere für Bitten um Heilung und materiellen Wohlstand – die Art von Bitten, zu denen Anhänger dieser Lehre am meisten ermutigen. Aber «das ist die Freimütigkeit, die wir ihm gegenüber haben, *dass er uns hört, wenn wir seinem Willen gemäss um etwas bitten*» (1Jo 5,14).

Gott hat *nicht* verheissen, jeden Gläubigen in diesem Leben vollständig körperlich zu heilen. Wir leiden nach wie vor unter den uns schwächenden Folgen des Fluches. Wir sind anfällig für jede Art von körperlichen Beschwerden – bis zu unserem Tod. Aus diesem Grund erwartet «nicht nur sie [die Schöpfung], sondern auch wir selbst, die wir die Erstlingsgabe des Geistes haben, ... seufzend die Sohnesstellung, die Erlösung unseres Leibes» (Röm 8,23). Gott ist gnädig und gibt uns oft neue Kraft oder heilt uns vorübergehend von vielen irdischen Beschwerden, aber die vollständige Erlösung unseres Körpers wird erst bei der Auferstehung stattfinden.

Bis dahin ist ein starker Eindruck, eine leise Stimme im Kopf oder sogar eine angebliche Vision vom Himmel keine zuverlässige Offenbarung Gottes, auf die wir ein Glaubensbekenntnis stützen oder ein Wunder beanspruchen können. Wenn jemand wirklich glaubt, dass eine Wahrheit «mit der Schrift übereinstimmen» muss, bevor wir sie als richtig und verlässlich akzeptieren können, wird er nicht versuchen, eine Lehre auf mentalen Eindrücken aufzubauen oder «positive Glaubensbezeugungen» ohne biblische Rechtfertigung von sich zu geben.

Eine unbiblische Sicht vom Himmel

Wenn wir die Beschreibungen über den Himmel im Buch von Kevin Malarkey mit der Schrift vergleichen, stellen wir fest, dass sie nicht dem Massstab entsprechen, den Kevin selbst für eine Prüfung der Genauigkeit anführt. Er behauptet zum Beispiel, Alex habe ihm gesagt: «Im äusseren Himmel ist ein Loch. Das Loch führt zur Hölle.»[21]

Kevin schreibt Alex mehrere skurrile und typisch kindliche Bemerkungen über den Himmel zu: Engel sind «vollkommen weiss und haben Flügel». Und einige von ihnen sind gerade mal sechzig Zentimeter gross.[22] «Im Himmel gibt es viele Gebäude, aber mir ist nur der Tempel richtig aufgefallen. Gott verlässt nie seinen Thron im Tempel. In einem Glasbehälter befindet sich eine Schriftrolle. Auf ihr steht, was in der Endzeit passieren wird. Niemand kann diese Schriftrolle lesen ausser Jesus.»[23] «Der Mund des Teufels sieht komisch aus, mit nur ein paar schäbigen Zähnen. Und ich habe keine Ohren gesehen. Sein Körper hat eine menschliche Gestalt, mit zwei knochigen Armen und zwei knochigen Beinen. Er hat kein Fleisch an seinem Körper, nur schimmeliges Zeug. Seine Kleidung ist zerrissen und schmutzig.»[24] Als Alex gefragt wurde, ob er sehen konnte, dass der Teufel eine andere Gestalt angenommen hat, antwortete er angeblich: «Nein. Er ist stets derselbe verrückte Teufel.»[25] Von einem Kind erwartet man natürlich, dass es eine kindgemässe Vorstellung vom Himmel hat. Dennoch ist es gefährlich und irreführend, solche Vorstellungen als verlässliche Anhänge an die biblische Lehre vom Himmel zu verbreiten und zu erwarten, dass die Geschichte von erwachsenen Lesern ernst genommen wird. Alex hatte absolut Recht, als er sagte, das Buch seines Vaters sei «irreführend».

Kurz gesagt, Kevin Malarkeys Version vom Himmel fehlt es gänzlich an biblischer Glaubwürdigkeit. Die Geschichten, die er erzählt, stehen in krassem Gegensatz zu den vereinten Berichten von Jesaja,

Hesekiel und Johannes und präsentieren ein völlig anderes Bild.

Aber Kevin Malarkey scheint diese Diskrepanz nicht im Geringsten zu beunruhigen. Seiner Meinung zufolge könnte Alex mehr vom Himmel gesehen haben als alle biblischen Verfasser zusammen. Er behauptet, dass Alex gelegentlich wieder dort hinreist (im Gegensatz zu den meisten, die während ihrer Nahtoderfahrung im Himmel waren). Manchmal kann er sich nicht aufmachen, da dort «zu viel Krieg geführt wird».[26] Aber laut Kevin kommt der Himmel hin und wieder zu Alex. Mit Kevins Worten:

> Bis zu seinem achten Lebensjahr – die Zeit, in der Alex die grössten physischen Probleme hatte – gab es eine spezielle Gruppe von Engeln, die sich in unserem grossen Schlafzimmer um sein Bett scharte. Alex kannte sie alle mit Namen, und er unterhielt sich mit ihnen. Er erwähnte die Namen John, Vent und Ryan. Natürlich ist es nichts besonderes, wenn ein kleiner, an ein Beatmungsgerät angeschlossener Junge, dessen kleiner Bruder Ryan heisst, einen solchen Namen seinen imaginären Freunden gibt. Wir wissen, Kinder denken sich imaginäre Freunde aus, die ihnen helfen, neue und schwierige Situationen zu meistern. Unzählige langweilige Stunden in einem Rollstuhl zu verbringen, ohne einen Körperteil unterhalb des Halses gebrauchen zu können, regt gewiss die Fantasie eines Kindes an. Könnte das eine Erklärung für diese seltsamen Abenteuer mit Engeln und ihre vertraut klingenden Namen sein? Lange hatte ich mit diesen Zweifeln zu kämpfen.[27]

Eine falsche Vorstellung von Glauben

Wie lange Kevin mit seinen «Zweifeln» zu kämpfen hatte, wird aber nicht deutlich. Letzten Endes mündete der Zweifel in masslose Leichtgläubigkeit. Kevin behauptet, Alex habe ihm gesagt: «Versuche nur, transparent in deinem Geist zu sein. Dann wirst du den Engel sehen.»[28] Kevin fühlte sich von dieser Herausforderung frustriert – «geistlich unkoordiniert. Mein Sohn konnte in der physischen Welt nicht funktionieren, und ich war unfähig in der geistlichen Welt. Wer hatte die grössere Einschränkung?»[29] Kevin sagt: «Ich versuchte es wirklich, weil ich Alex glaubte.»

Während er nach draussen ging und darüber nachdachte, dass er unfähig war, unsichtbare Engel zu «sehen», bemerkte Kevin, wie er laut vor sich hin redete. «Plötzlich sagte ich: ‹Ich habe dich mit einer Botschaft der Hoffnung gesalbt.›»

«*Wo kam das her?*» Ein plötzlicher Schauer lief durch meinen Körper, als ich mich umsah. Mir fiel nichts Besonderes auf, aber irgendjemand hatte gerade im Geist zu mir gesprochen.»[30] Kevin erzählt weiter:

> Wie ein Radiosignal auf der Suche nach der richtigen Frequenz kam es zuerst nur sporadisch. Mein Herz raste in meiner Brust. Der Herr teilte mir direkt seinen Willen für mich mit. Ich lief die Einfahrt hoch und platzte durch die Tür. Mit beiden Händen durchwühlte ich den Schreibtisch auf der Suche nach Schreibmaterial: *Ich habe dich mit einer Botschaft der Hoffnung gesalbt* ...[31]

Kevin berichtet von einer langen Botschaft in poetischer Form, von der er glaubt, sie direkt von Gott erhalten zu haben und die ihm auftrug, «Alex zu gebrauchen, um zu zeigen, wer ich bin.»[32] Er ist überzeugt, Alex' Geschichte würde Auswirkungen haben, die es mit der Bekanntheit von Billy Graham aufnehmen könnte – weil es ihm ein Mann mit einem angeblich prophetischen Wort sagte. («Alex wird aus seinem Koma aufwachen, und sein Dienst wird es sein, den Menschen zu zeigen, wie Gott ist. Und wie Dr. Graham wird dein Sohn auf der ganzen Welt Einfluss haben.»)[33]

Kurz gesagt, *Der Junge, der aus dem Himmel zurückkehrte* ist ein Paradebeispiel dafür, wie unkontrollierte menschliche Begeisterung zu blinder Leichtgläubigkeit werden kann. Es zeigt auch die Gefahr, wenn sich die Fantasie eines Kindes (oder einer anderen Person) im geistlichen Bereich frei entfaltet, ohne angemessene biblische Grenzen gesetzt zu bekommen. Und es wird deutlich, wie fein und leicht unsere gefallenen Herzen Aberglaube, Stolz und Selbstbetrug aufwachsen lassen.

---

1. Kevin Malarkey und Alex Malarkey, *The Boy Who Came Back from Heaven: A Remarkable Account of Miracles, Angels, and Life beyond This World* (Carol Stream, IL: Tyndale, 2010), S. 33.
2. http://amomonamission.blogspot.com/2012/11/following-is-post-that-my-son-alex.html
3. Ebd.
4. In einer E-Mail an meinen Herausgeber schreibt Beth Malarkey: «Ich möchte Sie wissen lassen, dass Alex niemals angab, er wäre im Himmel gewesen. Er war ein kleiner Junge, der etwas Aussergewöhnliches erlebte. Die Erwachsenen machten es zu etwas, das sich an einen grossen Kreis von Lesern verkaufen lässt.» Mit ihrer Erlaubnis dürfen wir ihre E-Mail in diesem Buch zitieren.
5. Malarkey und Malarkey, *Boy Who Came Back from Heaven*, S. 14.
6. Ebd.
7. Ebd. S. 16.
8. Ebd.
9. Ebd., S. 12.
10. Ebd., S. 26.
11. Ebd., S. 27.
12. Ebd., S. 32–33.
13. Ebd., S. 34.
14. Ebd., S. 61.
15. Ebd., S. 61.
16. Ebd., S. 148.
17. Ebd., S. 149.
18. Ebd., S. 157 (Hervorhebung durch den Autor).
19. Ebd., S. 189.
20. Ebd., x.
21. Ebd., S. 49.
22. Ebd., S. 86.
23. Ebd., S. 88.
24. Ebd., S. 171.
25. Ebd.
26. Ebd., S. 172.
27. Ebd., S. 166–167.
28. Ebd., S. 184.
29. Ebd.
30. Ebd., S. 186.
31. Ebd.
32. Ebd., S. 187.
33. Ebd., S. 62.

ANHANG 3

Einmal Himmel und zurück

Mary Neals Bericht «über ihren Tod, den Himmel, die Engel und das Leben, das folgte»[1] vermittelt eine völlig andere Sicht vom Himmel. Dr. Neal ist eine Spezialistin für Wirbelsäulenchirurgie, die bei einem Kajakunfall in Chile beinahe ums Leben kam. Nachdem sie fast fünfzehn Minuten unter einem Wasserfall eingeschlossen war, verlor sie das Bewusstsein und sagte später, dass ihre Seele ihren Körper verliess und auf eine Reise ging, die sie «in den Himmel und zurück»[2] brachte.

Ihrem evangelikalen Verleger zufolge «arbeitet [Dr. Neal] aktiv in einer Reformierten Kirche mit»[3]. Ihr Zeugnis ist lehrmässig jedoch so verdreht, dass sie ebenso gut Universalistin oder Buddhistin sein könnte. Obwohl ihr Buch von einer evangelikalen Verlagsgesellschaft veröffentlicht wurde, hat es mehr gemeinsam mit Betty Eadies Ansichten als mit irgendeiner anderen Geschichte, die vor Kurzem von und für evangelikale Christen auf den Markt gebracht wurde. Es ist eine etwas andere Mischung aus Mormonentum, New Age und christlichen Lehren.

Sie beschreibt beispielsweise ein Gespräch, das sie mit einem himmlischen Wesen hatte («Ich bin mir wirklich nicht sicher, was es war: Engel, Bote, Christus oder Lehrer. Ich weiss, dass es aus Gott, in Gott und von Gott war.»)[4] Über den weiteren Verlauf des Gesprächs schreibt sie:

> Ich empfing die folgende Weisheit.
>
> Jedem von uns wird die Möglichkeit und das Privileg gegeben, aus unterschiedlichen Gründen auf die Erde

> zu kommen. Manchmal, um uns persönlich zu entwickeln und die Früchte unseres Geistes zu stärken: die der Liebe, Freundlichkeit, Langmut, Freude, Friede, Güte, Treue, Sanftmut und Selbstbeherrschung. Ein andermal, um einer anderen Person bei der Entwicklung der Früchte des Geistes zu helfen. Wir alle kommen auf die Erde, um mehr wie Christus zu werden, wie Römer 8 es beschreibt.
>
> Als Vorbereitung auf unsere Reise auf die Erde sind wir imstande, einen Grundentwurf für unser Leben zu erstellen. Das bedeutet nicht, dass wir als Menschen die ganze Verantwortung für unseren Lebensentwurf tragen. Es ist eher so, dass Gott ihn macht, anschliessend gehen wir ihn durch und besprechen ihn mit dem Engel, der für unsere «persönliche Planung» zuständig ist. In dem Schema sind Verzweigungspunkte in unserem Leben festgelegt, an denen wir aussteigen und zu Gott zurückkehren können oder für eine andere Aufgabe und ein anderes Ziel neu eingesetzt werden.[5]

Die Vorstellung, dass menschliche Seelen ihren Ursprung nicht bei der Empfängnis haben, sondern vor ihrer Geburt in einem bewussten Zustand im Himmel existieren, ist keine christliche Lehre. Wie wir in der Geschichte von Betty Eadie gesehen haben, lehren das die Mormonen, nicht die Bibel. Dennoch vertritt diese Auffassung auch Mary Neal und arbeitet sie wiederholt in ihre eigene Geschichte ein.

Als sie nach ihrem Unfall wieder nach Hause kam, beschreibt sie, wie sich ihr achtzehn Monate alter Sohn an sie klammerte: «Ich glaube, er erinnerte sich noch an die Welt Gottes, was ihn scheinbar den geistlichen Aspekt meiner Erfahrung und das, was ich durchmachte, verstehen liess.»[6]

Etwa dreissig Seiten später fügt sie hinzu:

> Ich muss noch einmal mit Bestimmtheit sagen, ich glaube, sehr junge Kinder erinnern sich deutlich daran, woher sie kommen und sind noch immer mit der Welt Gottes verbunden. Ich glaube, sie können sich leicht an die Bilder, das Wissen und die Liebe der Welt erinnern, in der sie vor ihrer Geburt lebten. Ich glaube, Kinder sind noch in der Lage, Engel zu sehen.[7]

Neal glaubt auch an die Möglichkeit einer Errettung nach dem Tod. Sie beschreibt einen Saal im Himmel, in den sie nach ihrer Ankunft gebracht wurde:

> Ich spürte, wie meine Seele zum Eingang hingezogen wurde, und als ich näher kam, nahm ich sein Leuchten physisch in mir auf und fühlte die reine, vollständige und absolut bedingungslose Liebe, die von dem Saal ausstrahlte. Es war die schönste und anziehendste Sache, die ich jemals gesehen oder erlebt habe. Ich wusste mit grosser Sicherheit, dass er den letzten Verzweigungspunkt im Leben repräsentierte, das Tor, das jedes menschliche Wesen passieren muss. Es war klar, dieser Saal ist der Ort, an dem jeder von uns die Gelegenheit bekommt, sein Leben und seine Entscheidungen zu überprüfen, und wo wir die letzte Möglichkeit erhalten, uns für Gott zu entscheiden oder uns von ihm abzuwenden – für immer.[8]

Mary Neal sagt, man führte sie von dem Saal weg und teilte ihr mit, dass ihre Zeit noch nicht gekommen war, ihn zu betreten. An diesem Punkt sagt sie, dass ihre Seele zum Flussufer zurückgebracht wurde, wo sie beinahe ertrunken wäre, und sie trat wieder in ihren Körper ein. Aber sie hatte Kontakt mit dem Himmel aufgenommen, meint sie, und diese Verbindung blieb bestehen. Neal sagt, während sie sich von ihren Verletzungen erholte, wurde sie wiederholt von einem Engelwesen besucht, das sie zu langen Spaziergängen zu einem sonnenüberfluteten Feld führte, wo es sie über verschiedene Geheimnisse des Lebens aufklärte. Auch wenn sie es nicht gross herausstellte, glaubt sie, dass der Engel Jesus war.[9]

Von allen Büchern, die evangelikale Verleger über Nahtoderfahrungen veröffentlicht haben, ist Neals Buch theologisch am wenigsten fundiert. Ausserdem hat sie von allen diesen Autoren das geringste Bewusstsein von ihren eigenen theologischen Grenzen. «Ich bin nicht abergläubisch», schreibt sie, «aber Ereignisse geschehen oft dreimal»[10]. In Wirklichkeit ist sie *äusserst* abergläubisch und glaubt nicht nur, sie könnte die wahre Identität eines Engels feststellen, der sich als Eule ausgibt, sondern zudem eine Botschaft erkennen, die die Eule ihr telepatisch mitteilte. («Der Vogel hatte eindeutig etwas zu sagen, und als ich ihm schliesslich Aufmerksamkeit schenkte, bemerkte ich, wie die Eule mich drängte, mit meiner Mutter nach North Carolina zu gehen.»)[11]

Dr. Neal schreibt in ihrer Einbildung von einem intuitiven mystischen Wissen, das sie unmöglich haben kann, und sie spricht oft von ihrer «grossen Sicherheit» hinsichtlich offenkundig unbiblischer Auffassungen. Sie hört nicht auf bei der vorirdischen Existenz der Seele und der Möglichkeit einer Errettung nach dem Tod; sie vertritt auch eine Ansicht über den freien Willen und die Entscheidungsfreiheit des Menschen, die es zulassen, dass Gott aufgrund unserer Entscheidungen regelmässig seine Pläne ändern muss. Offensichtlich glaubt sie, dass Gott die Zukunft nicht mit absoluter Sicherheit kennt.

Alle diese abweichenden Sichtweisen nähren den Aberglauben, der Neals Weltanschauung durchdringt und verzerrt. Da sie glaubt, Kinder könnten sich an eine vorherige geistliche Existenz erinnern (und nehmen ihr Wissen aus diesem Bereich mit in dieses Leben), war Neal jahrelang davon überzeugt, dass ihr Sohn Willie vor seinem 18. Geburtstag sterben würde. Diese Überzeugung gründete auf einer Bemerkung von ihm, als er «vielleicht vier oder fünf»

Jahre alt war[12]. Sie schreibt, als sie sich mit ihm an der Bettkante unterhielt, sagte sie zu ihm, «wenn du erst mal achtzehn ...»

Da unterbrach der kleine Willie sie: «Ich werde nie achtzehn werden. Das ist der Plan. Du weisst das.»

Dr. Neal scheint sich ihrer melodramatischen Reaktion auf eine solch beiläufige «Offenbarung» aus dem Mund eines Vorschulkindes nicht bewusst gewesen zu sein: «Dieser Wortwechsel war wie ein Schnitt in mein Herz. Ich habe ihn nie vergessen oder unter den Tisch gekehrt. Jeden nachfolgenden Tag mit meinem Sohn habe ich in Ehren gehalten und mich gefragt, welcher sein letzter sein würde. ... Als Willies achtzehnter Geburtstag nahte, wurde ich mit vorgreifender Trauer erfüllt.»[13]

Willie starb aber nicht vor seinem 18. Geburtstag, und Neal folgerte daraus, dass Gott seinen Plan für ihn irgendwie geändert hatte. «Ich hatte einen Traum, in dem ein Junge, den ich nicht kannte, mir erzählte, dass er ‹mit Willie den Platz getauscht› hat.»[14] Als Willie seinen 18. Geburtstag feierte, sagte Dr. Neal, sei sie zu dem Schluss gekommen, dass er «einen Verzweigungspunkt in seinem Leben erreicht hatte, der entweder zu seinem Jahre zuvor prophezeiten Tod führte oder zum Weiterleben. ... Ich spürte, wie sich der Plan für Willies Leben geändert hatte. Da ich lebte, blieb auch Willie am Leben.»[15]

An dem Tag, als Dr. Neal glaubte, sie hätte den letzten Entwurf ihres Buches fertiggestellt, wurde Willie tragischerweise von einem Auto erfasst, als er auf der Strasse mit seinen Rollerskiern unterwegs war – er starb mit 20 Jahren.

Dadurch wurde ihr ohnedies schon verzwicktes Glaubenssystem noch mehr durcheinandergebracht. Als sie die Stelle aufsuchte, an der Willie starb, war sie sich sicher, dass er sein Schicksal selbst bestimmt hatte – und sich sogar den Ort seines Todes aussuchte: «Ich hatte das Gefühl, dass er sich für uns für eine möglichst gute Stelle entschieden hatte – leicht erreichbar, gut zu finden und schön.»[16]

Dass sich Neals Buch so flott verkaufte, ist offen gesagt schwer zu erklären. Es repräsentiert einen zutiefst unbiblischen Standpunkt und seine Vorstellungen sind so weit hergeholt, dass man sich nur schwer vorstellen kann, wie Evangelikale (die die Hauptleserschaft zu sein scheinen, auf die das Buch abzielt) davon beeinflusst werden können. Obwohl er anmerkte, dass Neals Buch «auf der Bestsellerliste der *New York Times* auftauchte», lehnte Tim Challies es ab, es in seinem Blog zu rezensieren. Er schrieb:

> Ich habe es überflogen – es war einfach unerträglich, es ganz zu lesen – und stellte fest, dass es sich nicht gross von den anderen unterscheidet. Möglicherweise ist es sogar schlechter als die anderen, da es noch weniger christliche Theologie enthält, weniger Evangelium und mehr New-Age-Denken und pseudochristlichen Unsinn. Dass ein Herausgeber von christlichen Büchern überhaupt in Erwägung zieht, so etwas zu drucken, ist schockierend.
>
> Ich werde *Einmal Himmel und zurück* nicht besprechen. Es ist absoluter Schund, Fiktion getarnt als Biografie, Heidentum unter dem Deckmantel des Christentums. Aber ich möchte eine Frage stellen, die bei diesem Buch und anderen des Genres oft auftaucht: Wie reagiere ich darauf? Was sage ich denen, die meinen, sie wären im Himmel gewesen? Wenn ein Christ oder eine Person, die behauptet, Christ zu sein, mir erzählt, dass sie im Himmel gewesen war, bin ich dann verpflichtet, ihr zu glauben oder mich im Zweifelsfall zu ihren Gunsten zu entscheiden?
>
> Nein, dazu bin ich nicht verpflichtet. Ich glaube nicht, dass Don Piper oder Coulton Burpo oder Mary Neal oder Bill Wiese das Leben nach dem Tod gesehen haben. Sie können mir alles erzählen, was sie wollen und ihre Geschichte noch so ernsthaft darstellen, ich glaube ihnen dennoch nicht (auch dann nicht, wenn sie mir wütende und herab-

> lassende E-Mails schicken, in denen sie mich des Rufmords bezichtigen). Ich sage nicht, dass diese Leute zwangsläufig Lügner sind – nur dass ich nicht verpflichtet bin, den Erfahrungen anderer Glauben zu schenken.[17]

Er hat völlig Recht, und die Tatsache, dass sich so viele Evangelikale von diesen Büchern scheinbar angezogen fühlen, ist eine unmissverständliche Aussage über den geistlichen Zustand der gegenwärtigen Gemeinde.

Wir brauchen ein besseres Verständnis von der Herrlichkeit des Himmels. Wir müssen lernen, unser Herz auf himmlische Dinge auszurichten, so wie es die Schrift fordert. Als Christen wissen wir, dass «unser Bürgerrecht aber im Himmel ist» (Phil 3,20). Auch unser Herz sollte dort sein – ausgerichtet auf den wahren Himmel, wie ihn die Schrift beschreibt, nicht auf die mystische, frei erfundene Vorstellung anderer Personen vom Paradies.

Noch ein letzter Gedanke: Warum glauben Sie, hat Jesus uns gesagt: «Sammelt euch vielmehr Schätze im Himmel, wo weder die Motten noch der Rost sie fressen und wo die Diebe nicht nachgraben und stehlen! Denn wo euer Schatz ist, da wird auch euer Herz sein» (Mt 6,20–21)?

Natürlich wollte er damit nicht sagen, dass er unsere *Schätze* will. Er möchte unsere *Herzen*. Er bestätigte den wichtigen Grundsatz wahren Glaubens, dass wir warten sollen «auf die Stadt, welche die Grundfesten hat, deren Baumeister und Schöpfer Gott ist» (Hebr 11,10). Er drängte uns, unsere Herzen auf den Himmel auszurichten, uns nach der Herrlichkeit des Himmels zu sehnen und, vor allem anderen, das zu suchen, «was droben ist, wo der Christus ist, sitzend zur Rechten Gottes» (Kol 3,1).

Der Himmel ist *sein* Reich. Er ist dort hingegangen, um einen Ort für uns zu bereiten. Diese Wahrheit macht den Himmel so kostbar für Christen. Wir werden die Ewigkeit in der Gegenwart Christi verbringen, mit ihm persönlich herzliche Gemeinschaft haben und für immer im Licht seines Angesichts leben. Das ist die Hauptanziehungskraft des Himmels für jeden Christen, der seine Prioritäten richtig geordnet hat. Christus selbst *ist* die Herrlichkeit des Himmels:

> Und die Stadt bedarf nicht der Sonne, noch des Mondes, dass sie in ihr scheinen; denn die Herrlichkeit Gottes erleuchtet sie, und ihre Leuchte ist das Lamm. (Offb 21,23)

---

1. So der Untertitel der deutschen Ausgabe.
2. Mary C. Neal, *To Heaven and Back: A Doctor's Extraordinary Account of Her Death, Heaven, Angels, and Life Again* (Colorado Springs: Waterbrook, 2012).
3. Zitiert in Randy Alcorn, «Dialogue with Publisher about Mary Neal's To Heaven and Back», blogpost, 10. August 2012 auf http://www.epm.org/blog/2012/Aug/10/dialogue-publisher-heaven-and-back.
4. Neal, *To Heaven and Back*, S. 97–98.
5. Ebd., S. 98.
6. Ebd., 114.
7. Ebd., S. 147.
8. Ebd., S. 73.
9. Sie macht ihre Überzeugung hinsichtlich der Identität des Engels später in einem Frage-Antwort-Teil deutlich, der der elektronischen Ausgabe des Buches am Ende beigefügt ist.
10. Neal, *To Heaven and Back*, S. 152.
11. Ebd., S. 131.
12. Ebd., S. 149.
13. Ebd., S. 150.
14. Ebd., S. 151.
15. Ebd., S. 154.
16. Ebd., S. 178.
17. Tim Challies, «Heaven Tourism», blogpost, 18. Juni 2012, auf http://www.challies.com/articles/heaven-tourism.